Top of the Top

1등급 비밀!!

최강

TOP

수학 II

Top of the Top

개념 정리　　예제와 참고 자료, 일부 단축키(문제 풀이 시간을 줄여주는 내용 소개)를 통해 학습

단계 구성

　STEP 1　1등급 준비하기

1등급 준비를 위해 꼭 확인해야 할 필수 유형을 학습하는 단계. 자칫하면 놓치기 쉬운 개념과 풀이 스킬을 확인합니다.

　STEP 2　1등급 굳히기

각 학교에서 실제 시험에 다뤄진 최신 출제 경향을 반영하는 문제를 푸는 단계.
1등급을 목표로 공부한다면 반드시 알아야 할 풀이 스킬을 확인하고 각 문항별로 주어진 목표 시간 안에 1등급 문제 유형을 확실하게 익힙니다.

　STEP 3　1등급 뛰어넘기

창의력, 융합형, 신경향, 서술형 문제 등을 경험하고 익히는 단계. 풀기 어렵거나 풀기 까다로운 문제보다는 '이렇게 풀면 되구나!' 하는 경험을 할 수 있는 문제를 포함하고 있으므로 더 다양한 풀이 스킬을 익히면서 적용해 볼 수 있습니다.

정답과 풀이　　주로 문제 풀이를 위한 **GUIDE** 와 해설로 이루어져 있습니다.
그리고 다음 요소도 포함하고 있습니다.

주의　　자칫하면 실수하기 쉬운 내용을 알려줍니다.
참고　　풀이 과정에서 추가 설명이 필요한 경우, 이해를 돕거나 이해해야 하는 내용을 알려줍니다.
LECTURE　　풀이 과정에서 등장한 개념을 알려줍니다.
1등급 NOTE　　문제 풀이에 필요한 스킬을 알려줍니다.
다른 풀이　　말 그대로 소개된 해설과 다른 풀이를 담고 있습니다.

※ 오답노트 자동 생성 앱

틀린 문제 번호만 터치하면 자동으로 정리되는 오답노트입니다. 인쇄하여 오답노트집으로 활용하거나 자투리 시간에 휴대폰에서 바로 이용할 수 있습니다. (안드로이드 운영 체제만 지원합니다.)

1 천재교육 홈페이지(www.chunjae.co.kr)에서 회원으로 가입합니다. (이때 사용한 아이디와 비밀번호를 오답노트 앱에서 사용합니다.)
2 표지에 있는 QR 코드를 스캔하여 교재 등록을 합니다.
3 오답노트를 이용합니다.
※ 휴대폰에서 인쇄하기를 누를 경우 사용자의 구글 드라이브 계정에 오답노트가 저장됩니다. PC에서 구글 드라이브에 접속해 오답노트를 인쇄할 수 있습니다.

01 함수의 극한

1 함수의 극한

함수 $f(x)$에서 '$x \to a$일 때 $f(x) \to \alpha$'이면
함수 $f(x)$는 α에 **수렴**한다 하고, 기호 $\displaystyle\lim_{x \to a} f(x) = \alpha$
로 나타낸다. 이때 α를 $x = a$에서의 함수 $f(x)$의 **극한값** 또는 **극한**이라 한다.

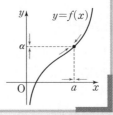

보충
x값이 a에 한없이 가까워질 때, $f(x)$값이
① 한없이 커지면 '양의 무한대로 발산한다'하고
$\displaystyle\lim_{x \to a} f(x) = \infty$로 나타낸다.
② 한없이 작아지면 '음의 무한대로 발산한다'하고
$\displaystyle\lim_{x \to a} f(x) = -\infty$로 나타낸다.

2 좌극한과 우극한

① 함수 $f(x)$에서 $x \to a-$일 때 $f(x) \to \alpha$이면
α를 $x = a$에서 함수 $f(x)$의 **좌극한**이라 하고
$\displaystyle\lim_{x \to a-} f(x) = \alpha$로 나타낸다.

② 함수 $f(x)$에서 $x \to a+$일 때 $f(x) \to \beta$이면
β를 $x = a$에서 함수 $f(x)$의 **우극한**이라 하고
$\displaystyle\lim_{x \to a+} f(x) = \beta$로 나타낸다.

③ 함수 $f(x)$에서 $x = a$일 때 좌극한과 우극한이 모두 α로 같으면
$\displaystyle\lim_{x \to a} f(x)$가 존재하고 그 극한값은 α이다. 또 그 역도 성립한다.

$$\lim_{x \to a-} f(x) = \lim_{x \to a+} f(x) = \alpha \iff \lim_{x \to a} f(x) = \alpha$$

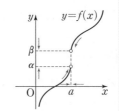

참고
• 다항함수는 모든 실수에서 좌극한과 우극한이 같다.
• 분수함수, 가우스 기호를 포함하는 함수는 좌극한과 우극한이 다를 수 있다.

보기 $\displaystyle\lim_{x \to 1} \frac{(x-1)^2}{|x-1|}$의 좌극한과 우극한을 조사하여라. (단, $x \neq 1$)

$y = \dfrac{(x-1)^2}{|x-1|}$의 그래프에서 확인할 수 있다.

풀이 $\displaystyle\lim_{x \to 1-} \frac{(x-1)^2}{|x-1|} = \lim_{x \to 1-} \{-(x-1)\} = -(1-1) = 0$

$\displaystyle\lim_{x \to 1+} \frac{(x-1)^2}{|x-1|} = \lim_{x \to 1+} (x-1) = 1-1 = 0$

(좌극한) = (우극한) = **0**

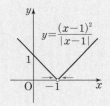

보기 $-1 \leq x \leq 1$에서 정의된 함수 $y = f(x)$의 그래프가
그림과 같을 때, $\displaystyle\lim_{x \to 0} [f(x)]$의 값을 구하여라.
(단, $[x]$는 x보다 크지 않은 가장 큰 정수이다.)

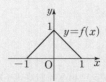

풀이 $-1 \leq x < 0$과 $0 < x \leq 1$에서 $0 \leq f(x) < 1$이므로
이 범위에서 $[f(x)] = 0$
또 $f(0) = 1$이므로 $x = 0$일 때 $[f(x)] = 1$
따라서 $-1 \leq x \leq 1$에서 함수 $y = [f(x)]$의 그래프는 그림과 같다.
이때 $\displaystyle\lim_{x \to 0-} [f(x)] = \lim_{x \to 0+} [f(x)] = 0$이므로 $\displaystyle\lim_{x \to 0} [f(x)] = \mathbf{0}$

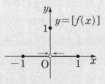

3 함수의 극한에 대한 성질

$\lim\limits_{x \to a} f(x) = \alpha$, $\lim\limits_{x \to a} g(x) = \beta$ (α, β는 실수)일 때

① $\lim\limits_{x \to a} kf(x) = k\alpha$　　② $\lim\limits_{x \to a} \{f(x) \pm g(x)\} = \alpha \pm \beta$ (복부호는 같은 순서)

③ $\lim\limits_{x \to a} f(x)g(x) = \alpha\beta$　④ $\lim\limits_{x \to a} \dfrac{f(x)}{g(x)} = \dfrac{\alpha}{\beta}$ (단, $g(x) \neq 0$, $\beta \neq 0$)

⑤ $f(x) \leq g(x)$이면 $\alpha \leq \beta$

⑥ $f(x) \leq h(x) \leq g(x)$이고, $\alpha = \beta$이면 $\lim\limits_{x \to a} h(x) = \alpha$

보기 $\lim\limits_{x \to a} f(x) = 3$, $\lim\limits_{x \to a} \{2f(x) - g(x)\} = 5$일 때, $\lim\limits_{x \to a} \{f(x) + 2g(x)\}$의 극한값을 구하여라.

풀이 $h(x) = 2f(x) - g(x)$라 하면 $g(x) = 2f(x) - h(x)$이므로

$\lim\limits_{x \to a} g(x) = \lim\limits_{x \to a} \{2f(x) - h(x)\} = \lim\limits_{x \to a} 2f(x) - \lim\limits_{x \to a} h(x)$

$\qquad\qquad = 2 \times 3 - 5 = 1$

$\therefore \lim\limits_{x \to a} \{f(x) + 2g(x)\} = \lim\limits_{x \to a} f(x) + \lim\limits_{x \to a} 2g(x) = 3 + 2 \times 1 = \mathbf{5}$

4 유형별 극한값 구하기

$\dfrac{0}{0}$ 꼴 : 분수식은 분자와 분모를 인수분해하여 약분한다.

　　　 무리식은 근호가 있는 쪽을 유리화한다.

$\dfrac{\infty}{\infty}$ 꼴 : 분모의 최고차항으로 분자, 분모를 나눈다.

$\infty - \infty$ 꼴 : 다항식은 최고차항으로 묶고, 무리식은 유리화한다.

$0 \times \infty$ 꼴 : $\dfrac{0}{0}$, $\dfrac{\infty}{\infty}$ 등의 꼴로 변형한다.

보기 다음 극한값을 구하여라.

(1) $\lim\limits_{x \to 0} \dfrac{\sqrt{1+x} - 1}{x}$ 　　　　(2) $\lim\limits_{x \to \infty} \dfrac{3^{x+1} - 2^x}{3^x + 2^x}$

(3) $\lim\limits_{x \to \infty} \sqrt{x}(\sqrt{x+1} - \sqrt{x})$ 　(4) $\lim\limits_{x \to -2} \dfrac{1}{x+2}\left(2 - \dfrac{3x}{x-1}\right)$

풀이 (1) $\lim\limits_{x \to 0} \dfrac{\sqrt{1+x}-1}{x} = \lim\limits_{x \to 0} \dfrac{(1+x)-1}{x(\sqrt{1+x}+1)} = \lim\limits_{x \to 0} \dfrac{1}{\sqrt{1+x}+1} = \dfrac{\mathbf{1}}{\mathbf{2}}$

(2) $\lim\limits_{x \to \infty} \dfrac{3^{x+1} - 2^x}{3^x + 2^x} = \lim\limits_{x \to \infty} \dfrac{3 - \left(\dfrac{2}{3}\right)^x}{1 + \left(\dfrac{2}{3}\right)^x} = \mathbf{3}$

(3) $\lim\limits_{x \to \infty} \sqrt{x}(\sqrt{x+1} - \sqrt{x}) = \lim\limits_{x \to \infty} \dfrac{\sqrt{x}\,(x+1-x)}{\sqrt{x+1} + \sqrt{x}} = \dfrac{\mathbf{1}}{\mathbf{2}}$

(4) $\lim\limits_{x \to -2} \dfrac{1}{x+2}\left(2 - \dfrac{3x}{x-1}\right) = \lim\limits_{x \to -2} \left(\dfrac{1}{x+2} \times \dfrac{2x-2-3x}{x-1}\right)$

$\qquad\qquad\qquad\qquad = \lim\limits_{x \to -2} \dfrac{-1}{x-1} = \dfrac{\mathbf{1}}{\mathbf{3}}$

보충

• $\lim\limits_{x \to a} \{f(x) \pm g(x)\}$, $\lim\limits_{x \to a} \{f(x)g(x)\}$ 또는 $\lim\limits_{x \to a} \dfrac{f(x)}{g(x)}$의 값은 존재하지만 $\lim\limits_{x \to a} f(x)$나 $\lim\limits_{x \to a} g(x)$의 값은 존재하지 않을 수 있다.

• $f(x) < g(x)$이라고 해서 항상 $\lim\limits_{x \to a} f(x) < \lim\limits_{x \to a} g(x)$인 것은 아니다.

[반례]

$f(x) = \begin{cases} x+1 & (x \leq 0) \\ -x+1 & (x > 0) \end{cases}$

$g(x) = 1 \ (x \neq 0)$

이면 $x \neq 0$인 모든 실수 x에 대하여

$f(x) < g(x)$이지만

$\lim\limits_{x \to 0} f(x) = \lim\limits_{x \to 0} g(x) = 1$

• ⑥을 흔히 '샌드위치 정리'라 하고, 다음 예와 같이 이용한다.

예 $\lim\limits_{x \to \infty} \dfrac{\sin x}{x}$을 구하는 경우

$-1 \leq \sin x \leq 1$에서 $-\dfrac{1}{x} \leq \dfrac{\sin x}{x} \leq \dfrac{1}{x}$

이때 $\lim\limits_{x \to \infty} \left(-\dfrac{1}{x}\right) = 0$, $\lim\limits_{x \to \infty} \dfrac{1}{x} = 0$이므로

$\lim\limits_{x \to \infty} \dfrac{\sin x}{x} = 0$

➡ 7쪽 **11**, 11쪽 **17**

참고 미정계수의 결정

두 다항함수 $f(x)$, $g(x)$에 대하여

① $\lim\limits_{x \to \infty} \dfrac{f(x)}{g(x)} = \alpha$일 때, $\alpha \neq 0$이면

($f(x)$의 차수) = ($g(x)$의 차수)

$\alpha = $ (분자, 분모의 최고차항 계수의 비)

② $\lim\limits_{x \to a} \dfrac{f(x)}{g(x)} = \alpha$ (α는 상수)이고 $\lim\limits_{x \to a} g(x) = 0$

이면 $\lim\limits_{x \to a} f(x) = 0$

③ $\lim\limits_{x \to a} \dfrac{f(x)}{g(x)} = \alpha$ ($\alpha \neq 0$인 상수)이고

$\lim\limits_{x \to a} f(x) = 0$이면 $\lim\limits_{x \to a} g(x) = 0$

참고

$x \to -\infty$인 극한값 계산은 $x = -t$로 치환하여 $t \to \infty$ 꼴을 이용한다.

➡ 6쪽 **03**, 9쪽 **10**, 11쪽 **16**, 12쪽 **21**

STEP 1 | 1등급 준비하기

좌극한과 우극한

01

$-1 \leq x \leq 3$에서 정의된 함수 $y = f(x)$의 그래프가 그림과 같을 때, $\lim\limits_{x \to 2} f(x) + \lim\limits_{x \to 0+} f(-x)$의 값은?

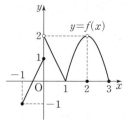

① 3   ② 1   ③ 0   ④ −1   ⑤ −3

02

다음 극한값을 구하시오.

(단, $[x]$는 x보다 크지 않은 가장 큰 정수이다.)

(1) $\lim\limits_{x \to 0+} \dfrac{8}{x} \left| \dfrac{x}{2} \right|$ (2) $\lim\limits_{x \to 0-} \dfrac{8}{x} \left| \dfrac{x}{2} \right|$

(3) $\lim\limits_{x \to 0+} \dfrac{8}{x} \left[\dfrac{x}{2} \right]$ (4) $\lim\limits_{x \to 0-} \dfrac{8}{x} \left[\dfrac{x}{2} \right]$

(5) $\lim\limits_{x \to 0+} \dfrac{x}{2} \left[\dfrac{8}{x} \right]$

$\dfrac{\infty}{\infty}$ 꼴의 극한값

03

다음에서 $A + B + C + D$의 값을 구하시오.

(가) $\lim\limits_{x \to -\infty} \dfrac{3 - 8x}{\sqrt{9x^2 - 1} + \sqrt{x^2 + 5}} = A$

(나) $\lim\limits_{x \to -1} \dfrac{16}{x+1} \left(\dfrac{1}{2} - \dfrac{1}{x+3} \right) = B$

(다) $\lim\limits_{x \to \infty} (\sqrt{x^2 - Cx} - x) = -3$

(라) $\lim\limits_{x \to 3} \dfrac{x^3 - 3x^2}{\sqrt{4x - 3} - \sqrt{2x + 3}} = D$

미정계수의 결정

04

$\lim\limits_{x \to 3} \dfrac{x - 3}{\sqrt{x - a} - 1} = \lim\limits_{x \to 2} \dfrac{x^2 + bx + c}{x - 2} = k$일 때, 상수 a, b, c에 대하여 $a + b + c$의 값은?

(단, k는 0이 아닌 일반 실수이다.)

① −4   ② −2   ③ 0   ④ 2   ⑤ 4

05

삼차함수 $f(x) = x^3 + 4x^2 + x - 6$과 서로 다른 세 상수 α, β, γ에 대하여 다음이 성립할 때 $a + b + c$의 값을 구하시오. (단, a, b, c는 상수이다.)

$$\lim\limits_{x \to \alpha} \dfrac{f(x)}{x - \alpha} = a, \quad \lim\limits_{x \to \beta} \dfrac{f(x)}{x - \beta} = b, \quad \lim\limits_{x \to \gamma} \dfrac{f(x)}{x - \gamma} = c$$

06

$\lim\limits_{x \to 1} \dfrac{x^4 - x^3 - 3x^2 + 5x - 2}{(x - 1)^a} = b$에서 a는 자연수이고 b는 실수일 때, $a + b$의 최댓값은?

① 2   ② 3   ③ 4   ④ 5   ⑤ 6

극한값 구하기

07

정의역이 $\{x \mid 0 \le x \le 4\}$인 함수 $y=f(x)$의 그래프가 그림과 같다.

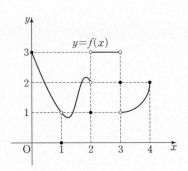

$\lim\limits_{x \to 0+} f(f(x)) + \lim\limits_{x \to 2+} f(f(x))$의 값은?

① 1   ② 2   ③ 3   ④ 4   ⑤ 5

[2011년 9월 모의평가]

함수의 극한의 활용

08

좌표평면 위에서 점 P는 원점 O를 출발하여 x축의 양의 방향으로 시간당 3만큼 움직이고, 점 Q는 점 $(0, 5)$를 출발하여 y축의 음의 방향으로 시간당 1만큼 움직인다.
점 $A(3, 0)$, $B(0, 4)$를 지나는 직선 AB와 직선 PQ의 교점을 R라 할 때, t시간이 지난 후 원점 O와 점 R를 지나는 직선의 기울기를 $f(t)$라 하자. 이때 $\lim\limits_{t \to 1} f(t)$의 값은?

① $\dfrac{10}{3}$ ② 4   ③ $\dfrac{14}{3}$ ④ $\dfrac{16}{3}$ ⑤ 6

함수의 극한값의 존재

09

다항함수 $f(x)$에 대하여 다음이 성립할 때, $f(2)$의 값을 구하시오.

$$\text{(가)} \lim_{x \to \infty} \frac{f(x)-x^3}{3x}=2 \qquad \text{(나)} \lim_{x \to 0} f(x)=-7$$

[2015년 9월 모의평가]

10

다항함수 $g(x)$에 대하여 극한값 $\lim\limits_{x \to 1} \dfrac{g(x)-2x}{x-1}$가 존재한다. 다항함수 $f(x)$가 $f(x)+x-1=(x-1)g(x)$를 만족시킬 때, $\lim\limits_{x \to 1} \dfrac{f(x)g(x)}{x^2-1}$의 값을 구하시오.

[2008년 6월 모의평가]

11

실수 전체에서 정의된 함수 $f(x)$에 대하여 항상 $2x^2-2x+1 < f(x) < 2x^2-2x+7$이 성립할 때, $\lim\limits_{x \to \infty} \dfrac{\{f(x)\}^2-4x^4}{x^3+2x^2+1}$의 값을 구하시오.

좌극한과 우극한

01
| 제한시간 1분 |

실수 x에 대하여 $20 \lim\limits_{x \to -1-} (\langle x \rangle + 3)^{[x]}$의 값을 구하시오.

(단, $[x]$는 x보다 크지 않은 가장 큰 정수이고, $\langle x \rangle$는 x보다 작지 않은 가장 작은 정수이다.)

02
| 제한시간 1.5분 |

두 양의 실수 a, b와 음의 실수 c에 대하여 이차방정식 $ax^2 + bx + c = 0$의 두 근을 α, β ($\alpha < \beta$)라 하자. a가 0에 한없이 가까워질 때, β의 극한값은?

① $\dfrac{c}{b}$ 　　② $-\dfrac{c}{b}$ 　　③ $\dfrac{2c}{b}$

④ $-\dfrac{2c}{b}$ 　　⑤ 발산한다.

03
| 제한시간 1.5분 |

그림과 같이 함수 $y = \sqrt{x}$ 그래프 위의 원점이 아닌 점 P에 대하여 중심이 원점이고 반지름이 선분 OP인 원과 x축의 양의 부분이 만나는 점을 A라 하고, 이 원의 넓이를 S_1, $\triangle POA$의 넓이를 S_2라 하자. 점 P가 원점 O에 한없이 가까이 갈 때, $\dfrac{S_1}{S_2}$의 극한값은?

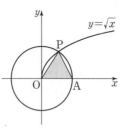

① π 　② 2π 　③ 3π 　④ 4π 　⑤ 5π

04
| 제한시간 2분 |

$\lim\limits_{x \to 2} ([x]^2 - 2a[x]) + \lim\limits_{x \to n} \dfrac{[x]^2 + 3x}{[x]}$의 값이 존재할 때, 그 값을 구하시오. (단, a는 실수이고, n은 정수이다.)

05
| 제한시간 2분 |

x가 양수일 때, x보다 작은 자연수 중에서 소수의 개수를 $f(x)$라 하고, 함수 $g(x)$를

$$g(x) = \begin{cases} f(x) & (x > 2f(x)) \\ \dfrac{1}{f(x)} & (x < 2f(x)) \end{cases}$$

라 하자. 예를 들어 $f\left(\dfrac{7}{2}\right) = 2$이고, $\dfrac{7}{2} < 2f\left(\dfrac{7}{2}\right)$이므로 $g\left(\dfrac{7}{2}\right) = \dfrac{1}{2}$이다. $\lim\limits_{x \to 8+} g(x) = \alpha$, $\lim\limits_{x \to 8-} g(x) = \beta$라 할 때, $\dfrac{\alpha}{\beta}$의 값을 구하시오.

[2010년 6월 모의평가]

06
| 제한시간 2분 |

x의 정수부분을 $f(x)$라 하고, 소수부분을 $g(x)$라 하자. 정수 a, b, c에 대하여 다음이 성립할 때, $a+b+c$의 값을 구하시오.

> (가) $\lim\limits_{x \to a} \dfrac{f(x)+3}{g(x)-2} = b$ 　(나) $\lim\limits_{x \to a+} \dfrac{f(x^2+2x+3)}{g(x^2+2x+3)-2} = c$

07

| 제한시간 2.5분 |

두 함수 $y=f(x)$와 $y=g(x)$ 그래프의 일부가 다음과 같고, 모든 실수 x에 대하여 $f(x+4)=f(x)$일 때, **보기**에서 옳은 것을 모두 고르시오.

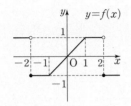
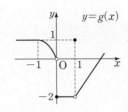

┤ 보기 ├

ㄱ. $\lim\limits_{x\to 0} g(f(x))=-2$ ㄴ. $\lim\limits_{x\to 2} g(f(x))=1$

ㄷ. $\lim\limits_{x\to\infty}\sum\limits_{k=1}^{4} g\left\{f\left(2k+\dfrac{1}{x}\right)\right\}=-2$

[2009년 9월 모의평가]

08*

| 제한시간 3분 |

상수 a에 대하여 두 그래프 $y=x^2+a$, $|x|+|y|=2$의 교점 개수를 $f(a)$라 할 때, $\lim\limits_{a\to k+} f(a)+\lim\limits_{a\to k-} f(a)=10$ 이 되도록 하는 실수 k값을 구하시오.

극한값 구하기

09

| 제한시간 2분 |

다음 극한값을 구하시오.

$$\lim_{x\to\infty} x\left(\sqrt{\dfrac{x+3}{x-3}}-1\right)+\lim_{x\to\infty} x\left(1+\sqrt[3]{\dfrac{x}{3-x}}\right)$$

10

| 제한시간 3분 |

$0<x<2$에서 정의된 함수 $f(x)$는 그림과 같고, 함수 $p(x)$, $q(x)$, $r(x)$는 차례로 ㈎, ㈏, ㈐와 같을 때, **보기**에서 옳은 것을 모두 고르시오. (단, $f^{n+1}(x)=(f^n\circ f)(x)$)

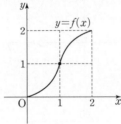
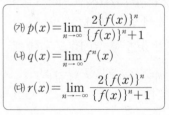

㈎ $p(x)=\lim\limits_{n\to\infty}\dfrac{2\{f(x)\}^n}{\{f(x)\}^n+1}$

㈏ $q(x)=\lim\limits_{n\to\infty} f^n(x)$

㈐ $r(x)=\lim\limits_{n\to-\infty}\dfrac{2\{f(x)\}^n}{\{f(x)\}^n+1}$

┤ 보기 ├

ㄱ. $p(1)+q(1)+r(1)=3$ ㄴ. $p(x)+r(x)=2$

ㄷ. $p(x)=q(x)$

11

| 제한시간 2분 |

원 $x^2+y^2=1$ 위의 점 $P(a, b)$에서 그은 접선이 x축과 만나는 점을 Q라 하자. 점 $A(1, 0)$에 대하여 삼각형 APQ의 넓이를 $S(a)$라 할 때 $\lim\limits_{a \to 1} \dfrac{S(a)}{(1-a^2)^m}=n$이 성립한다. $8(m+n)$의 값을 구하시오. (단, $n \neq 0$)

12

| 제한시간 3분 |

그림과 같이 한 꼭짓점이 원점 O이고, 한 변의 길이가 1인 정사각형 OABC가 좌표평면에 놓여 있다. 직선 OA의 기울기가 m일 때, 점 $B(x, y)$에 대하여 $\lim\limits_{m \to 1} \dfrac{y-\sqrt{2}}{x^2}$의 값은?

① $-\sqrt{2}$ 　　② $-\dfrac{\sqrt{2}}{4}$ 　　③ 0

④ $\dfrac{\sqrt{2}}{4}$ 　　⑤ $\sqrt{2}$

극한값이 존재할 조건

13

| 제한시간 1.5분 |

a가 양수이고, $\lim\limits_{x \to 0} \dfrac{|x-2a|+b}{x}$의 값이 존재할 때, 그 값을 구하시오.

14

| 제한시간 1.5분 |

최고차항의 계수가 1인 이차함수 $f(x)$가

$$\lim\limits_{x \to a} \frac{f(x)-(x-a)}{f(x)+(x-a)}=\frac{3}{5}$$

을 만족시킨다. 방정식 $f(x)=0$의 두 근을 α, β라 할 때, $|\alpha-\beta|$의 값은? (단, a는 상수이다.)

① 1 　　② 2 　　③ 3 　　④ 4 　　⑤ 5

[2017학년도 수능]

15

| 제한시간 2분 |

$\lim\limits_{x \to 0} \dfrac{x^2}{2-x^2-x^n-\sqrt{4-x^2}}=-\dfrac{4}{7}$가 성립할 때, 자연수 n 값을 구하시오.

16

| 제한시간 2분 |

다항함수 $f(x)$에 대하여 다음이 성립할 때, $f(3) \times \alpha$의 값은?

> (가) $\displaystyle\lim_{x \to 0-} \dfrac{xf\left(-\dfrac{1}{x}\right)}{-x+2} = 1$ (나) $\displaystyle\lim_{x \to 3} \dfrac{f(x)+3}{x^2-3x} = \alpha$

① -6 ② -2 ③ 0
④ 2 ⑤ 6

17

| 제한시간 2분 |

모든 실수 x에 대하여 $ax+b \leq f(x) \leq 2x^2+2x+1$인 함수 $f(x)$가 있다. $\displaystyle\lim_{x \to -2} f(x)$의 값이 반드시 존재하도록 a, b의 값을 정할 때, $a+b$의 값은?

① -13 ② -8 ③ -3
④ 2 ⑤ 7

18

| 제한시간 2.5분 |

최고차항의 계수가 1인 삼차함수 $f(x)$와 $g(1)=0$인 다항함수 $g(x)$가 있다. 분수함수 $\dfrac{f(x)}{g(x)}$에 대하여 다음이 성립할 때, $\displaystyle\lim_{x \to 2} \{f(x)-g(x)\}$의 값은?

> (가) $\displaystyle\lim_{x \to \infty} \dfrac{f(x)}{g(x)} = \dfrac{1}{2}$
>
> (나) $\displaystyle\lim_{x \to 1} \dfrac{g(x)}{f(x)}$의 값이 존재하지 않는다.
>
> (다) $\displaystyle\lim_{x \to -1} \dfrac{f(x)}{(x+1)g(x)} = -\dfrac{2}{9}$
>
> (라) $\displaystyle\lim_{x \to 3} \dfrac{f(x)}{g(x)} = 8$

① 4 ② 6 ③ 8 ④ 9 ⑤ 10

19

| 제한시간 3분 |

$x \neq 3$에서 정의된 함수 $f(x) = \begin{cases} x-4 & (|x| \leq a) \\ \dfrac{20}{x-3} & (|x| > a) \end{cases}$에 대하여 $\displaystyle\lim_{x \to c} f(x)$가 존재하지 않도록 하는 실수 c값이 오직 하나뿐일 때, 양수 a값을 구하시오.

치환을 이용해 극한값 구하기

20
| 제한시간 1.5분 |

함수 $f(x)$에 대하여 $\lim\limits_{x \to 3} \dfrac{f(x-2)}{x-3} = 2$일 때,

$\lim\limits_{x \to 0} \dfrac{2f(x+1) - x^2 - 6x}{f(x+1) + 3x^2}$의 값은?

① -3 ② -1 ③ 0 ④ 1 ⑤ 3

21
| 제한시간 2분 |

실수 전체에서 정의된 함수 $y = f(x)$의 그래프가 그림과

같다. $\lim\limits_{t \to \infty} f\left(\dfrac{t-1}{t+1}\right) + \lim\limits_{t \to -\infty} f\left(\dfrac{4t-1}{t+1}\right)$의 값을 구하시오.

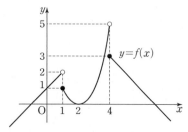

[2010년 6월 모의평가]

22
| 제한시간 2분 |

두 함수 $f(x)$, $g(x)$에 대하여 $\lim\limits_{x \to a} f(x) = \infty$,

$\lim\limits_{x \to a} \dfrac{g(x)}{f(x)} = 100$일 때, $\lim\limits_{x \to a} \dfrac{\log g(x)}{\log f(x)}$의 값은?

① -1 ② 0 ③ 1 ④ 2 ⑤ 10

23
| 제한시간 2.5분 |

다항함수 $f(x)$에 대하여 다음이 성립할 때,

$\lim\limits_{x \to 2} \dfrac{f(\sqrt{f(x)} - \sqrt{x})}{x-2}$의 값은?

> (가) $\lim\limits_{x \to 0} \dfrac{f(x)}{x} = -2$ (나) $\lim\limits_{x \to 2} \dfrac{f(x)-2}{x-2} = 5$

① -8 ② $-2\sqrt{2}$ ③ 0

④ 2 ⑤ $4\sqrt{2}$

참, 거짓 판단하기

24*

| 제한시간 2.5분 |

두 함수 $f(x)$, $g(x)$에 대하여

$\lim\limits_{x \to 2} f(x) = \infty$, $\lim\limits_{x \to 2} \{3f(x) - 2g(x)\} = 1$일 때, **보기**에서

옳은 것을 모두 고르시오.

┤ 보기 ├

ㄱ. $\lim\limits_{x \to 2} \dfrac{f(x)}{g(x)} = \dfrac{2}{3}$

ㄴ. $\lim\limits_{x \to 2} \dfrac{f(x) + 4g(x)}{-2f(x) + 6g(x)} = -1$

ㄷ. $\lim\limits_{x \to 2} \dfrac{\sqrt{4g(x) + 2x} - \sqrt{6f(x)}}{\sqrt{2g(x)} - \sqrt{3f(x)}} = -\sqrt{2}$

25

| 제한시간 2.5분 |

보기에서 옳은 것을 모두 고른 것은?

┤ 보기 ├

ㄱ. $\lim\limits_{x \to a} \dfrac{f(x)}{g(x)}$와 $\lim\limits_{x \to a} f(x)$의 값이 존재할 때, $\lim\limits_{x \to a} g(x)$의

값이 존재한다.

ㄴ. $\lim\limits_{x \to a} \dfrac{f(x)}{g(x)}$의 값이 존재하고 $\lim\limits_{x \to a} f(x)g(x) = 0$이면,

$\lim\limits_{x \to a} f(x)$의 값이 존재한다.

ㄷ. $\lim\limits_{x \to a} g(f(x))$와 $\lim\limits_{x \to f(a)} g(x)$의 값이 존재할 때, $\lim\limits_{x \to a} f(x)$

의 값이 존재한다.

① ㄱ   ② ㄴ   ③ ㄱ, ㄴ

④ ㄴ, ㄷ   ⑤ ㄱ, ㄴ, ㄷ

26

| 제한시간 3분 |

두 함수 $f(x)$, $g(x)$에 대하여 **보기**에서 옳은 것을 모두

고르시오.

┤ 보기 ├

ㄱ. $\lim\limits_{x \to \infty} f\left(1 - \dfrac{1}{x^2}\right) = 2$이면 $\lim\limits_{x \to 1} f(x) = 2$이다.

ㄴ. $\lim\limits_{x \to a} g(x) = 0$이고 $\lim\limits_{x \to a} \dfrac{f(x)}{g(x)}$가 존재하면 $f(a) = 0$이다.

ㄷ. $\lim\limits_{x \to 0} f(x)$와 $\lim\limits_{x \to 0} g(x)$가 모두 존재하지 않으면

$\lim\limits_{x \to 0} \{f(x) + g(x)\}$도 존재하지 않는다.

ㄹ. $\lim\limits_{x \to a} f(x)$가 존재하지 않으면, $\lim\limits_{x \to a} g(x)$, $\lim\limits_{x \to a} \dfrac{f(x)}{g(x)}$

중 적어도 하나의 값이 존재하지 않는다.

01

두 함수 $f(x)=\lim\limits_{t \to 2}\dfrac{t^2-3t+x}{(t-x)(t-4)}$, $g(x)=x^2+x-4$

에 대하여 $\lim\limits_{x \to 2}f(g(x))-f(\lim\limits_{x \to 2}g(x))$의 값은?

① 1 ② 2 ③ 3 ④ 4 ⑤ 5

02

$\lim\limits_{x \to 2}\dfrac{f(x)}{x-2}=3$, $\lim\limits_{x \to 2}\dfrac{g(x)}{x-2}=1$인 함수 $f(x)$, $g(x)$에 대하

여 $\lim\limits_{x \to 2}\dfrac{\{f(x)\}^2+af(x)g(x)+b\{g(x)\}^2}{\{f(x)-3g(x)\}(x-2)}=5$가 성립할

때, $a-b$의 값을 구하시오.

03

다음 조건에 맞는 최고차항의 계수가 3인 다항식 중에서 차수가 가장 낮은 것을 $f(x)$라 할 때, $f(4)$의 값을 구하시오. (단, $[x]$는 x보다 크지 않은 가장 큰 정수이다.)

(가) $\lim\limits_{x \to 0}\dfrac{f(x)}{|x|}$가 존재한다. (나) $\lim\limits_{x \to 2}\dfrac{f(x)}{[x]}$가 존재한다.

(다) $\lim\limits_{x \to 2}\dfrac{f(x)}{f(2-x)}$가 존재한다.

04

신유형

최고차항의 계수가 1인 두 삼차함수 $f(x)$, $g(x)$가 다음 조건을 만족시킨다.

(가) $g(1)=0$

(나) $\lim\limits_{x \to n}\dfrac{f(x)}{g(x)}=(n-1)(n-2)$ $(n=1, 2, 3, 4)$

$g(5)$의 값은?

① 4 ② 6 ③ 8 ④ 10 ⑤ 12

[2014년 6월 모의평가]

05 융합형

좌표평면에서 원점 O를 직선 $y=m(x-2)$에 대하여 대칭이동한 점을 P라 할 때, 점 P와 $y=x-4$ 사이의 거리를 $f(m)$이라 한다. $\displaystyle\lim_{m\to1}\frac{\sqrt{2}\,|m^2+3m-4|}{f(m)}$의 값을 구하시오.

06

최고차항의 계수가 1인 다항함수 $f(x)$에서 다음이 성립할 때, $f(3)$의 값은?

> (가) $\displaystyle\lim_{x\to-\infty}[\{f(x)\}^2+4x^7]=-\infty$
>
> (나) $\displaystyle\lim_{x\to1}\frac{f(x)}{x-2\sqrt{x}+1}=8$

① 2   ② 4   ③ 8   ④ 16   ⑤ 32

07* 신유형

함수 $f(x)$에 대하여 $\{f(x)\}^2-x^2f(x)+x^3-x^2=0$이 성립할 때, **보기**에서 옳은 것을 모두 고르시오.

> **┤ 보기 ├**
>
> ㄱ. $f(1)\neq1$이면, $f(1)=0$이다.
>
> ㄴ. $\displaystyle\lim_{x\to-1}f(x)$가 존재한다.
>
> ㄷ. $\displaystyle\lim_{x\to a}f(x)$가 존재하는 실수 a값은 적어도 2개이다.

08 서술형

함수 $f(x)=\begin{cases}3x+3 & (x<0)\\ x^2-ax+b & (x\geq0)\end{cases}$에 대하여

$\displaystyle\lim_{x\to a}(f\circ f)(x)$의 값은 존재하지 않지만

$\displaystyle\lim_{x\to a}(f\circ f\circ f)(x)$의 값은 존재할 때, $a+b$의 값을 구하시오. (단, a, b는 실수, $a>0$)

09

그림과 같이 y축 위의 점 $(0, a)$에서 수직으로 만나는 두 직선 $l: 2x+y-a=0$과 $m: x-2y+2a=0$이 있다. 두 직선 l, m과 직선 $y=-1$로 둘러싸인 삼각형에 내접하고, 중심이 (p, q)인 원에 대하여 $\lim\limits_{a \to -1} \dfrac{p}{a^2-1}$의 값은?

① $\dfrac{3-\sqrt{5}}{8}$

② $\dfrac{2-\sqrt{3}}{8}$

③ $\dfrac{2+\sqrt{3}}{8}$

④ $\dfrac{3+\sqrt{5}}{8}$

⑤ $\sqrt{3}+\sqrt{5}$

10

$x \le t$일 때, $f(x)=x^2-10x$와 $g(x)=2x$에 대하여 곡선 $y=f(x)$와 직선 $y=g(x)$ 또는 곡선 $y=f(x)$와 직선 $y=g(x)$, $x=t$로 둘러싸인 도형의 둘레 및 내부에서 x, y 좌표가 모두 정수인 점의 개수를 $h(t)$라 하자. 이때 부등식 $26 \le \lim\limits_{t \to c+} h(t) - \lim\limits_{t \to c-} h(t) < 34$이 성립하도록 하는 모든 자연수 c 값의 합을 구하시오.

11

창의력

다음 그림과 같이 한 변의 길이가 1인 정사각형 ABCD에서 선분 AD의 중점을 E라 한다. 선분 AE는 빛을 완전히 흡수하는 물질이고, 정사각형의 나머지 모서리 부분은 거울이어서 빛을 완전히 반사한다. 선분 AB와 각도 θ(라디안)를 이루며 점 A를 출발한 빛이 거울에 n번 반사된 후 선분 AE에 흡수될 때, 함수 $f(\tan\theta)=n$이라 하자. 예를 들어 $f\left(\dfrac{1}{4}\right)=1$이다.

이때 $\lim\limits_{x \to \frac{3}{4}+} f(x) + \lim\limits_{x \to \frac{3}{4}-} f(x)$의 값을 구하시오.

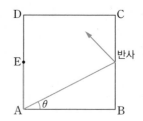 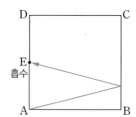

"Nature has a great simplicity and therefore a great beauty."

역사상 가장 큰 영향력을 끼친 과학자 순위 설문 조사에서 아인슈타인, 케플러, 뉴턴, 유클리드 등에 이어 7위에 오른 리처드 파인만(Richard Feynman)은 별명이 '금고털이(safebreaker)'입니다. 풀기 어려운 자물쇠와 금고의 비밀을 캐는 일에서 즐거움을 느낀다는 그에게 자연의 이치와 신비라는 비밀을 캐는 일은 더 큰 즐거움이었겠죠.

파인만은 1965년 양자전기역학으로 노벨물리학상을 수상합니다. "자연은 무척 단순하기에 그토록 아름다운 것이다."라고 한 그는 삶, 공부에서 복잡한 걸 싫어했습니다. 단순하고 간단하고, 마음 내키는 대로 살자는 게 파인만의 지론입니다. 양자물리학에서도 마찬가지입니다. 어렵다는 현대 물리학의 꽃으로 불리는 양자역학을 알기 쉽고 간단하게 풀이한 게 그의 커다란 업적입니다. "무릇 자연현상과 사물의 이치를 연구하는 물리학 이론이란 간단해야 한다. 자연은 간단한데 왜 인간은 도대체 어려운가? 쉽게 설명할 수 없다면, 그에 대한 지식이 모자라다는 것"이라고 했으니 "어떤 걸 쉽게 설명할 수 없다면 당신은 그걸 충분히 잘 안다고 할 수 없습니다."고 한 아인슈타인과 일맥상통합니다. 다만 자연의 질서를 이해하려면 수학이라는 언어가 필요함을 강조했습니다.

– 친구가 물어보는 걸 귀찮아하지 마세요. 심지어 여러분이 새로 알게 된 내용도 친구에게 설명해 보세요.

02 함수의 연속

---

1 구간

두 실수 a, b에 대하여 집합 $\{x \mid a \le x \le b\}$, $\{x \mid a \le x < b\}$, $\{x \mid a < x \le b\}$, $\{x \mid a < x < b\}$를 **구간**이라 하고, 기호로 각각 $[a, b]$, $[a, b)$, $(a, b]$, (a, b) 와 같이 나타낸다. 이때 $[a, b]$를 **닫힌구간**, (a, b)를 **열린구간**이라 하고, $[a, b)$, $(a, b]$를 **반닫힌 구간** 또는 **반열린 구간**이라 한다.

---

2 함수의 연속과 불연속

① 다음 세 조건이 모두 성립할 때, 함수 $f(x)$는 $x = a$에서 **연속**이다.

- 함수 $f(x)$가 $x = a$에서 정의되어 있다.
- $\lim_{x \to a} f(x)$가 존재한다.
- $\lim_{x \to a} f(x) = f(a)$

② 함수 $f(x)$가 연속이 아니면, 즉 다음 세 가지 경우 중 어느 하나에 해당 하면 함수 $f(x)$는 $x = a$에서 **불연속**이라 한다.

$f(a)$가 정의되어 있지 않다. $\lim_{x \to a} f(a)$가 없다. $\lim_{x \to a} f(a) \ne f(a)$

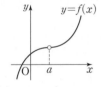 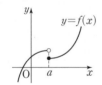 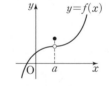

③ 함수 $f(x)$가 어떤 구간의 모든 값에서 연속일 때, 함수 $f(x)$는 그 구간 에서 연속 또는 **연속함수**라 한다.

참고

① 간단히 정리하면 $x = a$에서 좌극한, 우극한, 함 숫값이 모두 같으면 연속이고, 아닐 때에는 불 연속이다.
$$\lim_{x \to a-} f(x) = \lim_{x \to a+} f(x) = f(a)$$
※ 그래프에서는 펜을 떼지 않고 그릴 수 있으 면 연속이고, 끊어지거나 구멍이 있으면 불 연속이다.

② 함수 $f(x)$가 닫힌구간 $[a, b]$에서 연속이라는 것은 함수 $f(x)$가 열린구간 (a, b)에서 연속이 고, $\lim_{x \to a+} f(x) = f(a)$, $\lim_{x \to b-} f(x) = f(b)$임을 뜻한다. 예를 들어 그림과 같은 함수 $f(x) = \sqrt{x}$는 열린구간 $(0, \infty)$에서 연속이고, $\lim_{x \to 0+} f(x) = f(0)$이므로 반닫힌 구간 $[0, \infty)$에서 연 속이다.

※ 함수 $f(x)$가 닫힌구간 $[a, b]$에서 연속이면 $f(x)$는 이 구간에서 반드시 최댓값과 최솟 값을 가진다.

보기 다음 세 함수 $f(x)$, $g(x)$, $h(x)$에 대하여 다음 물음에 답하여라.

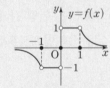 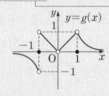 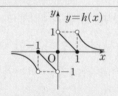

(1) 위 세 함수 중 $x = 0$에서 함숫값이 정의되지 않아 불연속인 것은?

(2) 위 세 함수 중 $x \to 1$일 때 극한값이 존재하지 않아 $x = 1$에서 불연속 것은?

주어진 세 함수 $f(x)$, $g(x)$, $h(x)$는 모두 $x = -1$, $x = 0$, $x = 1$에서 불연속이다.

- $\lim_{x \to 0} f(x)$, $\lim_{x \to 0} h(x)$가 존재하지 않는다.
- $\lim_{x \to 1} f(x) \ne f(1)$, $\lim_{x \to 1} g(x) \ne g(1)$

풀이 (1) $f(0) = 0$, $h(0) = 0$이지만 $g(0)$은 정의되지 있지 않다. $\therefore \boldsymbol{g(x)}$

(2) $\lim_{x \to 1-} f(x) = \lim_{x \to 1+} f(x) = 1$, $\lim_{x \to 1-} g(x) = \lim_{x \to 1+} g(x) = 1$이지만

$\lim_{x \to 1-} h(x) = 0$, $\lim_{x \to 1+} h(x) = 1$이므로 $\lim_{x \to 1-} h(x) \ne \lim_{x \to 1+} h(x)$

$\therefore \boldsymbol{h(x)}$

3 연속함수의 성질

두 함수 $f(x)$, $g(x)$가 임의의 열린구간 (a, b)에서 연속이면 다음 함수도 이 구간에서 모두 연속이다.

- $cf(x)$ (단, c는 상수)
- $f(x) \pm g(x)$
- $f(x)g(x)$
- $\dfrac{f(x)}{g(x)}$ (단, $g(x) \neq 0$)

참고
① 다항함수, 지수함수, 로그함수, 삼각함수(일부는 특정 점에서 불연속)는 대표적인 연속함수이다.

② $f(x)$ 또는 $g(x)$가 $x=a$에서 불연속일 때 $f(x)+g(x)$, $f(x)g(x)$ 등이 연속일 경우가 있다.

⇨ 21쪽 **09**, 22쪽 **04**, 23쪽 **06**, **08**, 25쪽 **16**, **17**, 27쪽 **01**, 28쪽 **05**

③ $f(x)$, $g(x)$가 모두 $x=a$에서 연속이라도 $f(g(x))$는 $x=a$에서 연속이 아닐 수 있다.

※ 합성함수 $f(g(x))$는 $g(x)$가 불연속인 x값들과 $f(x)$가 불연속인 정의역에 해당하는 값을 가지는 $g(x)$의 x값들에서 모두 연속 여부를 확인한다.

예를 들어 $y=f(g(x))$에서 $g(x)$는 $x=1, 2$에서 불연속이고 $f(x)$는 $x=5$에서 불연속인데 $g(x)=5$가 되는 x값으로 3, 4가 있다면 $x=1, 2, 3, 4$에서 모두 합성함수의 연속 여부를 확인한다.

⇨ 26쪽 **21**, **22**, 27쪽 **01**, **03**, **04**

보기 두 함수 $y=f(x)$, $y=g(x)$의 그래프가 다음과 같을 때, 함수 $h(x)=f(x)g(x)$가 $x=1$에서 연속인지 말하여라.

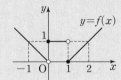 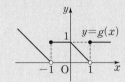

풀이 (i) $f(1)=0$, $g(1)=1$이므로 $f(1)g(1)=0$

(ii) $\displaystyle\lim_{x \to 1-} f(x)=1$, $\displaystyle\lim_{x \to 1-} g(x)=0$이므로 $\displaystyle\lim_{x \to 1-} f(x)g(x)=0$

$\displaystyle\lim_{x \to 1+} f(x)=0$, $\displaystyle\lim_{x \to 1+} g(x)=1$이므로 $\displaystyle\lim_{x \to 1+} f(x)g(x)=0$

∴ $\displaystyle\lim_{x \to 1} f(x)g(x)=0$

(i), (ii)에서 $\displaystyle\lim_{x \to 1} h(x)=h(1)$이므로 함수 $h(x)$는 $x=1$에서 **연속**

4 사잇값 정리

함수 $f(x)$가 닫힌구간 $[a, b]$에서 연속이고, $f(a) \neq f(b)$이면 $f(a)$와 $f(b)$ 사이의 임의의 실수 k에 대하여 $f(c)=k$인 c가 열린구간 (a, b)에 적어도 하나 존재한다.

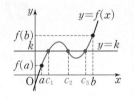

※ 함수 $f(x)$가 닫힌구간 $[a, b]$에서 연속이고, $f(a)$와 $f(b)$가 서로 다른 부호를 가질 때, 즉 $f(a)f(b)<0$이면 사잇값 정리에 따라 방정식 $f(x)=0$은 열린구간 (a, b)에서 적어도 하나의 실근을 가진다.

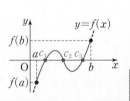

참고
함수 $f(x)$가 닫힌구간 $[a, b]$에서 연속이고 $f(a)f(b)>0$이면 방정식 $f(x)=0$은 열린구간 (a, b)에서 실근을 가질 수도 있고, 갖지 않을 수도 있다.

· 실근을 가지는 경우

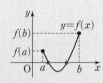

· 실근을 갖지 않는 경우

보기 방정식 $x^2-4x+k=0$이 구간 $(-1, 2)$에서 적어도 하나의 실근을 가지도록 하는 상수 k값의 범위를 구하시오.

풀이 $f(x)=x^2-4x+k$로 놓으면 함수 $f(x)$는 모든 실수에서 연속이다.

즉 함수 $f(x)$는 구간 $[-1, 2]$에서 연속이고, 구간 $(-1, 2)$에서 방정식 $f(x)=0$이 적어도 하나의 실근을 가지려면 $f(-1)f(2)<0$이어야 한다.

이때 $f(-1)=k+5$, $f(2)=k-4$에서 $(k+5)(k-4)<0$

∴ $-5<k<4$

보충
사잇값 정리는 주로 근의 존재를 증명할 때 쓴다.

STEP 1 | 1등급 준비하기

※ 문항 번호 오른쪽 ＊표시는 풀이에 문제 풀이 스킬을 익힐 수 있는 '다른 풀이' 또는 '1등급 Note'가 있음을 나타냅니다.

2. 함수의 연속

함수의 연속, 불연속

01
보기에서 $x=1$일 때 연속인 것을 모두 고른 것은?

┤ 보기 ├
ㄱ. $y=x[x-1]$
ㄴ. $y=(x-1)[x]$
ㄷ. $y=[x(x-1)]$

① ㄱ   ② ㄴ   ③ ㄷ
④ ㄱ, ㄴ   ⑤ ㄱ, ㄷ

02
실수 전체에서 정의된 두 함수 $f(x)=x^2$, $g(x)=ax-1$에 대하여 방정식 $f(x)=g(x)$의 실근의 개수를 $h(a)$라 하자. $h(a)$가 불연속인 모든 a값의 곱을 구하시오.

함수가 연속일 조건

03
다음 함수 $f(x)$가 모든 실수 x에서 연속일 때, 상수 a, b에 대하여 ab의 값을 구하시오.

$$f(x)=\begin{cases} x(x+1) & (|x| \le 1) \\ 2x^2+ax+b & (|x| > 1) \end{cases}$$

04
다음과 같은 함수 $f(x)$가 모든 실수 x에 대하여 연속일 때, $f(6)$의 값을 구하시오.

㈎ $f(x)=\begin{cases} x^2+ax+8 & (1 \le x < 3) \\ 3x+b & (3 \le x < 5) \end{cases}$
㈏ $f(x+4)=f(x)$

05
함수 $f(x)=\dfrac{x^2+2x+3}{x^2-2(k+1)x+3k+7}$이 실수 전체에서 연속이 되도록 하는 정수 k값의 합을 구하시오.

06
연속함수 $f(x)$에 대하여 $(x-1)f(x)=x^2-x+k$가 성립할 때, $k+f(1)$의 값을 구하시오.

합성함수의 연속

07
두 함수 $y=f(x)$, $y=g(x)$의 그래프가 다음과 같을 때, $x=1$에서 함수 $y=(g \circ f)(x)$가 연속이 되도록 하는 양수 a값을 구하시오.

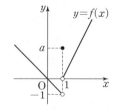 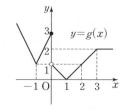

08

두 함수 $f(x) = \dfrac{2}{x+1}$, $g(x) = \dfrac{1}{x-2}$에 대하여 다음을 구하시오.

(1) $(g \circ f)(x)$가 불연속인 모든 x값의 합

(2) $(f \circ g)(x)$가 불연속인 모든 x값의 합

$\displaystyle\lim_{n\to\infty} x^n$을 포함한 함수의 연속

09

함수 $f(x) = \displaystyle\lim_{n\to\infty} \dfrac{x^{2n+1}+2x+1}{x^{2n}+1}$에 대한 **보기**의 설명 중에서 옳은 것을 모두 고른 것은?

┤ 보기 ├

ㄱ. $\displaystyle\lim_{x\to -1} f(x) = -1$

ㄴ. $x=1$에서 연속이다.

ㄷ. $(x-1)f(x)$는 실수 전체에서 연속이다.

① ㄱ   ② ㄴ   ③ ㄱ, ㄴ

④ ㄱ, ㄷ   ⑤ ㄱ, ㄴ, ㄷ

사잇값 정리

10

다음을 만족시키는 함수 $f(x)$에 대하여 방정식 $f(x)=0$의 근에 대한 설명 중 옳은 것은?

$$f(1)=1,\ f(2)=2,\ f(3)=-3,\ f(4)=4,\ f(5)=-5$$

① 실근이 1개 존재한다.   ② 실근이 2개 존재한다.

③ 실근이 2개 이하 존재한다.   ④ 실근이 3개 존재한다.

⑤ 실근이 3개 이상 존재한다.

11

방정식 $x^3 - 3x^2 + 3 = 0$이 서로 다른 세 실근을 가질 때, 다음 중 실근이 존재하는 구간을 모두 고르시오.

ㄱ. $-2 < x < -1$ ㄴ. $-1 < x < 0$

ㄷ. $0 < x < 1$ ㄹ. $1 < x < 2$

ㅁ. $2 < x < 3$

12

보기의 방정식 중 $1 < x < 2$에서 적어도 하나의 실근을 갖는 것을 모두 고르시오.

┤ 보기 ├

ㄱ. $2^x - \dfrac{1}{2^x} - 2 = 0$ ㄴ. $x + \sin\dfrac{\pi}{2}x + 1 = 0$

ㄷ. $x - 2 + \log_2 x = 0$

STEP **2** | 1등급 굳히기

함수의 연속, 불연속

01
| 제한시간 1분 |

함수 $f(x)=x^2+1$에 대하여 다음 중 실수 전체에서 연속이 아닌 것은?

① $(f(x)-1)^2$ ② $f(f(x))$ ③ $\dfrac{1}{f(x)}$

④ $\dfrac{1}{f(x)-2}$ ⑤ $\dfrac{x^2}{(f(x))^2}$

02
| 제한시간 2분 |

다음 중에서 옳은 것은?

① 두 함수 $f(x)$와 $g(x)$가 모두 $x=1$에서 연속이 아니면 $f(x)+g(x)$도 $x=1$에서 연속이 아니다.

② 두 함수 $f(x)$와 $f(x)g(x)$가 모두 $x=1$에서 연속이면 $g(x)$도 $x=1$에서 연속이다.

③ $|f(x)|$가 $x=1$에서 연속이면 $f(x)$도 $x=1$에서 연속이다.

④ $f(x)$가 $x=1$에서 연속이면 $|f(x)|$도 $x=1$에서 연속이다.

⑤ $f(x)$가 $x=1$에서 불연속이면 $|f(x)|$도 $x=1$에서 불연속이다.

03
| 제한시간 1.5분 |

$-4<x<3$일 때, 두 함수 $f(x)=\dfrac{x^2-4}{x+2}$, $g(x)=[x]$에 대하여 함수 $f(x)$가 연속인 구간을 집합 A, 함수 $g(x)$가 연속인 구간을 집합 B라 하자. $n(A-B)$를 구하시오.

(단, $[x]$는 x보다 크지 않은 가장 큰 정수이다.)

04
| 제한시간 2분 |

$0<x<2$에서 정의된 함수 $f(x)$가 다음과 같다.

$$f(x)=\begin{cases} \dfrac{1}{x} & (0<x\le 1) \\ \dfrac{1}{x-1}+1 & (1<x<2) \end{cases}$$

보기에서 $y=f(x)g(x)$가 $0<x<2$에서 연속이 되도록 하는 $g(x)$를 모두 고른 것은?

┤ 보기 ├
ㄱ. $g(x)=(x-1)^2$
ㄴ. $g(x)=(x-1)^3+1$
ㄷ. $g(x)=\begin{cases}(x-1)^3+1 & (0<x\le 1) \\ x-1 & (1<x<2)\end{cases}$

① ㄱ ② ㄴ ③ ㄷ

④ ㄱ, ㄴ ⑤ ㄱ, ㄷ

05
| 제한시간 2.5분 |

양수 r에 대하여 함수 $y=|x|$의 그래프와 원 $(x-1)^2+(y-2)^2=r^2$이 만나는 점의 개수를 $f(r)$라 하자. 함수 $f(r)$가 불연속인 점의 개수는?

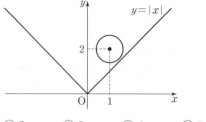

① 1 ② 2 ③ 3 ④ 4 ⑤ 5

[2015년 6월 학력평가]

함수의 그래프와 연속, 불연속

06
| 제한시간 1.5분 |

함수 $y=f(x)$의 그래프가 다음과 같을 때, **보기**에서 옳은 것을 모두 고른 것은?

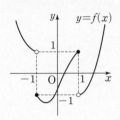

┤ 보기 ├
ㄱ. $\lim\limits_{x \to 1+} f(x) = \lim\limits_{x \to 1-} f(x)$
ㄴ. $\lim\limits_{x \to 1} f(x)$이 존재한다.
ㄷ. 함수 $f(x)+f(-x)$는 $x=1$에서 연속이다.

① ㄱ　　　　② ㄴ　　　　③ ㄷ
④ ㄱ, ㄴ　　⑤ ㄱ, ㄷ

07
| 제한시간 1.5분 |

그림은 함수 $y=g(x)$ 그래프의 일부이다. 두 점 $(0, 1)$, $(1, 0)$ 사이를 구간 $[0, 1]$에서 정의된 함수 $f(x)=ax^2+bx+c$의 그래프

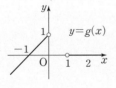

로 연결하여 모든 실수 x에서 함수 $g(x)$가 연속이 되게 하려고 한다. $0 \le a \le 1$에서 점 (a, b)의 자취의 길이가 l일 때, l^2의 값을 구하시오.

08*
| 제한시간 3분 |

함수
$$f(x)=\begin{cases} x+2 & (x<-1) \\ 0 & (x=-1) \\ x^2 & (-1<x<1) \\ x-2 & (x \ge 1) \end{cases}$$

에 대하여 **보기**에서 옳은 것을 모두 고른 것은?

┤ 보기 ├
ㄱ. $\lim\limits_{x \to 1+} \{f(x)+f(-x)\}=0$
ㄴ. 함수 $f(x)-|f(x)|$가 불연속인 점이 1개이다.
ㄷ. 함수 $f(x)f(x-a)$가 실수 전체의 집합에서 연속이 되는 상수 a는 없다.

① ㄱ　　　　　② ㄱ, ㄴ　　　　　③ ㄱ, ㄷ
④ ㄴ, ㄷ　　　⑤ ㄱ, ㄴ, ㄷ

[2011학년도 수능]

함수가 연속일 조건

09
| 제한시간 2분 |

다음과 같이 정의된 함수 $f(x)$가 모든 실수 x에 대하여 연속일 때, $a+b+c+d$의 값을 구하시오.

$$f(x)=\begin{cases} \dfrac{x^3+ax+b}{(x-1)(x+1)} & (x \ne 1, -1) \\ c & (x=-1) \\ d & (x=1) \end{cases}$$

10
| 제한시간 2분 |

다음과 같이 실수 전체에서 정의된 세 함수가 있다. $h(x)$는 $x=0$에서만 불연속이고 $|h(x)-1|$는 실수 전체에서 연속일 때, $3ab$의 값을 구하시오.

(가) $f(x)=x^3-3x^2+3$ (나) $g(x)=ax+b$

(다) $h(x)=\begin{cases} f(x) & (x<0) \\ g(x) & (0\leq x<3) \\ f(x) & (x\geq 3) \end{cases}$

11
| 제한시간 3분 |

열린구간 $(0, 2)$에서 다음과 같은 세 함수 $f(x)$, $g(x)$, $h(x)$에 $(x-1)^k$을 곱했을 때 $x=1$에서 연속이 되는 자연수 k의 최솟값이 각각 a, b, c이다. 이때 $a+2b+3c$의 값을 구하시오.

(가) $f(x)=[x]$

(나) $g(x)=\lim\limits_{n\to\infty}\dfrac{x^n+x+3}{x^{n+1}-x^n+2x-2}$

(다) $h(x)=\begin{cases} 0 & (x=1) \\ \dfrac{x+1}{x-1} & (x\neq 1) \end{cases}$

$(x-a)f(x)$ 꼴 함수의 연속

12
| 제한시간 1분 |

연속함수 $f(x)$에 대하여 $(\sqrt{x}-2)f(x)=x^2+ax-20$이 성립할 때, $f(4)+a$의 값을 구하시오.

13
| 제한시간 1.5분 |

구간 $[-1, 3]$에서 함수 $y=f(x)$의 그래프가 그림과 같을 때, 이 구간에서 함수 $g(x)=(x-1)f(x)$가 불연속이 되는 x값의 합을 구하시오.

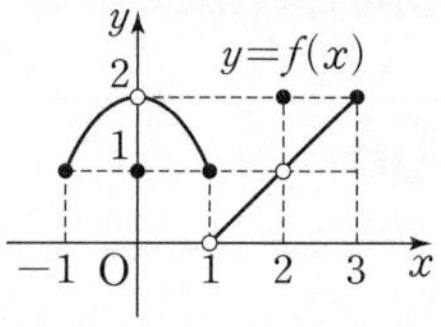

$\lim\limits_{n\to\infty} x^n$을 포함한 함수의 연속

14
| 제한시간 1.5분 |

실수 전체에서 함수 $f(x)=\lim\limits_{n\to\infty}\dfrac{(ax+b)x^{2n-1}+x+3}{x^{2n-1}+2}$이 연속일 때 $|a^2-b^2|$의 값을 구하시오.

15
| 제한시간 1.5분 |

함수 $f(x)=\lim\limits_{n\to\infty}\dfrac{\sin^{2n}\dfrac{\pi}{6}x+1+k}{x^{2n}+1}$가 모든 실수 x에 대하여 연속일 때, 상수 k값을 구하시오. (단, n은 자연수이다.)

16

| 제한시간 2분 |

함수 $f(x)=x^2-4x+a$, $g(x)=\lim\limits_{n\to\infty}\dfrac{2|x-b|^n+1}{|x-b|^n+1}$에 대하여 $h(x)=f(x)g(x)$라 하자. 함수 $h(x)$가 모든 실수 x에서 연속이 되도록 하는 두 상수 a, b의 합 $a+b$의 값은?

① 3   ② 4   ③ 5   ④ 6   ⑤ 7

[2009학년도 수능]

17

| 제한시간 2분 |

함수 $f(x)$가 다음과 같을 때, **보기**의 함수와 $f(x)$의 곱이 구간 $-2<x<2$에서 연속인 것을 모두 고르시오.

$$f(x)=\lim_{n\to\infty}\frac{(x+2)x^n+2[x]+4}{x^n+2}$$

┤ 보기 ├

ㄱ. $p(x)=x(x+1)(x-1)$

ㄴ. $q(x)=x(x-1)$

ㄷ. $r(x)=|x|(|x|-1)$

합성함수의 연속

18

| 제한시간 2.5분 |

세 함수 $f(x)=[x]$, $g(x)=x^2$, $h(x)=\left|x-\dfrac{1}{2}\right|$에 대하여 **보기**의 합성함수 중 $x=0$에서 연속인 것의 개수를 구하시오.

┤ 보기 ├

ㄱ. $(f\circ g)(x)$ ㄴ. $(f\circ h)(x)$

ㄷ. $(g\circ f)(x)$ ㄹ. $(g\circ h)(x)$

ㅁ. $(h\circ f)(x)$ ㅂ. $(h\circ g)(x)$

19

| 제한시간 2분 |

닫힌구간 $[-1, 4]$에서 정의된 함수 $y=f(x)$의 그래프가 그림과 같을 때 **보기**에서 옳은 것을 모두 고른 것은?

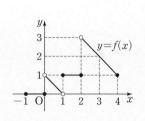

┤ 보기 ├

ㄱ. $\lim\limits_{x\to 1-}f(x)<\lim\limits_{x\to 1+}f(x)$

ㄴ. $\lim\limits_{t\to\infty}f\left(\dfrac{1}{t}\right)=1$

ㄷ. 함수 $f(f(x))$는 $x=3$에서 연속이다.

① ㄱ   ② ㄷ   ③ ㄱ, ㄴ

④ ㄴ, ㄷ   ⑤ ㄱ, ㄴ, ㄷ

[2014년 6월 모의평가]

20*

| 제한시간 2분 |

실수 전체에서 정의된 두 함수가 다음과 같을 때, **보기**에서 옳은 것을 모두 고른 것은?

$$f(x)=\begin{cases}-x^2+2x+2 & (x<2)\\ x^2-6x+9 & (x\geq 2)\end{cases}$$

$$g(x)=x-[x]$$

┤ 보기 ├

ㄱ. $\lim\limits_{x\to 1-}g(f(x))=\lim\limits_{x\to 1+}f(g(x))$

ㄴ. 합성함수 $g(f(x))$는 $x=3$에서 극한값이 존재한다.

ㄷ. 합성함수 $g(f(x))$는 $x=1$에서 연속이다.

① ㄱ   ② ㄴ   ③ ㄷ

④ ㄱ, ㄴ   ⑤ ㄱ, ㄷ

21

| 제한시간 2분 |

실수 전체에서 정의된 두 함수가 다음과 같을 때, $f(g(x))$ 가 항상 연속이 되도록 하는 실수 a, b, c에 대하여 $|a|+|b|+|c|$의 최솟값을 구하시오.

$$f(x)=x^3+ax^2+bx+c$$

$$g(x)=\begin{cases} -\dfrac{1}{2}x & (x\leq 0) \\ -x+3 & (0<x<4) \\ 2 & (x\geq 4) \end{cases}$$

22

| 제한시간 2.5분 |

실수 전체에서 정의된 두 함수 $f(x), g(x)$그래프의 일부가 다음과 같다. **보기**에서 옳은 것을 모두 고른 것은?

$$(단, f(x+4)=f(x))$$

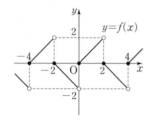 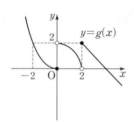

┤ 보기 ├

ㄱ. $\lim\limits_{x\to 0}g(f(x))=2$

ㄴ. 합성함수 $g(f(x))$의 열린구간 $0<x<10$에서 불연속인 점은 4개다.

ㄷ. $\lim\limits_{t\to\infty}\sum\limits_{k=1}^{10} g\left(f\left(2k+\dfrac{1}{t}\right)\right)=10$

① ㄱ   ② ㄴ   ③ ㄷ

④ ㄱ, ㄴ   ⑤ ㄱ, ㄷ

실근의 개수

23

| 제한시간 1분 |

다음 중 방정식 $xf(x)=(1-x)g(x)$가 $0<x<1$에서 적어도 하나의 실근을 가진다고 판단할 수 있는 근거로 적당한 것은?

① $f(1)<g(0)$ ② $f(1)>g(0)$

③ $f(1)g(0)<0$ ④ $f(1)g(0)=0$

⑤ $f(1)g(0)>0$

24

| 제한시간 1.5분 |

두 함수 $f(x)=\log_2 x+kx-1$, $g(x)=-2x+3$의 그래프가 $1<x<4$에서 한 점에서만 만날 때, 실수 k값의 범위가 $a<k<b$이다. 이때 두 실수 a, b의 곱 ab의 값을 구하시오.

25

| 제한시간 2.5분 |

다항함수 $f(x)$에서 다음이 성립할 때, 방정식 $f(x)=0$은 적어도 n개의 실근을 가진다. n의 값을 구하시오.

$$\lim_{x\to -1}\frac{f(x)}{x+1}=12, \quad \lim_{x\to 1}\frac{f(x)}{x-1}=4, \quad \lim_{x\to 2}\frac{f(x)}{x-2}=3$$

01

실수 전체에서 정의된 두 함수 $f(x)$, $g(x)$의 그래프가 다음과 같을 때 옳은 것은?

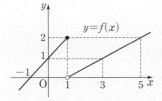 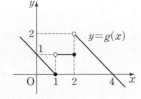

① 함수 $f(x)+g(x)$는 연속이다.

② $f(x)g(x)$가 불연속인 점은 1개이다.

③ 합성함수 $f(g(x))$는 $x=1$에서 연속이다.

④ 합성함수 $g(f(x))$는 $x=1$에서 극한값이 존재하지 않는다.

⑤ 합성함수 $g(f(x))$는 불연속인 점이 4개이다.

02

모든 실수에서 정의된 함수 $f(x)$가

$$f(x)=\begin{cases} \dfrac{ax}{x-1} & (|x|>1) \\ \dfrac{a}{1-x} & (|x|<1) \\ \dfrac{a}{2} & (|x|=1) \end{cases}$$

일 때, **보기**에서 옳은 것을 모두 고른 것은? (단, a는 실수이다.)

┤ 보기 ├

ㄱ. 함수 $f(x)$는 $x=-1$에서 연속이다.

ㄴ. 함수 $f(x)$가 모든 실수에서 연속이 되도록 하는 a값이 존재한다.

ㄷ. 방정식 $f(x)=a$는 한 개의 실근을 갖는다. (단, $a \neq 0$)

① ㄱ   ② ㄷ   ③ ㄱ, ㄴ

④ ㄴ, ㄷ   ⑤ ㄱ, ㄴ, ㄷ

[2009년 4월 학력평가]

03

실수 전체에서 정의된 두 함수의 그래프가 다음과 같을 때 합성함수 $g(f(x))$의 불연속 점의 개수를 구하시오.

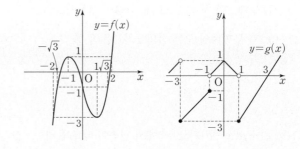

04

실수 전체에서 정의된 다음의 두 함수 $f(x)$, $g(x)$에 대하여 **보기**에서 합성함수 $f(g(x))$가 연속인 것을 모두 고르시오.

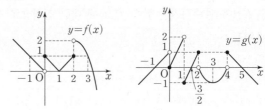
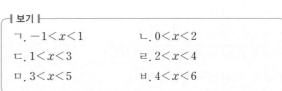

┤ 보기 ├

ㄱ. $-1<x<1$ ㄴ. $0<x<2$

ㄷ. $1<x<3$ ㄹ. $2<x<4$

ㅁ. $3<x<5$ ㅂ. $4<x<6$

05
`융합형`

네 꼭짓점이 $A(-1, 4)$, $B(-1, 1)$, $C(1, 1)$, $D(1, 4)$인 직사각형 $ABCD$와 함수 $f(x)=(x-a)^2$의 그래프가 만나는 점의 개수를 $g(a)$라 할 때, 다음을 구하시오.

(1) $g(x)$가 불연속인 모든 점의 x좌표들의 곱

(2) $g(x)+g(x-b)$가 $x=3$에서 연속이 되도록 하는 b값

(3) $g(x)g(x-c)$가 실수 전체에서 연속이 되도록 하는 c 값의 범위

06
`신유형`

다음 조건을 만족시키는 함수 $f(x)$에 대한 설명으로 옳은 것은?

> (개) 함수 $f(x)$는 실수 전체에서 연속이다.
> (내) 모든 정수 n에 대하여 $f(n)=n+2(-1)^n-3\left[\dfrac{n}{3}\right]$

① 함수 $f(x)$는 주기함수이다.
② 함수 $f(x)$의 최솟값은 -2이다.
③ 함수 $f(x)$의 최댓값은 4이다.
④ $1<x<6$에서 방정식 $f(x)=0$의 실근은 최소 4개이다.
⑤ $1<x<12$에서 방정식 $f(x)=0$의 실근은 최소 8개이다.

07

다음 **보기** 중 옳은 것의 개수를 구하시오.

> ┤ 보기 ├
> ㄱ. $f(x)g(x)$가 $x=1$에서 연속이면 $f(x)$, $g(x)$ 중 적어도 하나는 $x=1$에서 연속이다.
> ㄴ. $f(g(x))$가 $x=1$에서 연속이면 $f(x)$, $g(x)$ 중 적어도 하나는 $x=1$에서 연속이다.
> ㄷ. $f(x)$, $g(x)$가 모두 $x=1$에서 연속이면 $f(g(x))$도 $x=1$에서 연속이다.
> ㄹ. $f(x)$가 $x=1$에서 불연속이어도 $f(f(x))$는 $x=1$에서 연속일 수 있다.

08
`창의력`

구간 $0 \le x \le 2\pi$에서 정의된 함수 $f(x)=|a\cos bx+c|$ (단, $a>0$, $b>0$)에 대하여 $y=f(x)$의 그래프와 직선 $y=t$의 교점 개수를 $g(t)$라 하자. 다음 조건이 성립하도록 하는 정수 a, b, c에 대하여 $a+b+c$의 값으로 가능한 것의 합을 구하시오.

> (개) $y=g(t)$는 $t=0, 2, 6$에서만 불연속이다.
> (내) $g(6)=2$

09

실수 전체의 집합에서 다음과 같이 정의된 함수 $f(x)$가 $x=1$에서 연속이다. **보기**에서 옳은 것을 모두 고른 것은?

$$f(x)=\lim_{n\to\infty}\frac{x^{2n+1}+ax^n+b|x|+c}{x^{2n}+dx^n+1}$$

┤ 보기 ├
ㄱ. $\lim_{x\to-1}f(x)$의 값이 존재한다.
ㄴ. $f(-1)$의 값이 존재하면 $a+b+c+d=1$
ㄷ. $f(-1)$의 값이 존재하면 $f\left(\dfrac{1}{2}\right)+f(2)=\dfrac{11}{4}$

① ㄱ ② ㄴ ③ ㄷ
④ ㄱ, ㄴ ⑤ ㄱ, ㄴ, ㄷ

10

닫힌구간 $[-1, 2]$에서 정의된 함수 $y=f(x)$의 그래프가 그림과 같다. 구간 $[-1, 2]$에서 두 함수 $g(x), h(x)$를

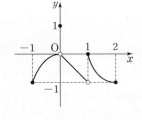

$$g(x)=\frac{f(x)+|f(x)|}{2}$$

$$h(x)=\frac{f(x)-|f(x)|}{2}$$

로 정의할 때, **보기**에서 옳은 것을 모두 고른 것은?

┤ 보기 ├
ㄱ. $\lim_{x\to 1}h(x)$는 존재한다.
ㄴ. 함수 $(h\circ g)(x)$는 구간 $[-1, 2]$에서 연속이다.
ㄷ. $\lim_{x\to 0}(g\circ h)(x)=(g\circ h)(0)$

① ㄴ ② ㄷ ③ ㄱ, ㄴ
④ ㄱ, ㄷ ⑤ ㄴ, ㄷ

[2009년 6월 모의평가]

11 신유형

세 함수 $f(x), g(x), h(x)$에 대하여 다음을 구하시오.

(가) $f(x)=x^2-1 \ (-2\le x<2), \ f(x+4)=f(x)$
(나) $g(x)=[f(x)]$
(다) $h(x)=\begin{cases} 1 \ (\lim\limits_{x\to a+}g(x)=g(a)) \\ 0 \ (\lim\limits_{x\to a+}g(x)\ne g(a)) \end{cases}$

(1) $0\le x\le 20$에서 $g(x)$의 불연속점 개수

(2) $0\le x\le 10$에서 $h(x)$의 불연속점 개수

03 미분계수와 도함수

1 평균변화율

함수 $y=f(x)$에서

$$\frac{\Delta y}{\Delta x}=\frac{f(b)-f(a)}{b-a}=\frac{f(a+\Delta x)-f(a)}{\Delta x}$$

를 구간 $[a, b]$에서 함수 $y=f(x)$의 **평균변화율**이라 한다.

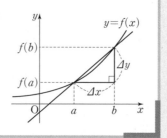

참고
① Δx는 x값의 변화량, Δy는 y값의 변화량이다.
② 곡선 위의 두 점 사이의 평균변화율은 그 두 점을 지나는 직선의 기울기와 같다.

보기 구간 $[1, a]$에서 함수 $f(x)=x^3+2x$의 평균변화율이 15일 때, 상수 a값을 구하여라.

풀이 $\dfrac{f(a)-f(1)}{a-1}=\dfrac{a^3+2a-3}{a-1}=a^2+a+3$

$a^2+a+3=15$에서 $(a+4)(a-3)=0$ $\quad \therefore a=\mathbf{3}\ (\because a\geq 1)$

—— 구간 $[1, a]$에서 $1\leq a$이다.

2 미분계수

함수 $y=f(x)$에서 x값이 a에서 $a+\Delta x$까지 변할 때,

$$\lim_{\Delta x \to 0}\frac{\Delta y}{\Delta x}=\lim_{\Delta x \to 0}\frac{f(a+\Delta x)-f(a)}{\Delta x}$$가 존재하면 이 값을 함수 $y=f(x)$의

$x=a$에서 **순간변화율** 또는 **미분계수**라 하고, 기호 $\boldsymbol{f'(a)}$로 나타낸다.

참고
① Δx를 h로 나타내면
$$f'(a)=\lim_{h \to 0}\frac{f(a+h)-f(a)}{h}$$
② **미분계수 공식**

· $\lim_{h \to 0}\dfrac{f(a+mh)-f(a)}{h}=mf'(a)$

· $\lim_{h \to 0}\dfrac{f(a+mh)-f(a)}{nh}=\dfrac{m}{n}f'(a)$

· $\lim_{h \to 0}\dfrac{f(a+mh)-f(a-nh)}{h}=(m+n)f'(a)$

· $\lim_{x \to a}\dfrac{f(x)-f(a)}{x-a}=f'(a)$

※ 분자가 $\blacksquare f(\bigstar)-\bigstar f(\blacksquare)$ 꼴이면 분자에서
$\blacksquare f(\blacksquare)$ 또는 $\bigstar f(\bigstar)$를 빼고 더한다.

보기 함수 $f(x)=3x^2+6x$에서 $f'(k)=-6$일 때, 상수 k값을 구하여라.

풀이 $f'(k)=\lim_{h \to 0}\dfrac{\{3(k+h)^2+6(k+h)\}-(3k^2+6k)}{h}$

$\qquad =\lim_{h \to 0}\dfrac{3h^2+6kh+6h}{h}$

$\qquad =\lim_{h \to 0}(3h+6k+6)=6k+6$

이때 $6k+6=-6$이므로 $k=\mathbf{-2}$

3 미분계수의 기하학적 의미

함수 $y=f(x)$의 그래프 위의 두 점 $\mathrm{P}(a, f(a))$, $\mathrm{Q}(a+\Delta x, f(a+\Delta x))$를 지나는 직선의 기울기는 $\Delta x \to 0$이면 $x=a$일 때 접선의 기울기에 한없이 가까워지므로 미분계수 $f'(a)$는 점 P에서 접선의 기울기를 나타낸다.

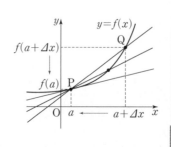

4 미분가능성과 연속성

(1) 함수 $f(x)$의 $x=a$에서의 미분계수 $f'(a)$가 존재하면 함수 $f(x)$는 $x=a$에서 미분가능하다고 한다.

(2) 함수 $f(x)$가 $x=a$에서 미분가능하면 $x=a$에서 연속이다.
　　역은 성립하지 않는다.

보충

함수 $f(x)$가 $x=a$에서 미분가능하면
(좌미분계수)=(우미분계수), 즉

$$\lim_{h \to 0-} \frac{f(a+h)-f(a)}{h}$$
$$=\lim_{h \to 0+} \frac{f(a+h)-f(a)}{h}$$

가 성립한다.
▷ 36쪽 10, 11, 12

보기 함수 $f(x)=\begin{cases} x & (x \geq 0) \\ 0 & (x < 0) \end{cases}$에서 $x=0$일 때 미분가능성을 조사하여라.

풀이 $\displaystyle\lim_{x \to 0+} x = \lim_{x \to 0-} 0 = 0$이므로 $x=0$에서 연속이다.

$$\lim_{x \to 0+} \frac{x-0}{x-0} = \lim_{x \to 0+} \frac{x}{x} = 1, \quad \lim_{x \to 0-} \frac{0-0}{x-0} = \lim_{x \to 0-} \frac{0}{x} = 0$$

따라서 **미분가능하지 않다.**

5 도함수

미분가능한 함수 $f(x)$의 정의역에 포함된 모든 x에 대하여

$f'(x)=\displaystyle\lim_{\Delta x \to 0} \dfrac{f(x+\Delta x)-f(x)}{\Delta x}$로 정의된 함수 $f'(x)$를 $f(x)$의 도함수

라 하고, 기호 $\boldsymbol{f'(x)}, \boldsymbol{y'}, \dfrac{\boldsymbol{dy}}{\boldsymbol{dx}}, \dfrac{\boldsymbol{d}}{\boldsymbol{dx}}\boldsymbol{f(x)}$로 나타낸다.

참고

Δx를 h로 나타내면
$f'(x)=\displaystyle\lim_{h \to 0} \dfrac{f(x+h)-f(x)}{h}$

보기 함수 $f(x)=\sqrt{x}$의 도함수를 구하여라.

풀이 $f'(x)=\displaystyle\lim_{h \to 0}\frac{f(x+h)-f(x)}{h}=\lim_{h \to 0}\frac{\sqrt{x+h}-\sqrt{x}}{h}$

$\qquad =\displaystyle\lim_{h \to 0}\frac{(\sqrt{x+h}-\sqrt{x})(\sqrt{x+h}+\sqrt{x})}{h(\sqrt{x+h}+\sqrt{x})}=\lim_{h \to 0}\frac{1}{\sqrt{x+h}+\sqrt{x}}=\frac{1}{2\sqrt{x}}$

6 미분공식

자연수 n, 상수 c, 미분가능한 두 함수 $f(x)$, $g(x)$에 대하여

① $\boldsymbol{y=x^n}$ 　　　　$\Rightarrow$ 　$\boldsymbol{y'=nx^{n-1}}$

② $\boldsymbol{y=c}$ 　　　　　$\Rightarrow$ 　$\boldsymbol{y'=0}$

③ $y=cf(x)$ 　　　$\Rightarrow$ 　$y'=cf'(x)$

④ $y=f(x) \pm g(x)$ 　$\Rightarrow$ 　$y'=f'(x) \pm g'(x)$ (복부호 동순)

⑤ $\boldsymbol{y=f(x)g(x)}$ 　　$\Rightarrow$ 　$\boldsymbol{y'=f'(x)g(x)+f(x)g'(x)}$

⑥ $y=\{f(x)\}^n$ 　　$\Rightarrow$ 　$y'=n\{f(x)\}^{n-1}f'(x)$

보기 함수 $y=x(x+1)(x+2)$의 도함수를 구하여라.

풀이 $y'=\{x(x+1)(x+2)\}'$

$\qquad =x'(x+1)(x+2)+x(x+1)'(x+2)+x(x+1)(x+2)'$

$\qquad =(x+1)(x+2)+x(x+2)+x(x+1)$

$\qquad =x^2+3x+2+x^2+2x+x^2+x=\boldsymbol{3x^2+6x+2}$

$y=f(x)g(x)h(x)$에 대하여
$y'=f'(x)g(x)h(x)+f(x)g'(x)h(x)$
$\qquad +f(x)g(x)h'(x)$
※ 이 문제에서는 $y=x(x+1)(x+2)$을 전개한
$y=x^3+3x^2+2x$에서
$y'=3x^2+6x+2$라 구해도 된다.

STEP 1 | 1등급 준비하기

평균변화율

01

함수 $y=f(x)$에 대하여 구간 $[k, k+1]$에서의 평균변화율이 $2k^2+1$일 때, 구간 $[1, 9]$에서 함수 $y=f(x)$의 평균변화율을 구하시오. (단, k는 자연수)

미분계수의 정의

02

함수 $f(x)=x^3-2x^2-5x+3$에 대하여

$\lim\limits_{h \to 0} \dfrac{f\left(\dfrac{h}{2}-3\right)-f(-3)}{h}$의 값을 구하시오.

03*

미분가능한 함수 $f(x)$에 대하여

$\lim\limits_{x \to 2} \dfrac{f(x)-f(2)}{x-2}=3$일 때, $\lim\limits_{h \to 0} \dfrac{f(2+h)-f(2-h)}{h}$의

값은?

① -6 ② -3 ③ 3

④ 6 ⑤ 12

도함수의 정의

04

다음은 도함수의 정의를 이용하여 $f(x)=|x|$의 도함수를 구한 것이다. (단, $x \neq 0$)

$$
\begin{aligned}
f'(x) &= \lim_{h \to 0} \frac{f(x+h)-f(x)}{h} \\
&= \lim_{h \to 0} \frac{|x+h|-|x|}{h} \\
&= \lim_{h \to 0} \left\{ \frac{\boxed{\text{(가)}}}{h} \times \frac{1}{|x+h|+|x|} \right\} \\
&= \lim_{h \to 0} \left\{ (\boxed{\text{(나)}}+h) \times \frac{1}{|x+h|+|x|} \right\} \\
&= \frac{x}{\boxed{\text{(다)}}}
\end{aligned}
$$

(가), (나), (다)에 알맞은 것은?

	(가)	(나)	(다)
①	$(x+h)^2+x^2$	$2x$	$|x+h|$
②	$(x+h)^2+x^2$	x	$|x+h|$
③	$(x+h)^2-x^2$	$2x$	$|x|$
④	$(x+h)^2-x^2$	x	$|x|$
⑤	$(x+h)^2-x^2$	$2x$	x

05*

미분가능한 함수 $f(x)$가 임의의 실수 x, y에 대하여
$f(x+y)=f(x)+f(y)+5xy-2$이 성립한다.
$f'(0)=3$일 때, $f(0)+f'(2)$의 값은?

① 13 ② 14 ③ 15 ④ 16 ⑤ 17

미분가능성

06

구간 $(0, 5)$에서 함수 $y=f(x)$의 그래프가 다음과 같을
때, **보기**에서 옳은 것을 모두 고른 것은?

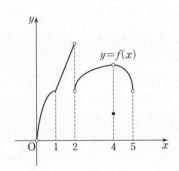

┤ 보기 ├
ㄱ. $f'(3)>0$
ㄴ. 함수 $f(x)$가 불연속인 점은 2개이다.
ㄷ. 함수 $f(x)$가 미분가능하지 않은 점은 3개이다.

① ㄱ ② ㄱ, ㄴ ③ ㄱ, ㄷ
④ ㄴ, ㄷ ⑤ ㄱ, ㄴ, ㄷ

07

함수 $f(x)$가 다음과 같다.

$$f(x)=\begin{cases} -3x+a & (x<-1) \\ x^3+bx^2+cx & (-1\le x<1) \\ -3x+d & (x\ge 1) \end{cases}$$

함수 $f(x)$가 모든 실수 x에 대하여 미분가능하도록 네
실수 a, b, c, d의 값을 정할 때, $a+b+c+d$의 값은?

① -10 ② -8 ③ -6
④ -4 ⑤ -2

[2009년 10월 학력평가]

08*

$\displaystyle\lim_{x\to 2}\dfrac{x^n-x^3-x-6}{x-2}$의 값이 존재할 때, 그 값을 구하시오.

(단, n은 자연수)

다항함수의 미분법

09

다항식 x^6-x^2+3을 $(x-1)^2$으로 나누었을 때의 나머지
를 $R(x)$라 하자. $R(2)$의 값은?

① 5 ② 6 ③ 7 ④ 8 ⑤ 9

미분계수 구하기

01

| 제한시간 1.5분 |

미분가능한 함수 $f(x)$에 대하여 $f(x)$의 도함수 $f'(x)$와 같은 것을 **보기**에서 모두 고른 것은?

┤ 보기 ├

ㄱ. $\lim\limits_{h \to 0} \dfrac{f(x)-f(x-h)}{h}$ ㄴ. $\lim\limits_{x \to t} \dfrac{f(t)-f(x)}{t-x}$

ㄷ. $\lim\limits_{h \to 0} \dfrac{f(x+h^2)-f(x)}{h^2}$ ㄹ. $\lim\limits_{t \to x} \dfrac{f(t^3)-f(x^3)}{t^3-x^3}$

① ㄱ, ㄴ   ② ㄱ, ㄷ   ③ ㄱ, ㄹ

④ ㄴ, ㄷ   ⑤ ㄴ, ㄹ

02

| 제한시간 1.5분 |

$f(x)=x^3+2x^2+x-3$일 때,

$\lim\limits_{h \to 0} \sum\limits_{n=1}^{5} \dfrac{f(1+nh)-f(1-2nh)}{h}$의 값은?

① 45   ② 120   ③ 240

④ 360   ⑤ 450

03

| 제한시간 1.5분 |

미분가능한 함수 $f(x)$가 $\lim\limits_{x \to 1} \dfrac{\{f(x)\}^2-3f(x)}{x^2-1}=-6$이고 $f(1)=0$일 때, $f'(1)$의 값을 구하시오.

04

| 제한시간 2분 |

삼차함수 $f(x)$에 대하여 곡선 $y=f(x)$ 위의 점 $(1, f(1))$에서의 접선과 직선 $y=-\dfrac{1}{3}x+2$가 서로 수직일 때, $\lim\limits_{n \to \infty} n\left\{f\left(1+\dfrac{1}{2n}\right)-f\left(1-\dfrac{1}{3n}\right)\right\}$의 값은?

① $\dfrac{5}{6}$ ② 1   ③ $\dfrac{5}{4}$ ④ $\dfrac{5}{3}$ ⑤ $\dfrac{5}{2}$

[2014년 4월 학력평가]

05

| 제한시간 2분 |

사차 다항식 $f(x)$에서 $f(1)=f(2)=f(3)=f(4)=4$이고 $f(0)=28$일 때, $\lim\limits_{x \to 1} \dfrac{f(x^2)-x^2 f(1)}{x-1}$의 값을 구하시오.

06

| 제한시간 2분 |

$f(n)=\lim\limits_{x \to 1} \dfrac{4x^{n^2}-x-3}{x-1}$일 때, $\sum\limits_{n=1}^{10} \dfrac{1}{f(n)}$의 값은?

① $\dfrac{1}{2}$ ② $\dfrac{10}{21}$ ③ 1 ④ $\dfrac{3}{2}$ ⑤ $\dfrac{41}{19}$

07

| 제한시간 2.5분 |

양의 실수 전체에서 증가하는 함수 $f(x)$가 $x=1$에서 미분가능하다. 1보다 큰 모든 실수 a에 대하여 두 점 $(1, f(1))$, $(a, f(a))$ 사이의 거리가 a^2-1일 때, $f'(1)$의 값은?

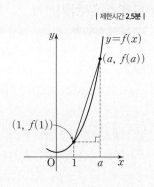

① 1 ② $\dfrac{\sqrt{5}}{2}$ ③ $\dfrac{\sqrt{6}}{2}$ ④ $\sqrt{2}$ ⑤ $\sqrt{3}$

[2012년 6월 모의평가]

08*

| 제한시간 2분 |

함수 $f(x)=\begin{cases} x^2+ax & (x<0) \\ x^2+bx & (x \geq 0) \end{cases}$에 대하여 다음 조건을 만족시키는 순서쌍 (a, b)의 개수를 구하시오. (단, a, b는 자연수이다.)

$$\left| \lim_{h \to 0+} \frac{f(h)}{h} + \lim_{h \to 0-} \frac{f(h)}{h} \right| \leq 4$$

도함수 구하기

09

| 제한시간 2분 |

미분가능한 함수 $f(x)$와 임의의 실수 x, y에 대하여 $f\left(\dfrac{x+y}{3}\right)=\dfrac{f(x)+f(y)}{3}$가 성립하고 $f'(0)=3$일 때, $f'(x)$를 다음과 같이 구했다.

> 임의의 실수 x, y에 대하여 성립하므로
>
> $f(x)=\dfrac{f(3x)+f(0)}{3}$
>
> $f(x+h)-f(x)=\dfrac{f(\boxed{\text{(가)}})-f(0)}{3}$
>
> 따라서 $f'(x)=\lim\limits_{h\to 0}\dfrac{f(3x)-f(0)}{3}$
>
> $=\lim\limits_{h\to 0}\dfrac{f(\boxed{\text{(가)}})-f(0)}{3}=\boxed{\text{(나)}}$

(가)에 알맞은 식을 $g(h)$, (나)에 알맞은 값을 a라 할 때, $a+2g\left(\dfrac{1}{2}\right)$을 구하시오.

미분 가능성

10

| 제한시간 2분 |

최고차항의 계수가 1인 삼차함수 $f(x)$와 함수 $g(x)$에 대하여 다음이 성립할 때, $f'(2)$의 값을 구하시오.

> (가) $-1\le x<1$일 때, $g(x)=f(x)$이다.
> (나) 모든 실수 x에 대하여 $g(x+1)=g(x-1)$이다.
> (다) $g(x)$는 모든 실수 x에서 미분가능하다.

11*

| 제한시간 2분 |

$x>0$에서 정의된 함수

$$f(x)=\lim_{n\to\infty}\dfrac{2x^{n+2}+ax^2+2x+b}{x^n+1}$$

가 $x=1$에서 미분가능하도록 상수 a, b의 값을 정할 때, $a-b$의 값을 구하시오.

12*

| 제한시간 2분 |

함수 $f(x)=x^3-3x$에 대하여 함수 $g(x)$를

$$g(x)=\begin{cases}f(x-a)+b & (x>2)\\ f(x) & (x\le 2)\end{cases}$$

라 하자. 함수 $g(x)$가 모든 실수 x에서 미분가능할 때, $a+b$의 값을 구하시오. (단, a, b는 상수이고, $a\neq 0$이다.)

13*

| 제한시간 2.5분 |

$f(x)=x^2+2x$에 대하여 $g(x)=|f(x)|$라 할 때, **보기**에서 옳은 것을 모두 고른 것은?

┤ 보기 ├

ㄱ. $\lim\limits_{h \to 0}\dfrac{g(-1+h)-g(-1)}{h}=0$

ㄴ. $\lim\limits_{h \to 0}\dfrac{g(-2+h)-g(-2-h)}{h}=0$

ㄷ. $\lim\limits_{h \to 0+}\dfrac{g(2h)-g(-h)}{h}=2$

① ㄱ   ② ㄴ   ③ ㄱ, ㄴ

④ ㄴ, ㄷ   ⑤ ㄱ, ㄴ, ㄷ

14

| 제한시간 2분 |

함수 $f(x)$를 $f(x)=\begin{cases} \dfrac{x^n}{|x|} & (x \neq 0) \\ 0 & (x=0) \end{cases}$ 으로 정의할 때,

보기에서 옳은 것을 모두 고른 것은? (단, n은 자연수)

┤ 보기 ├

ㄱ. $n=1$이면 $f(x)$는 $x=0$에서 불연속이다.

ㄴ. $n=2$이면 $f(x)$는 $x=0$에서 연속이다.

ㄷ. $n \geq 3$이면 $f(x)$는 $x=0$에서 미분가능하다.

① ㄱ   ② ㄴ   ③ ㄱ, ㄴ

④ ㄴ, ㄷ   ⑤ ㄱ, ㄴ, ㄷ

15*

| 제한시간 2분 |

함수 $f(x)=(x^2+ax)[2x]+b[x]$가 $x=1$에서 미분가능할 때 $\lim\limits_{x \to 3-}f(x)$의 값은?

① 14   ② 15   ③ 17

④ 20   ⑤ 21

16

| 제한시간 2.5분 |

함수 $y=f(x)$의 그래프가 다음 그림과 같을 때, **보기**에서 옳은 것을 모두 고른 것은?

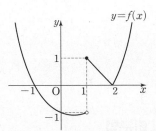

┤ 보기 ├

ㄱ. 함수 $(x-1)f(x)$는 $x=1$에서 연속이다.

ㄴ. 함수 $(x-2)f(x)$는 $x=2$에서 미분가능하다.

ㄷ. 함수 $(x-1)^2f(x)$는 $x=1$에서 미분가능하다.

① ㄱ   ② ㄴ   ③ ㄱ, ㄴ

④ ㄴ, ㄷ   ⑤ ㄱ, ㄴ, ㄷ

17
| 제한시간 3.5분 |

$f(0)=0$이고 $x=0$에서 연속인 함수 $f(x)$에 대하여 **보기** 에서 옳은 것을 모두 고른 것은?

---| 보기 |---
ㄱ. $\lim_{x \to 0} \dfrac{f(|x|)}{|x|}=1$이면 $x=0$에서 미분가능하다.

ㄴ. $xf(x)$는 $x=0$에서 미분가능하다.

ㄷ. $|f(x)|$가 $x=0$에서 미분가능하면 $f'(0)=0$이다.

① ㄴ   ② ㄷ   ③ ㄱ, ㄴ
④ ㄴ, ㄷ   ⑤ ㄱ, ㄴ, ㄷ

다항함수의 미분법

18
| 제한시간 1.5분 |

함수 $f(x)$가 $f(x)=x^4+f'(1)x^3+x^2+f'(1)x+a$이고 $f(-1)=9$일 때, $f(2)$의 값은? (단, a는 상수)

① 1   ② 2   ③ 3   ④ 4   ⑤ 5

19
| 제한시간 2분 |

최고차항의 계수가 양수인 다항함수 $f(x)$가 모든 실수 x에 대하여 $f(x)f'(x)=3f(x)+2x^3-2$일 때, $f(2)$의 값을 구하시오.

20
| 제한시간 2분 |

최고차항의 계수가 같은 두 사차 다항식 $f(x)$, $g(x)$에 대하여 다음 조건이 성립할 때, $f'(2)-g'(2)$의 값을 구하시오.

⑺ $f(x)$, $g(x)$의 공통인수가 x^2-3x+2이다.
⑻ $f(3)=g(3)+14$
⑼ $f'(1)=g'(1)-3$

곱의 미분법

21
| 제한시간 **2분** |

미분가능한 함수 $f(x)$와 일차함수 $g(x)$에 대하여 다음이 성립할 때, $y=g(x)$와 x축, y축으로 둘러싸인 부분의 넓이는?

> (가) $\displaystyle\lim_{h \to 0} \frac{f(1+h)g(1+h)-8}{h}=10$
>
> (나) $f(1)=4,\ f'(1)=3$

① $\dfrac{1}{4}$ ② $\dfrac{1}{3}$ ③ $\dfrac{1}{2}$ ④ 1 ⑤ $\dfrac{3}{2}$

22*
| 제한시간 **2분** |

함수 $f(x)$에 대하여 $\displaystyle\lim_{x \to 1} \frac{f(x)}{x-1}=0$일 때, **보기**에서 옳은 것을 모두 고른 것은?

> ┤ 보기 ├
> ㄱ. $\displaystyle\lim_{x \to 1} f(x)=0$
> ㄴ. $f'(1)=0$
> ㄷ. $f(x)$가 다항함수이면 $(x-1)^2$을 인수로 갖는다.

① ㄱ ② ㄴ ③ ㄱ, ㄷ
④ ㄴ, ㄷ ⑤ ㄱ, ㄴ, ㄷ

23*
| 제한시간 **2.5분** |

그림과 같이 $y=k$와 서로 다른 세 점 A, B, C에서 만나는 삼차함수 $y=f(x)$가 다음 조건을 만족시킨다.

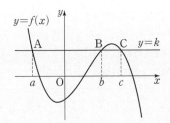

> (가) $b=a+4$
> (나) $f'(a)=-24,\ f'(c)=-12$

이때 $c-a$의 값은? (단, $a<b<c$)

① 6 ② $\dfrac{11}{2}$ ③ 5

④ $\dfrac{9}{2}$ ⑤ 4

01

다음 **보기** 중 $x=0$에서 미분가능한 함수를 모두 고른 것은? (단, $[x]$는 x보다 크지 않은 최대의 정수이다.)

┤ 보기 ├
ㄱ. $f(x)=x|x|$
ㄴ. $g(x)=|x^3|-|x+1|^3$
ㄷ. $h(x)=|x^3+3x^2|[x]$

① ㄱ   ② ㄴ   ③ ㄱ, ㄴ
④ ㄴ, ㄷ   ⑤ ㄱ, ㄴ, ㄷ

02

모든 실수에서 연속인 함수 $f(x)$가

$$f(x)=\begin{cases} -\dfrac{1}{3}x^2+3x-4 & (x\geq 3) \\ |ax+b| & (0<x<3) \\ 2x^2-x+1 & (x\leq 0) \end{cases}$$

과 같다. 함수 $f(x)$가 오직 $x=c$에서만 미분가능하지 않을 때, 세 실수 a, b, c의 합 $a+b+c$의 값을 구하시오.

(단, $a>0$이다.)

03

융합형

최고차항의 계수가 양수인 다항함수 $f(x)$에 대하여 다음이 성립할 때, $f(5)$의 값을 구하시오.

㈎ $f(1)=-2$
㈏ 모든 실수 x에 대하여 $(f\circ f')(x)-f'(x)=1$

04

다항함수 $f(x)$가 다음 조건을 모두 만족시킬 때, $f'(1)$의 값은?

㈎ $f(x)$의 최고차항의 계수는 정수이다.
㈏ $\displaystyle\lim_{x\to\infty}\frac{\{f'(x)\}^3+9f(x^2)}{\{xf'(x)\}^2}=\lim_{x\to 0}\frac{f(x)+f'(x)}{x}=-4$
㈐ $f(1)=0$

① -7 ② -4 ③ 1 ④ 5 ⑤ 9

05

다항함수 $f(x)$, $g(x)$에 대하여
$f(1)=1$, $f'(1)=2$, $g(1)=4$, $g'(1)=3$일 때,
$\displaystyle\lim_{x\to 1}\frac{f(x^2)g(x^3)-4}{x-1}$의 값은?

① 10 ② 11 ③ 21 ④ 22 ⑤ 25

06

미분가능한 함수 $f(x)$가 임의의 두 실수 x, y에 대하여 $f(x+y)=f(x)f(y)-2f(x)-2f(y)+6$를 만족시키고 $f'(0)=-1$일 때, $f(3)+f'(3)$의 값은?

① 1   ② 2   ③ 3   ④ 4   ⑤ 5

07*

융합형

함수 $f(x)$는 $f(x)=\begin{cases} x+1 & (x<1) \\ -2x+4 & (x\geq 1) \end{cases}$ 이고, 좌표평면 위에 두 점 $A(-1,-1)$, $B(1, 2)$가 있다. 실수 x에 대하여 점 $(x, f(x))$에서 점 A까지의 거리의 제곱과 점 B까지의 거리의 제곱 중 크지 않은 값을 $g(x)$라 하자. 함수 $g(x)$가 $x=a$에서 미분가능하지 않은 모든 a값의 합이 p일 때, $80p$의 값을 구하시오.

[2016년 6월 모의평가]

08

서술형

자연수 n에 대하여 구간 $[n, n+1]$에서 $y=f(x)$의 평균변화율이 $(-1)^{n+1}\dfrac{2n+1}{n^2+n}$이다. 다음을 구하시오.

(1) $f(n+1)-f(n)$을 n에 대한 식으로 나타내면 $a^{n+1}\left(\dfrac{1}{n}+\dfrac{1}{n+b}\right)$일 때, 상수 a, b의 합 $a+b$의 값

(2) $f(11)-f(1)=\dfrac{d}{c}$일 때, $c+d$의 값

(단, c, d는 서로소인 자연수)

(3) 구간 $[1, 11]$에서의 함수 $f(x)$의 평균변화율이 $\dfrac{q}{p}$일 때, $p+q$의 값 (단, p, q는 서로소인 자연수)

04 도함수의 활용(1)

1 접선의 방정식

함수 $y=f(x)$가 $x=a$에서 미분가능할 때, 곡선 $y=f(x)$ 위의 점 $(a, f(a))$에서 접선의 기울기는 $f'(a)$와 같다. 따라서 $(a, f(a))$에서 접선의 방정식은

$$y=f'(a)(x-a)+f(a)$$

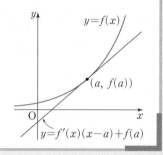

복습

기울기가 m이고 점 (a, b)를 지나는 직선의 방정식은 $y=m(x-a)+b$

2 접선의 방정식 구하기

곡선 $y=f(x)$에 대하여 접선의 기울기 m이 주어질 때 $f'(t)=m$에서 t 값을 구한다. 또 접선이 곡선 $y=f(x)$ 밖의 한 점 (a, b)를 지날 때는 접점의 좌표를 $(t, f(t))$로 놓고 $y=f'(t)(x-t)+f(t)$에 (a, b)를 대입하여 t 값을 구한다.

예

점 $(0, -2)$에서 곡선 $y=x^3$에 그은 접선의 방정식은 $f(x)=x^3$이라 하면 $f'(x)=3x^2$
이때 접점의 좌표를 (t, t^3)으로 놓고 접선의 방정식을 나타내면 $y=3t^2(x-t)+t^3$이고, 이 직선이 점 $(0, -2)$를 지나므로 $-2=-2t^3$ $\therefore t=1$
따라서 접선의 방정식은 $y=3x-2$

3 평균값 정리

함수 $f(x)$가 닫힌구간 $[a, b]$에서 연속이고 열린구간 (a, b)에서 미분가능할 때,

$$\frac{f(b)-f(a)}{b-a}=f'(c)$$

인 c가 열린 구간 (a, b)에 적어도 하나 존재한다.

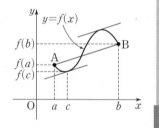

참고 롤의 정리

함수 $f(x)$가 닫힌구간 $[a, b]$에서 연속이고 열린구간 (a, b)에서 미분가능할 때, $f(a)=f(b)$이면 $f'(c)=0$인 c가 열린구간 (a, b)에 적어도 하나 존재한다.

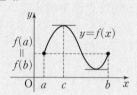

4 함수의 증가와 감소

함수 $y=f(x)$가 어떤 구간에 속하는 임의의 두 수 x_1, x_2에 대하여

① $x_1<x_2$일 때 $f(x_1)<f(x_2)$이면 $f(x)$는 이 구간에서 증가

② $x_1<x_2$일 때 $f(x_1)>f(x_2)$이면 $f(x)$는 이 구간에서 감소

※ 함수 $y=f(x)$가 충분히 작은 양수 h에 대하여

① $f(a-h)<f(a)<f(a+h)$이면 $f(x)$는 $x=a$에서 증가 상태

② $f(a-h)>f(a)>f(a+h)$이면 $f(x)$는 $x=a$에서 감소 상태

보충

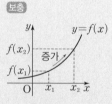

5 도함수를 이용한 함수의 증가와 감소 판단

함수 $y=f(x)$가 어떤 구간에서 미분가능하고, 이 구간의 모든 x에 대하여

① $f'(x)>0$이면 함수 $f(x)$는 이 구간에서 증가한다.

② $f'(x)<0$이면 함수 $f(x)$는 이 구간에서 감소한다.

※ 함수 $y=f(x)$가 $x=a$에서 미분가능할 때

　① $f'(a)>0$이면 함수 $f(x)$는 $x=a$에서 증가 상태에 있다.

　② $f'(a)<0$이면 함수 $f(x)$는 $x=a$에서 감소 상태에 있다.

참고
함수 $y=f(x)$가 다항함수일 때
① $f'(x)\geq0$이면 증가
② $f'(x)\leq0$이면 감소

[보기] 함수 $f(x)=x^3-2ax^2+ax$가 실수 전체에서 증가하기 위한 상수 a값의 범위를 구하여라.

[풀이] $f'(x)=3x^2-4ax+a\geq0$이어야 하므로
이차방정식 $3x^2-4ax+a=0$의 판별식 D에서
$$\frac{D}{4}=(-2a)^2-3a\leq0,\ a(4a-3)\leq0 \qquad \therefore\ 0\leq a\leq\frac{3}{4}$$

6 함수의 극대와 극소

함수 $y=f(x)$가 $x=a$에서 연속이고 x값이 커질 때

① $x=a$의 좌우에서 $f(x)$가 증가 상태에서 감소 상태로 바뀌면 함수 $f(x)$는 $x=a$에서 **극대**라 하고, 이때 $f(a)$를 **극댓값**이라 한다.
　$\Rightarrow f'(a)=0$

② $x=b$의 좌우에서 $f(x)$가 감소 상태에서 증가 상태로 바뀌면 함수 $f(x)$는 $x=b$에서 **극소**라 하고, 이때 $f(b)$를 **극솟값**이라 한다.
　$\Rightarrow f'(b)=0$

참고
• 극댓값과 극솟값을 극값이라 한다.
• 함수 $f(x)$가 $x=a$에서 미분가능하고, $x=a$에서 극값을 가지면 $f'(a)=0$이다.

[보기] 함수 $f(x)=x^3+ax^2-b$가 $x=-2$에서 극댓값 2를 가질 때, 상수 a, b의 값을 각각 구하여라.

[풀이] $f'(x)=3x^2+2ax$이고, $f'(-2)=0$에서 $12-4a=0$ $\qquad \therefore\ \boldsymbol{a=3}$
따라서 $f(x)=x^3+3x^2-b$이므로 $f(-2)=2$에서
$-8+12-b=2$ $\qquad \therefore\ \boldsymbol{b=2}$

단축키 ｜ 삼차함수 그래프의 성질

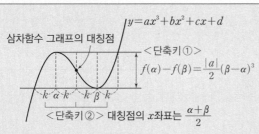

<단축키①>
$$f(\alpha)-f(\beta)=\frac{|a|}{2}(\beta-\alpha)^3$$

<단축키②> 대칭점의 x좌표는 $\dfrac{\alpha+\beta}{2}$

보충
• 삼차함수 그래프에서 두 극점을 지나며 x축에 평행한 직선을 긋고 생각한다.
• 대칭점은 극댓점과 극솟점의 중점이다.
• <단축키 ①>은 극댓값과 극솟값의 차이를 간단히 구하는 방법이다.

STEP 1 | 1등급 준비하기

접선의 방정식 – 접점의 좌표가 주어질 때

01

함수 $f(x)=2x^3-3x^2+ax+b$의 그래프 위의 점 $(2, c)$에서 접선의 방정식이 $y=17x-24$일 때, $a+b+c$의 값은?

① 1　　　② 9　　　③ 10　　　④ 11　　　⑤ 19

02

$x=1$에서 연속인 함수 $f(x)=\lim\limits_{n\to\infty}\dfrac{x^{2n+1}-x^2+ax}{x^{2n}+1}$에 대하여 곡선 $y=f(x)$ 위의 $x=\dfrac{2}{3}$인 점에서 그은 접선의 방정식이 $y=px+q$일 때, $\dfrac{2p}{q}$의 값을 구하시오.

(단, p, q는 유리수이다.)

접선의 방정식 – 접선의 기울기가 주어질 때

03

곡선 $y=x^4-x^2+a$가 직선 $y=-2x+7$에 접하도록 하는 상수 a값을 구하시오.

공통접선

04

두 곡선 $f(x)=x^3+ax+b$와 $g(x)=2x^3+cx+2$가 점 $(-1, 2)$에서 공통접선 $y=h(x)$를 가질 때, $(h\circ f)(c)$의 값을 구하시오.

평균값 정리

05*

함수 $f(x)=x^2+2x+3$과 $a_1=1$, $a_2=4$인 수열 $\{a_n\}$에 대하여 닫힌구간 $[a_n, a_{n+2}]$에서 함수 $y=f(x)$의 평균값 정리를 만족시키는 점의 x좌표가 a_{n+1}일 때, $\sum\limits_{n=1}^{20}a_n$의 값은? (단, n은 자연수이다.)

① 145　　　② 290　　　③ 420

④ 590　　　⑤ 630

06

함수 $f(x)=\dfrac{1}{3}ax^3-(b-1)x^2-\left(a-\dfrac{4}{a}-1\right)x+5$에서 서로 다른 임의의 두 수 x_1, x_2 $(x_1<x_2)$에 대하여 $f(x_2)-f(x_1)\geq x_2-x_1$이 성립할 때, 순서쌍 (a, b)의 개수는? (단, a, b는 자연수이다.)

① 2　　　② 3　　　③ 4　　　④ 5　　　⑤ 6

07

함수 $f'(x)=x^4-4x^2+m$의 극댓값은 10이고, 극솟값은 n일 때, $m+n^2$의 값을 구하시오.

08

구간 $(-2, 3)$에서 연속인 함수 $y=f(x)$의 도함수 $y=f'(x)$의 그래프는 그림과 같다.

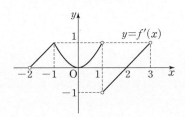

보기에서 옳은 것을 모두 고르시오.

┤ 보기 ├
ㄱ. 함수 $(x-1)f(x)$는 $x=1$에서 미분가능하다.
ㄴ. 함수 $xf(x)$는 $x=\dfrac{1}{2}$에서 증가한다.
ㄷ. 함수 $f(x)$는 $x=1$에서 극댓값을 가지고 $x=2$에서 극솟값을 가진다.

극값과 $y=f'(x)$의 그래프

09

두 다항함수 $f(x)$와 $g(x)$가 모든 실수 x에 대하여 $g(x)=(x^3+2)f(x)$를 만족시킨다. $g(x)$가 $x=1$에서 극솟값 24를 가질 때, $f(1)-f'(1)$의 값을 구하시오.

[2015학년도 수능]

10

그림은 삼차함수 $f(x)$에 대하여 $y=f'(x)$의 그래프와 $y=g'(x)$의 그래프를 나타낸 것이다. 함수 $h(x)$를 $h(x)=f(x)-g(x)$라 하고, $f(0)=g(0)$일 때, 보기에서 옳은 것을 모두 고른 것은?

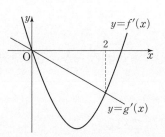

┤ 보기 ├
ㄱ. $0<x<2$에서 $h(x)$는 감소한다.
ㄴ. $h(x)$는 $x=2$에서 극솟값을 갖는다.
ㄷ. 방정식 $h(x)=0$은 서로 다른 세 실근을 갖는다.

① ㄱ   ② ㄴ   ③ ㄱ, ㄴ
④ ㄱ, ㄷ   ⑤ ㄱ, ㄴ, ㄷ

[2011년 6월 모의평가]

접선의 방정식 – 접점의 좌표가 주어질 때

01*
| 제한시간 1.5분 |

다항함수 $y=f(x)$의 그래프가 y축에 대하여 대칭이고 $\lim\limits_{x \to 1}\dfrac{f(x^2)-3}{x-1}=6$일 때, $x=-1$에서 곡선 $y=f(x)$의 접선의 방정식은?

① $y=-3x$ ② $y=-3x-6$ ③ $y=6x$

④ $y=3x$ ⑤ $y=3x+6$

02
| 제한시간 1.5분 |

두 다항함수 $f(x)$, $g(x)$가 다음 조건을 만족시킨다.

> (가) $g(x)=x^3 f(x)-7$
>
> (나) $\lim\limits_{x \to 2}\dfrac{f(x)-g(x)}{x-2}=2$

곡선 $y=g(x)$ 위의 점 $(2, g(2))$에서의 접선의 방정식이 $y=ax+b$일 때, a^2+b^2의 값을 구하시오. (단, a, b는 상수이다.)

[2016학년도 수능]

법선의 방정식

03*
| 제한시간 2분 |

좌표평면에서 곡선 $y=x^2$ 위의 점 $P_n(n, n^2)$과 중심이 x축 위에 있는 원 C_n은 다음 조건을 만족시킨다.

(단, $n=1, 2, 3, \cdots$이다.)

> (가) 곡선 $y=x^2$과 원 C_n은 점 P_n에서 만난다.
> (나) 곡선 $y=x^2$과 원 C_n은 점 P_n에서 공통인 접선을 갖는다.

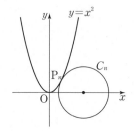

원 C_n의 넓이를 $S(n)$이라 할 때, $\lim\limits_{n \to \infty}\dfrac{S(n)}{n^6}$의 값은?

① π ② 2π ③ 3π ④ 4π ⑤ 5π

[2014학년도 사관학교]

04
| 제한시간 2.5분 |

삼차함수 $f(x)=x^3-ax^2+ax+3$의 그래프는 실수 a값에 관계없이 항상 두 점 A, B를 지난다. 이 두 점 A, B에서 곡선 $y=f(x)$에 접하는 두 접선과 수직인 직선을 각각 l_1, l_2라고 하자. 두 직선 l_1, l_2의 x절편이 서로 같을 때 $7a$의 값을 구하시오.

05

| 제한시간 2분 |

삼차함수 $f(x)=x(x-1)(ax+1)$의 그래프 위의 점 P$(1, 0)$을 접점으로 하는 접선을 l이라 하자. 직선 l에 수직이고 점 P를 지나는 직선이 곡선 $y=f(x)$와 서로 다른 세 점에서 만나도록 하는 a의 값의 범위는?

① $-1<a<-\dfrac{1}{3}$ 또는 $0<a<1$

② $-\dfrac{1}{3}<a<0$ 또는 $0<a<1$

③ $-1<a<0$ 또는 $0<a<\dfrac{1}{3}$

④ $-1<a<0$ 또는 $\dfrac{1}{3}<a<1$

⑤ $-2<a<-\dfrac{1}{3}$ 또는 $\dfrac{1}{3}<a<2$

[2008년 6월 모의평가]

접선의 방정식 – 기울기가 주어질 때

06

| 제한시간 2.5분 |

함수 $f(x)=x^3-5x$에 대하여 곡선 $y=f(x)$ 위의 점 A$(1, -4)$에서 접선이 점 A와 다른 점 B$(b, f(b))$에서 곡선과 만난다. 곡선 위의 점 P$(a, f(a))$에 대하여 삼각형 ABP 넓이의 최댓값을 구하시오. (단, $b<a<1$)

07*

| 제한시간 3분 |

최고차항의 계수가 1인 삼차함수 $y=f(x)$의 그래프와 직선 $y=2x$는 차례로 세 점 A, B, C에서 만난다. $\overline{AB}=2\sqrt{5}$, $\overline{BC}=3\sqrt{5}$일 때, 세 점 A, B, C에서 곡선 $y=f(x)$의 접선의 기울기를 모두 더한 값은?

① 9　　② 17　　③ 19　　④ 25　　⑤ 33

접선의 방정식 – 곡선 밖에서 접선을 그을 때

08

| 제한시간 2분 |

점 $(a, 0)$에서 곡선 $y=x^3-5x$에 그은 접선과 점 $(0, 7a)$에서 곡선 $y=x^3-5x$에 그은 접선이 서로 평행할 때, $a=\dfrac{q}{p}$이다. 서로소인 두 자연수 p, q의 합을 구하시오.

09

| 제한시간 2분 |

$t>0$일 때 $\dfrac{t^4-t^2+2}{t}$의 최솟값은?

① $\dfrac{1}{3}$　　② $\dfrac{1}{2}$　　③ 1　　④ 2　　⑤ 3

10*

| 제한시간 2분 |

점 $(0, a)$에서 함수 $f(x) = x^3 - 3x^2 + 2$의 그래프에 그은 접선은 이 그래프와 접점 $(t, f(t))$ 외의 점에서 만나지 않을 때, 두 상수 a와 t에 대하여 $a + t$의 값을 구하시오.

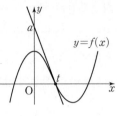

공통접선

11

| 제한시간 2분 |

두 곡선 $y = x^3 - 1$, $y = x^3 + 3$의 공통접선의 방정식을 $y = g(x)$라 할 때, $g(9)$의 값을 구하시오.

12

| 제한시간 2분 |

곡선 $y = x^2 - 2$와 원 $(x+5)^2 + (y+3)^2 = 1$ 사이 거리의 최솟값이 $m\sqrt{5} + n$일 때 $m^2 + n^2$의 값을 구하시오.

(단, m, n은 정수이다.)

함수의 증가, 감소

13

| 제한시간 2분 |

함수 $f(x) = x^3 - (a+2)x^2 + ax$에 대하여 곡선 $y = f(x)$ 위의 점 $(t, f(t))$에서의 접선의 y절편을 $g(t)$라 하자. 함수 $g(t)$가 열린구간 $(0, 5)$에서 증가할 때, a의 최솟값을 구하시오.

[2010년 9월 모의평가]

14

| 제한시간 3분 |

-1과 1을 제외한 모든 실수 x에서 미분가능한 함수 $f(x)$가 다음 조건을 만족시킨다.

㈎ 모든 실수 x에 대하여 $f(-x) = -f(x)$이다.
㈏ $\lim\limits_{x \to 1-} f(x) = f(1) = -1$이고, $\lim\limits_{x \to 1+} f(x) = 1$이다.
㈐ $x \neq 1$인 모든 양수 x에 대하여 $f'(x) < 0$이다.

보기에서 옳은 것을 모두 고른 것은?

┤ 보기 ├
ㄱ. 함수 $f(x)$의 그래프는 $y = x$와 한 점에서 만난다.
ㄴ. 함수 $f(x)$의 그래프는 x축과 세 점에서 만난다.
ㄷ. $f'(\alpha) = -1$인 실수 α가 적어도 두 개 존재한다.

① ㄱ ② ㄴ ③ ㄱ, ㄴ
④ ㄱ, ㄷ ⑤ ㄴ, ㄷ

[2014년 3월 학력평가]

함수의 극대, 극소

15*

| 제한시간 2분 |

$f(x)=x^3-12x+a$의 극댓점을 A$(\alpha,\ f(\alpha))$, 극솟점을 B$(\beta,\ f(\beta))$라 하고, 함수 $y=f(x)$가 $y=f(\beta)$와 만나는 두 점 중에서 점 B가 아닌 점을 C라 할 때, 삼각형 ABC의 넓이를 구하시오.

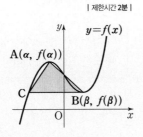

16*

| 제한시간 3분 |

$1\le k<l<m\le10$인 세 자연수 $k,\ l,\ m$에 대하여 함수 $f(x)$의 도함수 $f'(x)$가 $f'(x)=(x+1)^k x^l (x-1)^m$일 때, $x=0$에서 $f(x)$가 극댓값을 갖도록 하는 순서쌍 $(k,\ l,\ m)$의 개수를 구하시오.

[2018학년도 경찰대]

삼차함수의 성질

17*

| 제한시간 2.5분 |

삼차함수 $f(x)=-3x^3+px^2+qx+r$는 $x=a,\ x=b$ $(a<b)$에서 극값을 갖고, 극댓값과 극솟값의 차가 $36\sqrt{3}$이다. 이때, 두 점 $(a,\ f(a)),\ (b,\ f(b))$를 지나는 직선의 기울기를 구하시오.

18

| 제한시간 2분 |

계수가 정수인 삼차함수 $y=f(x)$에서 다음이 성립한다.

> (가) 모든 실수 x에 대하여 $f(-x)=-f(x)$이다.
> (나) $x=\dfrac{3}{2}$에서 극값을 가진다.

$f'(1)$이 가장 작은 자연수가 되도록 함수 $y=f(x)$를 정할 때, $f(x)$의 극댓값을 구하시오.

19

| 제한시간 2분 |

최고차항의 계수가 1인 삼차함수 $f(x)$가 모든 실수 x에 대하여 $f(-x)=-f(x)$를 만족시킨다. 방정식 $|f(x)|=2$의 서로 다른 실근이 4개일 때, $f(3)$의 값은?

① 12   ② 14   ③ 16   ④ 18   ⑤ 20

[2012학년도 대수능]

20

| 제한시간 2분 |

최고차항의 계수가 1이고 $f(0)=-20$인 삼차함수 $f(x)$가 있다. 실수 t에 대하여 직선 $y=t$와 함수 $y=f(x)$의 그래프가 만나는 점의 개수 $g(t)$는

$$g(t)=\begin{cases} 1 & (t<-4 \text{ 또는 } t>0) \\ 2 & (t=-4 \text{ 또는 } t=0) \\ 3 & (-4<t<0) \end{cases}$$

이다. $f(9)$의 값을 구하시오.

[2015년 9월 모의평가]

21

| 제한시간 2분 |

다음과 같은 최고차항의 계수가 1인 삼차함수 $f(x)$에 대하여 $f(5)$의 값은?

⟮개⟯ 함수 $|f(x)-x^2|$는 실수 전체에서 미분가능하다.
⟮내⟯ 모든 실수 x에 대하여 $(x-1)f(x)\geq 0$이다.

① 9   ② 24   ③ 34   ④ 44   ⑤ 52

22

| 제한시간 2.5분 |

두 삼차함수 $f(x)$와 $g(x)$가 모든 실수 x에 대하여 $f(x)g(x)=(x-1)^2(x-2)^2(x-3)^2$을 만족시킨다. $g(x)$의 최고차항의 계수가 3이고, $g(x)$가 $x=2$에서 극댓값을 가질 때, $f'(0)=\dfrac{q}{p}$이다. $p+q$의 값을 구하시오.

(단, p와 q는 서로소인 자연수이다.)

[2017년 9월 모의평가]

23

| 제한시간 **2분** |

삼차함수 $f(x)=ax^3+bx^2+cx+d\,(a\neq0)$에 대하여 **보기**에서 옳은 것을 모두 고른 것은?

┤ 보기 ├

ㄱ. 함수 $f(x)$가 역함수를 가질 조건은 $b^2-4ac\leq0$이다.

ㄴ. $f'(x)=0$이 서로 다른 두 실근을 가지면 방정식 $f(x)=0$은 서로 다른 세 실근을 갖는다.

ㄷ. $f'(x)=0$이 허근을 가지면 $f(x)=0$도 반드시 허근을 가진다.

① ㄴ   ② ㄷ   ③ ㄱ, ㄴ

④ ㄱ, ㄷ   ⑤ ㄴ, ㄷ

사차함수의 성질

24

| 제한시간 **2분** |

함수 $f(x)=x^4-4x^3+ax^2$이 극댓값을 갖지 않을 정수 a의 개수는? (단, $a\leq10$)

① 6   ② 7   ③ 13   ④ 14   ⑤ 15

25

| 제한시간 **2.5분** |

최고차항의 계수가 양수인 사차함수 $y=f(x)$에 대하여 세 집합 A, B, C가 아래와 같다.

$$A=\{x\,|\,f(x)=0,\ x는\ 실수\}$$
$$B=\{x\,|\,f'(x)=0,\ x는\ 실수\}$$
$$C=\{a\,|\,a는\ f(x)의\ 극값\}$$

보기에서 옳은 것을 모두 고르면?

(단, $n(X)$는 집합 X의 원소의 개수이다.)

┤ 보기 ├

ㄱ. $n(B)=1$이면 $n(C)=1$이다.

ㄴ. $n(A)=4$이면 $n(C)=3$이다.

ㄷ. $n(A)+n(B)+n(C)$의 최솟값은 2이고, 최댓값은 10이다.

① ㄱ   ② ㄷ   ③ ㄱ, ㄴ

④ ㄱ, ㄷ   ⑤ ㄱ, ㄴ, ㄷ

26

| 제한시간 **2.5분** |

$f(x)=3x^4-4x^3-12x^2$에 대하여 **보기**에서 옳은 것을 모두 고른 것은?

┤ 보기 ├

ㄱ. 극댓값과 극솟값이 모두 존재한다.

ㄴ. 가장 큰 극값과 가장 작은 극값의 차는 5이다.

ㄷ. $y=|f(x)+n|$의 그래프가 3개의 극댓점을 가질 때, 가능한 자연수 n의 합은 15이다.

① ㄱ   ② ㄱ, ㄷ   ③ ㄱ, ㄴ

④ ㄴ, ㄷ   ⑤ ㄱ, ㄴ, ㄷ

27*

| 제한시간 2.5분 |

최고차항의 계수가 1인 삼차함수 $f(x)$에 대하여 함수 $g(x)$를 $g(x)=\begin{cases} f(x) & (x\geq 0) \\ f(-x) & (x<0) \end{cases}$ 이라 하자. $g(x)$에 대하여 다음이 성립할 때, 함수 $g(x)$의 최솟값이 5이다. $g(x)$의 극댓값을 구하시오.

> ㈎ 함수 $g(x)$는 실수 전체에서 미분가능하다.
> ㈏ 함수 $g(x)$는 $x=-2$에서 극값을 갖는다.

29

| 제한시간 3분 |

자연수 n에 대하여 함수 $f(x)$를 $f(x)=x^2+\dfrac{1}{n}$ 이라 하고 함수 $g(x)$를 $g(x)=\begin{cases} (x-1)f(x) & (x\geq 1) \\ (x-1)^2 f(x) & (x<1) \end{cases}$ 이라 할 때, **보기**에서 옳은 것을 모두 고른 것은?

├ 보기 ├
> ㄱ. $\displaystyle\lim_{x\to 1-}\dfrac{g(x)}{x-1}=0$
> ㄴ. $n=1$일 때, 함수 $g(x)$는 $x=1$에서 극솟값을 갖는다.
> ㄷ. 함수 $g(x)$가 극대 또는 극소가 되는 x의 개수가 1인 n의 개수는 5이다.

① ㄱ   ② ㄱ, ㄴ   ③ ㄱ, ㄷ

④ ㄴ, ㄷ   ⑤ ㄱ, ㄴ, ㄷ

[2018학년도 사관학교]

28

| 제한시간 3분 |

함수 $f(x)=x^4-4x^3+17x+a$의 그래프 위의 한 점 $P(t, f(t))$에서 직선 $y=x+3$ 까지의 거리를 $g(t)$라 하자. 함수 $g(t)$가 오직 $x=b$에서만 미분가능하지 않을 때, $g(t)$의 극댓값은 c이다. 이때 $\dfrac{abc^2}{27}$의 값을 구하시오.

01

그림과 같이 원점을 지나는 증가함수 $y=f(x)$가 있다. 점 $A_1(1, 0)$을 지나 y축과 평행한 직선이 곡선 $y=f(x)$와 만나는 점을 B_1이라 하고 점 B_1에서 그

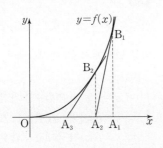

은 접선이 x축과 만나는 점을 A_2, A_2를 지나 y축과 평행한 직선이 $y=f(x)$과 만나는 점을 B_2, B_2에서 이 곡선에 그은 접선이 x축과 만나는 점을 A_3이라 하자. 이와 같은 과정을 계속할 때, **보기**에서 옳은 것을 모두 고른 것은? (단, x_n은 A_n의 x좌표, S_n은 $\triangle A_n B_n A_{n+1}$의 넓이이다.)

┤ 보기 ├

ㄱ. $x_{n+1}=x_n-\dfrac{f'(x_n)}{f(x_n)}$

ㄴ. $f(x)=x^2$이라 하면 $S_n \times 8^n=2$이다.

ㄷ. $f(x)=x^3$이라 하면 $x_4=\dfrac{1}{27}$

① ㄱ   ② ㄴ   ③ ㄱ, ㄷ

④ ㄴ, ㄷ   ⑤ ㄱ, ㄴ, ㄷ

02*

곡선 $f(x)=9x^3-ax$ 위의 점에서 다음과 같이 서로 다른 n개의 접선을 긋는다.

> [1단계] $A_0(1, f(1))$에서 $A_1(x_1, f(x_1))$을 접점으로 하는 접선 1을 긋는다.
> [2단계] $A_1(x_1, f(x_1))$에서 $A_2(x_2, f(x_2))$를 접점으로 하는 접선 2를 긋는다.
> [n단계] $A_{n-1}(x_{n-1}, f(x_{n-1}))$에서 $A_n(x_n, f(x_n))$을 접점으로 하는 접선 n을 긋는다.

$f(x_3)=\dfrac{55}{512}$일 때, a값을 구하시오.

(단, A_0, A_1, A_2, …은 모두 서로 다른 점이다.)

03

사차함수 $f(x)$의 도함수 $f'(x)$가 $f'(x)=(x+1)(x^2+ax+b)$이다. 함수 $y=f(x)$가 구간 $(-\infty, 0)$에서 감소하고 구간 $(2, \infty)$에서 증가하도록 하는 실수 a, b의 순서쌍 (a, b)에 대하여, a^2+b^2의 최댓값을 M, 최솟값을 m이라 하자. $M+m$의 값은?

① $\dfrac{21}{4}$ ② $\dfrac{43}{8}$ ③ $\dfrac{11}{2}$ ④ $\dfrac{45}{8}$ ⑤ $\dfrac{23}{4}$

[2012년 9월 모의평가]

04

x에 대한 방정식 $6x^3-x=|x-a|$의 서로 다른 실근의 개수를 $f(a)$라 한다. a에 대한 방정식 $f(a)-ma=2$가 서로 다른 두 개의 실근을 가질 m값의 범위가 $p<m<q$일 때, $\dfrac{q}{p}$의 값을 구하시오.

05

점 $\mathrm{A}(x_1, y_1)$가 함수

$$f(x)=\begin{cases} \dfrac{1}{4}x^2+3 & (x>-2) \\ -x+2 & (x\le -2) \end{cases}$$

의 그래프 위의 점일 때, 다음을 만족시키는 점 $\mathrm{B}(x_2, y_2)$가 나타내는 도형의 길이는 $\dfrac{q}{p}\pi$ 이다. 이때 $p+q$의 값을 구하시오. (단, p, q는 서로소인 자연수이다.)

> (가) B는 원 $x^2+y^2=4$ 위의 점이다.
> (나) $x_1\times y_2=x_2\times y_1$

06

함수 $f(x)=x^3+6x^2-15\left|x-\dfrac{a}{3}\right|$에 대한 설명으로 다음 **보기**에서 옳은 것을 모두 고르면?

> **보기**
> ㄱ. $y=f(x)$가 역함수를 가질 a의 최댓값은 3이다.
> ㄴ. $y=f(x)$의 극솟값이 -23이면, $a=-3$이다.
> ㄷ. $y=f(x)$가 극댓값과 극솟값이 모두 존재하면 그 차는 항상 108이다.

① ㄱ   ② ㄴ   ③ ㄱ, ㄴ

④ ㄱ, ㄷ   ⑤ ㄱ, ㄴ, ㄷ

07

삼차함수 $f(x)$와 직선 $y=g(x)$가 다음 조건을 만족시킬 때, 가능한 모든 실수 k의 합을 구하시오.

> (가) $f(x)$, $g(x)$의 최고차항의 계수는 각각 1, 3이다.
> (나) 함수 $|f(x)-f(2)|$는 모든 실수 x에 대하여 미분가능하다.
> (다) 곡선 $y=f(x)$는 점 $(3, 6)$을 지나고 $y=g(x)$와 서로 다른 두 점에서 만난다.
> (라) 함수 $|f(x)-g(x)|$는 $x=k$에서만 미분가능하지 않다.

08

함수 $f(x)=x^2(x-2)^2$이 있다. $0 \leq x \leq 2$인 모든 실수 x에 대하여 $f(x) \leq f'(t)(x-t)+f(t)$를 만족시키는 실수 t의 집합이 $\{t \mid p \leq t \leq q\}$일 때, $36pq$의 값을 구하시오.

[2012년 3월 학력평가]

09

최고차항의 계수가 1이고, $f(0)=3$, $f'(3)<0$인 사차함수 $f(x)$가 있다. 실수 t에 대하여 집합 S를

$S=\{a \mid$ 함수 $|f(x)-t|$가 $x=a$에서 미분가능하지 않다.$\}$

라 하고, 집합 S의 원소의 개수를 $g(t)$라 하자. 함수 $g(t)$가 $t=3$과 $t=19$에서만 불연속일 때, $f(-2)$의 값을 구하시오.

[2011학년도 수능]

10*

모든 실수 x에 대하여 미분가능하고 $f(1)=1$인 함수 $f(x)$에 대하여 다음 물음에 답하시오.

(1) 함수 $f(x)$에서 다음이 성립할 때, $f(3)$의 최댓값을 구하시오.

> $1<x<3$인 모든 x에 대하여 $|f'(x)| \leq \dfrac{7}{2}$이다.

(2) $f(4)=4$이고 $g(x)=(f \circ f)(x)$일 때, 다음을 증명하시오.

> $g'(x)=1$인 x가 열린구간 $(0, 4)$에 적어도 하나 존재한다.

05 도함수의 활용(2)

1 함수의 최대, 최소

연속함수 $f(x)$가 닫힌구간 $[a, b]$에서 극값을 가질 때, 극댓값, 극솟값, $f(a)$, $f(b)$ 중에서 가장 큰 값이 최댓값이고, 가장 작은 값이 최솟값이다.

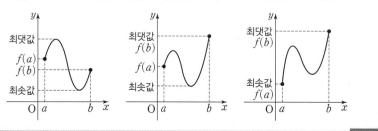

> **보충**
> 함수 $f(x)$가 열린구간 (a, b)에서 정의되었을 때는 최댓값 또는 최솟값이 없을 수도 있다.

보기 구간 $[0, 3]$에서 함수 $f(x)=2x^3-9x^2+12x+4$의 최댓값과 최솟값을 구하여라.

풀이 $f'(x)=6(x-1)(x-2)$이므로 증감표는 오른쪽과 같다. 따라서 **최댓값이 13**이고, **최솟값이 4**이다.

x	0	$\cdots$	1	$\cdots$	2	$\cdots$	3
$f'(x)$	+	+	0	−	0	+	+
$f(x)$	4	↗	9	↘	8	↗	13

2 방정식의 실근의 개수

방정식 $f(x)=0$의 서로 다른 실근 개수는 함수 $y=f(x)$의 그래프와 x축의 교점 개수와 같고, 방정식 $f(x)=g(x)$의 서로 다른 실근 개수는 두 함수 $y=f(x)$와 $y=g(x)$의 그래프의 교점 개수와 같다.

> **참고**
> 방정식 $f(x)=g(x)$의 서로 다른 실근 개수는 함수 $y=f(x)-g(x)$의 그래프와 x축의 교점 개수로 구할 수도 있다.

3 삼차방정식 근의 판별

삼차함수 $f(x)$에 대하여 이차방정식 $f'(x)=0$의 서로 다른 두 실근을 α, β $(\alpha<\beta)$라 할 때, 삼차방정식 $f(x)=0$이

① 서로 다른 세 실근을 가질 조건 $f(\alpha)f(\beta)<0$
② 서로 다른 두 실근을 가질 조건 $f(\alpha)f(\beta)=0$
③ 한 실근과 두 허근을 가질 조건 $f(\alpha)f(\beta)>0$

> **보충**
> 삼차함수 $f(x)$에 대하여 이차방정식 $f'(x)=0$이 중근을 가지거나 두 허근을 가지면 삼차함수 $f(x)$는 극값을 가지지 않는다.

보기 두 곡선 $y=x^3-x^2+1$과 $y=2x^2+1+k$가 서로 다른 세 점에서 만날 때, 상수 k값의 범위를 구하여라.

풀이 방정식 $x^3-x^2+1=2x^2+1+k$, 즉 $x^3-3x^2-k=0$이 서로 다른 세 실근을 가져야 한다. $f(x)=x^3-3x^2-k$라 하면
$f'(x)=3x(x-2)=0$에서 $x=0$ 또는 $x=2$
삼차방정식 $f(x)=0$이 서로 다른 세 실근을 가지려면
$f(0)f(2)<0$에서 $k(k+4)<0$ $\therefore$ **$-4<k<0$**

4 부등식의 증명

$x>\alpha$에서 부등식 $f(x)>0$인 것을 보일 때

① $f(x)$의 최솟값이 존재하면 ($f(x)$의 최솟값)>0인 것을 보인다. [그림 1]

② $f(x)$의 최솟값이 존재하지 않으면 $x>\alpha$에서 $f'(x)>0$이고, $f(\alpha)\ge0$인 것을 보인다. [그림 2]

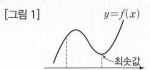
[그림 1]

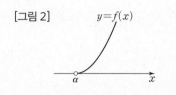
[그림 2]

보충
$f(x)>g(x)$인 것을 보이려면
$h(x)=f(x)-g(x)$로 놓고
$h(x)>0$인 것을 보인다.

참고
삼차함수 $f(x)$에 대하여 $f(x)=(x-p)(x-q)^2$
꼴이면 $x\ge p$일 때 $f(x)\ge0$
⇨ 59쪽 09

보충
$x>\alpha$에서 $f'(x)>0$이면 $x>\alpha$에서 $f(x)$는 증가하므로 함수 $f(x)$의 함숫값은 $f(\alpha)$보다 크다.
이때 $f(\alpha)\ge0$이면 $x>\alpha$에서 함수 $f(x)$의 함숫값은 항상 0보다 크다.

보기 $x>2$에서 부등식 $2x^3-3x^2-4>0$이 항상 성립함을 보여라.

풀이 $f(x)=2x^3-3x^2-4$라 하면 $f'(x)=6x(x-1)$
$f(2)=16-12-4=0$이고, $x>2$일 때 $f'(x)>0$
이므로 함수 $f(x)$는 $x>2$에서 증가한다.
따라서 $x>2$일 때 $f(x)=2x^3-3x^2-4>0$이다.

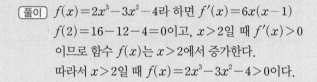

5 속도와 가속도

(1) 수직선 위를 움직이는 점 P의 위치 x를 시각 t의 함수 $x=f(t)$로 나타낼 때, 시각 t에서 점 P의 속도를 v라 하면 $v=\dfrac{dx}{dt}=f'(t)$이다.
이때 $|v|$는 속력이다.

(2) 속도 $v=g(t)$의 시각 t에서 순간변화율을 a라 하면
$a=\dfrac{dv}{dt}=g'(t)$이다. 이때 a를 점 P의 **가속도**라 한다.

참고 v의 부호에 따른 점 P의 운동 방향
속도 v가 양수, 즉 $f'(t)>0$이면 $f(t)$는 증가하므로 점 P는 수직선 위를 양의 방향(오른쪽)으로 움직인다. 속도 v가 음수이면 반대이다.

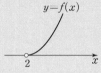

보기 점 P의 시각 t에서 위치 x가 $x=t^3-3t^2-9t$일 때, 속도가 15인 순간 점 P의 가속도를 구하여라.

풀이 $f(t)=t^3-3t^2-9t$라 하면 $v=f'(t)=3t^2-6t-9$
$3t^2-6t-9=15$에서 $3(t-4)(t+2)=0$ ∴ $t=4$ ($\because t>0$)
점 P의 가속도를 a라 하면 $a=(3t^2-6t-9)'=6t-6$
따라서 $t=4$일 때 점 P의 가속도는 $6\times4-6=$ **18**

보충

$$\boxed{\begin{array}{ccc}\text{위치} & \xrightarrow[\text{미분}]{t\text{에 대해}} & \text{속도}\\ x=f(t) & & v=\dfrac{dx}{dt}=f'(t)\end{array}}$$

$$\boxed{\begin{array}{ccc}\text{속도} & \xrightarrow[\text{미분}]{t\text{에 대해}} & \text{가속도}\\ v=\dfrac{dx}{dt}=f'(t) & & a=\dfrac{dv}{dt}=\{f'(t)\}'\end{array}}$$

※ 가속도 $a>0$이면 속도 v가 증가하는 상태이고, $a<0$이면 속도 v가 감소하는 상태이다.

6 길이, 넓이, 부피의 시각에 대한 변화율

시각 t에서 어떤 물체의 길이가 l, 넓이가 S, 부피가 V일 때,

① 길이 $l=f(t)$의 변화율 : $\dfrac{dl}{dt}=f'(t)$

② 넓이 $S=g(t)$의 변화율 : $\dfrac{dS}{dt}=g'(t)$

③ 부피 $V=h(t)$의 변화율 : $\dfrac{dV}{dt}=h'(t)$

※ 문항 번호 오른쪽 *표시는 풀이에 문제 풀이 스킬을 익힐 수 있는 '다른 풀이' 또는 '1등급 Note'가 있음을 나타냅니다.

5. 도함수의 활용(2)

STEP 1 | 1등급 준비하기

최소, 최대

01

$y=f(x)$, $y=g(x)$의 도함수 $y=f'(x)$, $y=g'(x)$의 그래프가 그림과 같다.

$h(x)=f(x)-g(x)$라 할 때, 닫힌구간 $[-1, 3]$에서 $h(x)$의 최댓값은?

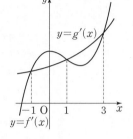

① $h(-1)$ ② $h(0)$ ③ $h(1)$

④ $h(2)$ ⑤ $h(3)$

02

곡선 $f(x)=x(x-3)(x-5)$위의 점 $\mathrm{P}(t, f(t))$에서 x축에 내린 수선의 발을 H, 원점을 O라 하자. $\triangle \mathrm{OPH}$의 넓이가 최대일 때 t의 값은? (단, $0<t<3$)

① $3-\dfrac{\sqrt{6}}{2}$ ② $3-\dfrac{\sqrt{3}}{2}$ ③ 2

④ $\dfrac{3\sqrt{3}}{2}$ ⑤ $\dfrac{5}{2}$

삼차방정식의 실근 개수

03*

삼차함수 $f(x)$의 극솟값이 1이고, 극댓값이 5일 때, 방정식 $f(x)-2=k$가 서로 다른 두 실근을 가지도록 하는 모든 상수 k값의 합을 구하시오.

04

최고차항의 계수가 양수인 삼차함수 $f(x)$에 대하여 다음 식이 성립할 때, 방정식 $f(x)=0$이 서로 다른 세 실근을 가지도록 하는 자연수 n의 개수를 구하시오.

$$\lim_{x \to 1}\frac{f(x)+9-2n}{x-1}=\lim_{x \to 5}\frac{f(x)+10-n}{x-5}=0$$

05

함수 $f(x)=x^3-3x^2$에 대하여 방정식 $|f(x)|=a$가 서로 다른 네 실근을 가지도록 하는 모든 정수 a값의 합은?

① 2   ② 3   ③ 4   ④ 5   ⑤ 6

사차방정식의 실근 개수

06

다음 두 함수 $f(x)$, $g(x)$에 대하여 구간 $(1, 2)$에서 방정식 $f(x)=g(x)$가 적어도 하나의 실근을 갖도록 하는 자연수 k의 개수는?

$$f(x)=x^4+x^3-2x^2+x-3, \quad g(x)=x^3-4x^2+x+k$$

① 12   ② 16   ③ 20   ④ 24   ⑤ 28

07

세 실수 a, b, c에 대하여 사차함수 $f(x)$의 도함수 $f'(x)$가 $f'(x)=(x-a)(x-b)(x-c)$이다. $a<b<c$이고, $f(b)<0$일 때 사차방정식 $f(x)=0$의 실근의 개수를 구하시오.

부등식과 미분

08

$x>0$에서 부등식 $x^n+n(n-2)>nx-1$이 항상 성립하도록 하는 자연수 n의 최솟값을 구하시오.

09

다음 조건에 맞는 함수 $f(x)=x^3-ax^2-x+b$와 실수 a, b, c에 대하여 $a+b-c$의 값을 구하시오.

> (가) $f(1)=0$
> (나) $x\geq-1$인 모든 실수 x에 대하여 $f(x)\geq0$이다.
> (다) 모든 실수 x에 대하여 $(x-c)f(x)\geq0$이다.

위치, 속도, 가속도

10

지면으로부터 25 m 높이에서 공중으로 20 m/초의 속도로 공을 던졌을 때, t초 후 공의 높이를 h m라 하면 $h=25+20t-5t^2$인 관계가 성립한다. 공이 지면에 떨어질 때 속도는 a m/초이고, 가속도는 b m/초^{2}일 때, $b-a$의 값은?

① -30 ② -20 ③ 10

④ 20 ⑤ 30

11

수직선 위를 움직이는 두 점 P, Q의 시각 t일 때의 위치는 $f(t)=2t^2-2t$, $g(t)=t^2-8t$이다. 두 점 P와 Q가 서로 반대방향으로 움직이는 시각 t의 범위는?

① $\dfrac{1}{2}<t<4$ ② $1<t<5$ ③ $2<t<5$

④ $\dfrac{3}{2}<t<6$ ⑤ $2<t<8$

[2012년 6월 모의평가]

12

수직선 위를 움직이는 점 P의 시각 t에서 위치를 $x=f(t)$라 할 때, $f(t)$는 t에 대한 삼차식이고, $y=f(t)$의 그래프는 그림

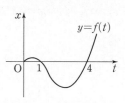

과 같다. 점 P의 가속도가 0이 되는 시각이 $\dfrac{q}{p}$일 때, $p+q$의 값을 구하시오. (단, p, q는 서로소인 자연수)

변화율

13

반지름 길이가 $\sqrt{3}$인 원이 있다. 이 원의 반지름 길이가 매초 $\dfrac{1}{2}$씩 커질 때, 2초 후 원 넓이의 증가율이 $(a\sqrt{3}+b)\pi$이다. 이때 자연수 a, b에 대하여 $a+b$의 값을 구하시오.

다항함수의 최대, 최소

01
| 제한시간 1.5분 |

닫힌구간 $[-1, 1]$에서 함수 $f(x)$가 $f(x)=x^3-3x+2$ 일 때, $y=f(f(x))$의 최댓값을 M, 최솟값을 m이라 하자. $M-m$의 값을 구하시오.

02
| 제한시간 2분 |

$x>0$일 때, $f(x)=x^3+2x^2+4x+\dfrac{4}{x}+\dfrac{2}{x^2}+\dfrac{1}{x^3}$의 최솟값은?

① 10 ② 12 ③ 14 ④ 16 ⑤ 18

03
| 제한시간 2분 |

다음과 같은 세 실수 x, y, z의 곱 xyz의 최댓값은?

> (가) $x\le y\le z$ (나) $x+y+z=3$ (다) $2x+y=2$

① $\dfrac{16}{27}$ ② $\dfrac{20}{27}$ ③ $\dfrac{\sqrt{3}}{3}$

④ $\dfrac{4\sqrt{3}}{9}$ ⑤ $\dfrac{4\sqrt{3}}{3}$

04
| 제한시간 2분 |

구간 $[-2, k]$에서 함수 $f(x)=3x^4-4x^3-12x^2+30$의 최솟값을 $g(k)$라 할 때, $\displaystyle\sum_{k=0}^{5} g(k)$의 값을 구하시오.

(단, k는 음이 아닌 정수)

05*
| 제한시간 2.5분 |

구간 $[t-3, t]$에서 함수 $f(x)=x^3-3x^2+5$의 최댓값을 $g(t)$, 최솟값을 $h(t)$라 할 때, $g(t)+h(t)=6$이 되는 모든 정수 t의 합을 구하시오.

최대, 최소의 활용

06
| 제한시간 1.5분 |

중심이 원점이고 반지름 길이
가 2인 원 위의 두 점 B, C와
점 A$(-1, 0)$에 대하여
△ABC의 넓이가 최대가 되도
록 하는 점 B의 x좌표는? (단,
점 B는 제1사분면에 있고, 두 점 B, C의 x좌표는 같다.)

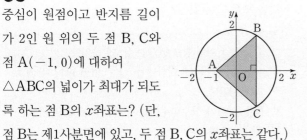

① $\dfrac{1}{2}$ ② 1 ③ $\dfrac{3}{2}$

④ $\dfrac{-1+\sqrt{17}}{2}$ ⑤ $\dfrac{-1+\sqrt{33}}{4}$

07
| 제한시간 2분 |

두 곡선 $y=x^3$, $y=-x^3+2x$
의 교점 중 제1사분면에 있는
점을 A라 하고, 두 곡선
$y=x^3$, $y=-x^3+2x$와 직선
$x=k(0<k<1)$의 교점을 각
각 B, C라 하자. 사각형 OBAC의 넓이가 최대가 되도록
하는 실수 k값은? (단, O는 원점이다.)

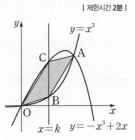

① $\dfrac{1}{3}$ ② $\dfrac{\sqrt{3}}{4}$ ③ $\dfrac{\sqrt{2}}{3}$ ④ $\dfrac{1}{2}$ ⑤ $\dfrac{\sqrt{3}}{3}$

[2014학년도 사관학교]

08
| 제한시간 2분 |

가로 길이, 세로 길이, 높이가 각각 x, y, z인 직육면체의
모든 모서리 길이의 합이 48이고 겉넓이가 72일 때, 이 직
육면체 부피의 최댓값을 구하시오.

방정식의 실근

09
| 제한시간 2분 |

삼차함수 $y=x^3-x+k$의 그래프가 두 점 A$(-1, -2)$,
B$(3, 6)$를 이은 선분과 오직 한 점에만 만나도록 하는 정
수 k의 개수를 구하시오.

10
| 제한시간 2.5분 |

삼차방정식 $x^3+3x^2=k$의 세 실근을 α, β, γ라 하자. **보
기**에서 옳은 것을 모두 고른 것은? (단, k는 실수이고
$\alpha \le \beta \le \gamma$이다.)

┤ 보기 ├

ㄱ. $k=0$이면 $\gamma=0$이다.

ㄴ. $\alpha<\beta<\gamma$가 되는 k의 범위는 $0<k<4$이다.

ㄷ. $\alpha<\beta<\gamma$이고 적어도 한 실근이 음의 정수가 되는 k
값은 $k=2$이다.

① ㄱ   ② ㄴ   ③ ㄱ, ㄴ

④ ㄴ, ㄷ   ⑤ ㄱ, ㄴ, ㄷ

11

| 제한시간 2.5분 |

그림과 같이 두 삼차함수 $f(x)$, $g(x)$의 도함수 $y=f'(x)$, $y=g'(x)$의 그래프가 만나는 두 점의 x좌표는 a, b $(0<a<b)$이다. 함수 $h(x)$를 $h(x)=f(x)-g(x)$라 할 때, **보기**에서 옳은 것을 모두 고른 것은?

(단, $f'(0)=7$, $g'(0)=2$)

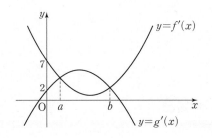

┤ 보기 ├

ㄱ. 함수 $h(x)$는 $x=a$에서 극댓값을 갖는다.

ㄴ. $h(b)=0$이면 방정식 $h(x)=0$의 서로 다른 실근의 개수는 2이다.

ㄷ. $0<\alpha<\beta<b$인 두 실수 α, β에 대하여 $h(\beta)-h(\alpha)<5(\beta-\alpha)$이다.

① ㄱ   ② ㄷ   ③ ㄱ, ㄴ

④ ㄴ, ㄷ   ⑤ ㄱ, ㄴ, ㄷ

[2015년 4월 학력평가]

12

| 제한시간 2분 |

삼차함수 $f(x)$와 실수 t에 대하여 곡선 $y=f(x)$와 직선 $y=-x+t$의 교점의 개수를 $g(t)$라 할 때, **보기**에서 옳은 것을 모두 고른 것은?

┤ 보기 ├

ㄱ. $f(x)=x^3$이면 함수 $g(t)$는 상수함수이다.

ㄴ. 삼차함수 $f(x)$에 대하여 $g(1)=2$이면 $g(t)=3$인 t 가 존재한다.

ㄷ. 함수 $g(t)$가 상수함수이면 삼차함수 $f(x)$의 극값은 존재하지 않는다.

① ㄱ   ② ㄷ   ③ ㄱ, ㄴ

④ ㄴ, ㄷ   ⑤ ㄱ, ㄴ, ㄷ

[2017년 9월 모의평가]

13

| 제한시간 2.5분 |

삼차함수 $f(x)$가 다음 조건을 만족시킨다.

㈎ $x=-2$에서 극댓값을 갖는다.   ㈏ $f'(-3)=f'(3)$

보기에서 옳은 것을 모두 고른 것은?

┤ 보기 ├

ㄱ. 도함수 $f'(x)$는 $x=0$에서 최솟값을 갖는다.

ㄴ. 방정식 $f(x)=f(2)$는 서로 다른 두 실근을 갖는다.

ㄷ. 곡선 $y=f(x)$ 위의 점 $(-1, f(-1))$에서의 접선은 점 $(2, f(2))$를 지난다.

① ㄱ   ② ㄷ   ③ ㄱ, ㄴ

④ ㄴ, ㄷ   ⑤ ㄱ, ㄴ, ㄷ

[2016년 9월 모의평가]

14

| 제한시간 2분 |

최고차항의 계수가 양수인 사차함수 $f(x)$가 다음 조건을 만족시킨다.

> $f'(x)=0$이 서로 다른 세 실근 α, β, $\gamma(\alpha<\beta<\gamma)$를 갖고, $f(\alpha)f(\beta)f(\gamma)<0$이다.

보기에서 옳은 것을 모두 고른 것은?

┤ 보기 ├

ㄱ. 함수 $f(x)$는 $x=\beta$에서 극댓값을 갖는다.
ㄴ. 방정식 $f(x)=0$은 서로 다른 두 실근을 갖는다.
ㄷ. $f(\alpha)>0$이면 방정식 $f(x)=0$은 β보다 작은 실근을 갖는다.

① ㄱ   ② ㄷ   ③ ㄱ, ㄴ

④ ㄴ, ㄷ   ⑤ ㄱ, ㄴ, ㄷ

[2008학년도 수능]

15

| 제한시간 2분 |

두 함수

$f(x)=ax^3+bx^2+cx+d$, $g(x)=3ax^2+2bx+c$에 대하여 보기에서 옳은 것을 모두 고른 것은? (단, $a>0$)

┤ 보기 ├

ㄱ. 모든 실수 x에 대하여 $f(x)=-f(-x)$이면 $g'(0)=0$이다.
ㄴ. 함수 $y=f(x)$가 극값을 갖지 않으면 방정식 $g(x)=0$은 실근이 존재하지 않는다.
ㄷ. $g(0)<0$, $g(2)>0$, $f(0)=0$이면 방정식 $f(x)=0$는 서로 다른 세 실근을 가진다.

① ㄱ   ② ㄴ   ③ ㄱ, ㄴ

④ ㄱ, ㄷ   ⑤ ㄴ, ㄷ

16

| 제한시간 2분 |

그림은 미분가능한 함수 $f(x)$의 도함수 $y=f'(x)$의 그래프이고, $g(x)=x^2+\dfrac{1}{2}$일 때, $(f\circ g)(x)=0$의 서로 다른 실근의 개수는? (단, $f\left(\dfrac{1}{2}\right)=0$)

① 1   ② 2   ③ 3   ④ 4   ⑤ 5

부등식과 미분

17
| 제한시간 **2분** |

$x+y=3n$, $x^2y \geq 9n^2$인 두 양수 x, y가 존재하기 위한 자연수 n의 최솟값을 구하시오.

19
| 제한시간 **3분** |

실수 x, y에 대하여 다음 물음에서 다음을 구하시오.

(1) 곡선 $y=\dfrac{1}{4}x^3-\dfrac{3}{2}x-2$ 위의 점 (x, y)에 대하여 $xy \geq a$일 때, 실수 a의 최댓값

(2) 부등식 $3x^4+y^4 \geq 4ax^3y$이 성립하도록 하는 실수 a의 최댓값 (단, $y \neq 0$)

18
| 제한시간 **2분** |

두 함수 $f(x)=x^4-6x^2+8x$, $g(x)=-x^2-2x+a$에 대하여 곡선 $y=f(x)$와 곡선 $y=g(x+k)$가 모든 실수 k에 대해 만나지 않도록 하는 상수 a값의 범위가 $a<p$일 때, 정수 p값을 구하시오.

20
| 제한시간 3분 |

다음 조건을 만족시키는 모든 삼차함수 $f(x)$에 대하여 $f(2)$의 최솟값은?

> (가) $f(x)$의 최고차항의 계수는 1이다.
> (나) $f(0)=f'(0)$
> (다) $x\geq-1$인 모든 실수 x에 대하여 $f(x)\geq f'(x)$이다.

① 28　　② 33　　③ 38　　④ 43　　⑤ 48

[2015학년도 수능]

위치, 속도, 가속도

21
| 제한시간 1분 |

원점을 출발하여 수직선 위를 움직이는 두 점 A, B의 t초 후 위치를 각각 $f(t)$, $g(t)$라 하자. $y=f'(t)$, $y=g'(t)$의 그래프가 그림과 같을 때, **보기**에서 옳은 것을 모두 고른 것은?

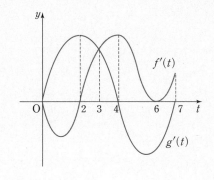

> ┤ 보기 ├
> ㄱ. $t=3$일 때, 두 점 A, B의 속도는 서로 같다.
> ㄴ. 점 A는 출발한 후 7초 동안 방향을 세 번 바꾸었다.
> ㄷ. 두 점 A, B가 같은 방향으로 움직인 시간은 2초이다.

① ㄱ　　② ㄴ　　③ ㄱ, ㄴ
④ ㄱ, ㄷ　　⑤ ㄱ, ㄴ, ㄷ

22
| 제한시간 1.5분 |

원점 O에서 동시에 출발하여 수직선 위를 움직이는 두 점 P, Q의 시각 t에서 위치가 각각 $P(t)=4t^3+2t^2-5t$, $Q(t)=-2t^3+2t^2-t$이다. 두 점 P, Q의 중점 M과 선분 OP를 1 : 2로 내분하는 점 N이 만날 때, 점 P의 속도를 구하시오.

23
| 제한시간 2분 |

두 점 A, B가 원점 O에서 동시에 출발하여 수직선 위를 움직인다. 출발한 지 t분 후 두 점 A, B의 위치를 각각 $f(t)$, $g(t)$라 하면

$$f(t) = \frac{1}{5}t^5 - 4t^3 + 10t^2, \ g(t) = \frac{2}{3}t^3 - 2t^2 + kt$$

이다. 출발 후 두 점 A, B의 속도가 같은 순간이 3번 존재하도록 하는 모든 자연수 k값의 합을 구하시오.

24
| 제한시간 2분 |

수직선 위를 움직이는 두 점 P, Q의 시각 t에서 위치가 각각 $P(t) = t^3 - 3t + 16$, $Q(t) = at$이다. 출발 후 두 점 P, Q가 적어도 한 번 이상 만나기 위한 상수 a의 최솟값을 구하시오.

25*
| 제한시간 2분 |

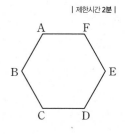

그림과 같이 한 변의 길이가 1인 정육각형 ABCDEF 둘레 위를 두 점 P, Q가 점 A를 동시에 출발하여 A→B→C→D→E-→F→A→B→⋯의 순서로 움직인다. 두 점 P, Q가 t초 동안 움직인 거리는 각각 t^3, $4t^2 + 16t$일 때, 출발 후 처음 8초 동안 두 점 P, Q가 만나는 횟수는?

① 41   ② 42   ③ 43   ④ 44   ⑤ 45

변화율

26

| 제한시간 1.5분 |

그림과 같이 한 변의 길이가 1 cm인 정삼각형 ABC에서 점 P는 점 B를 출발하여 선분 AB의 연장선 방향으로 매초 1 cm씩 움직인다. 또 점 Q는 점 C를 출발하여 선분 BC의 연장선 방향으로 매초 1 cm씩 움직인다. 두 점이 동시에 출발한다고 할 때, 3초 후 삼각형 APQ 넓이의 시간(초)에 대한 변화율은?

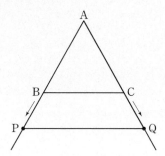

① $\sqrt{3}\,\mathrm{cm}^2/\text{초}$　　② $2\sqrt{3}\,\mathrm{cm}^2/\text{초}$　　③ $3\sqrt{3}\,\mathrm{cm}^2/\text{초}$

④ $4\sqrt{3}\,\mathrm{cm}^2/\text{초}$　　⑤ $5\sqrt{3}\,\mathrm{cm}^2/\text{초}$

27

| 제한시간 2분 |

그림과 같이 한 변의 길이가 20인 정사각형 ABCD에서 점 P는 A에서 출발하여 변 AB 위를 매초 2씩 움직여 B까지, 점 Q는 B에서 P와 동시에 출발하여 변 BC 위를 매초 3씩 움직여 C까지 간다. 이때 사각형 DPBQ의 넓이가 정사각형 ABCD 넓이의 $\dfrac{11}{20}$이 되는 순간의 삼각형 PBQ 넓이의 시간(초)에 대한 변화율을 구하시오.

[2008년 7월 학력평가]

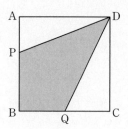

01

삼차함수 $f(x)=x^3-3x^2+4$의 닫힌구간 $[t-1,\,t]$에서 최댓값을 $g(t)$라 하자. $g(t)$는 $t=k$에서 미분가능하지 않을 때, k값은?

① $\dfrac{9-\sqrt{33}}{2}$ ② $\dfrac{2-\sqrt{33}}{3}$ ③ 1

④ $\dfrac{2+\sqrt{33}}{6}$ ⑤ $\dfrac{9+\sqrt{33}}{6}$

02

닫힌구간 $[0,\,1]$에서 함수 $f(x)=\dfrac{1}{3}x^3+\dfrac{1}{2}tx^2-\dfrac{1}{6}t$의 최솟값을 $g(t)$라 할 때, 보기에서 옳은 것을 모두 고른 것은? (단, t는 실수이다.)

┤ 보기 ├
ㄱ. $g(0)=0$
ㄴ. $g(t)$는 모든 실수 t에서 미분가능하다.
ㄷ. $g(t)$의 최댓값은 $\dfrac{\sqrt{3}}{9}$이다.

① ㄱ ② ㄴ ③ ㄱ, ㄴ
④ ㄴ, ㄷ ⑤ ㄱ, ㄴ, ㄷ

03

함수 $f(x)=-3x^4+4(a-1)x^3+6ax^2$ $(a>0)$과 실수 t에 대하여 $x\leq t$에서 $f(x)$의 최댓값을 $g(t)$라 하자. 함수 $g(t)$가 실수 전체의 집합에서 미분가능하도록 하는 a의 최댓값은?

① 1 ② 2 ③ 3 ④ 4 ⑤ 5

[2010년 9월 모의평가]

04

세 변의 길이가 모두 다른 삼각형 ABC의 세 변의 길이가 삼차방정식 $2x^3 - 18x^2 + 48x - k = 0$의 세 실근일 때, 자연수 k값을 구하시오.

05*

점 $(1, a)$를 지나고 곡선 $y = x^3 - x$에 접하는 직선이 모두 b개일 때, 보기에서 옳은 것을 모두 고른 것은?

┤보기├
ㄱ. $a = 0$이면 $b = 2$이다.
ㄴ. $-1 < a < 0$이면 $b = 3$이다.
ㄷ. $b = 3$일 때, 접점의 x좌표를 α, β, γ라 하면 $\dfrac{3}{2} < |\alpha| + |\beta| + |\gamma| < \dfrac{5}{2}$이다.

① ㄱ   ② ㄴ   ③ ㄱ, ㄴ
④ ㄴ, ㄷ   ⑤ ㄱ, ㄴ, ㄷ

06

점 $(0, 1)$을 지나는 n차 다항함수 $f_n(x)$를 $f_n(x) = 1 + \sum\limits_{k=1}^{n} \dfrac{x^k}{k!}$라 하자. 방정식 $f_n(x) = 0$의 서로 다른 실근의 개수를 a_n이라 할 때, 보기에서 옳은 것을 모두 고른 것은?
(단, n은 자연수이고, $k! = 1 \times 2 \times 3 \times \cdots \times k$이다.)

┤보기├
ㄱ. $a_2 = 0$
ㄴ. $f'_{n+1}(x) = f_n(x)$
ㄷ. $a_3 + a_4 = 3$이다.

① ㄱ   ② ㄴ   ③ ㄱ, ㄴ
④ ㄴ, ㄷ   ⑤ ㄱ, ㄴ, ㄷ

07

함수 $f(x) = x^n(x-1)^2$에 대하여 닫힌구간 $[-2, 2]$에서 $-72 \leq f(x) \leq 144$가 되는 모든 자연수 n의 합을 구하시오. (단, $n \geq 2$)

08

신유형

실수 k에 대하여 함수 $f(x) = x^3 - 3x^2 + 6x + k$의 역함수를 $g(x)$라 하자. 방정식

$4f'(x) + 12x - 18 = (f' \circ g)(x)$가 닫힌구간 $[0, 1]$에서 실근을 갖기 위한 k의 최솟값을 m, 최댓값을 M이라 할 때, $m^2 + M^2$의 값을 구하시오.

[2017학년도 수능]

09

두 함수

$f(x) = x^4 + x^2 - 6x + 3,\ g(x) = -2x^2 - 16x + a$

와 임의의 두 실수 x_1, x_2에 대하여 두 집합 A, B를

$A = \{a \mid f(x_1) \geq g(x_1)\},\ B = \{a \mid f(x_1) \geq g(x_2)\}$라 할 때, 집합 $A \cap B^C$의 원소 중 정수의 개수를 구하시오.

10

두 점 A, B가 수직선 위의 원점을 동시에 출발하고 나서 t초 후의 위치를 각각 $f(t)$, $g(t)$라 하면

$$f(t)=2t^3-5t^2+12t, \quad g(t)=t^3+4t^2-6t$$

이다. 두 점 A, B 사이의 거리가 줄어드는 시간을 모두 합한 것이 a초일 때, a값은?

① $\sqrt{3}$ ② 3   ③ $2\sqrt{3}$

④ 4   ⑤ $6-\sqrt{3}$

11

그림과 같이 케이블 l, m, n은 모두 벽면과 수직이고, 케이블 사이의 거리가 각각 2, 1이다. l 위의 광원 A에서 m 위의 물체 B에 빛을 비추면 n 위에 그림자 C가 나타난다.

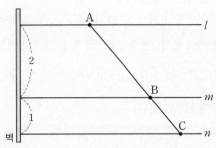

광원 A와 물체 B의 시각 t $(t \le 8)$에서 벽으로부터의 거리를 각각 $x=4-\dfrac{1}{2}t$, $y=t^2-\dfrac{11}{2}t+10$이라 할 때, **보기**에서 옳은 것을 모두 고른 것은? (단, 광원, 물체, 그림자의 크기는 무시한다.)

┌─ 보기 ├
ㄱ. $t=\dfrac{5}{2}$에서 광원과 물체의 속도가 같아진다.

ㄴ. A와 C 사이의 거리가 3인 순간은 두 번이다.

ㄷ. $2<t<3$에서 그림자 C의 가속도는 1이다.
└─

① ㄱ   ② ㄷ   ③ ㄱ, ㄴ

④ ㄴ, ㄷ   ⑤ ㄱ, ㄴ, ㄷ

[2009년 7월 학력평가]

06 부정적분

1 부정적분의 뜻

함수 $f(x)$에 대하여 $F'(x)=f(x)$가 되는 함수 $F(x)$를 함수 $f(x)$의 **부정적분**이라 한다. 이때 $f(x)$의 임의의 부정적분은 $F(x)+C$ (C는 상수) 꼴이 되고, 기호 $\int f(x)dx$로 나타낸다. 즉 $\int f(x)dx=F(x)+C$이고, C를 **적분상수**라 한다.

2 미분과 부정적분

① $\int\left\{\dfrac{d}{dx}f(x)\right\}dx=f(x)+C$ ② $\dfrac{d}{dx}\left\{\int f(x)dx\right\}=f(x)$

보기 $\dfrac{d}{dx}\{f(x)+g(x)\}=2$, $\dfrac{d}{dx}\{f(x)g(x)\}=2x-5$이고,
$f(0)=-1$, $g(0)=-4$일 때, 함수 $f(x)$, $g(x)$를 각각 구하여라.

풀이 $\dfrac{d}{dx}\{f(x)+g(x)\}=2$에서 $f(x)+g(x)=2x+C_1$
이 식의 양변에 $x=0$을 대입하면 $C_1=-5$ $\therefore f(x)+g(x)=2x-5$
$\dfrac{d}{dx}\{f(x)g(x)\}=2x-5$에서 $f(x)g(x)=x^2-5x+C_2$
이 식의 양변에 $x=0$을 대입하면 $C_2=4$ $\therefore f(x)g(x)=x^2-5x+4$
이때 $x^2-5x+4=(x-1)(x-4)$이고, $(x-1)+(x-4)=2x-5$
이므로 $f(x)=x-1$, $g(x)=x-4$ ($\because f(0)=-1$, $g(0)=-4$)

참고
① $\int\left\{\dfrac{d}{dx}f(x)\right\}=g(x)$라 하면
    $\dfrac{d}{dx}f(x)=\dfrac{d}{dx}g(x)$, $\dfrac{d}{dx}\{g(x)-f(x)\}=0$
    즉 $g(x)-f(x)=C$이므로 $g(x)=f(x)+C$
② $f(x)$의 부정적분 중 하나를 $F(x)$라 하면
    $\int f(x)dx=F(x)+C$에서
    $\dfrac{d}{dx}\left\{\int f(x)dx\right\}=\dfrac{d}{dx}\{F(x)+C\}$
                $=F'(x)=f(x)$
※ $f(x)$와 그 부정적분 $F(x)$를 포함한 등식이 있으면 양변을 미분한다.
   예 $xf(x)-F(x)=x^3-x^2$
     $f(x)+xf'(x)-f(x)=3x^2-2x$
     $\therefore f'(x)=3x-2$
     $\therefore f(x)=\dfrac{3}{2}x^2-2x+C$

3 함수 $y=x^n$과 $y=(ax+b)^n$의 부정적분

n이 음이 아닌 정수일 때 (단, C는 적분상수)

① $\int x^n dx=\dfrac{1}{n+1}x^{n+1}+C$

② $\int (ax+b)^n dx=\dfrac{1}{a(n+1)}(ax+b)^{n+1}+C$ (단, $a\neq 0$)

보기   부정적분 $\int x(x-1)^4 dx$를 구하여라.

풀이 $\int x(x-1)^4 dx=\int\{(x-1)+1\}(x-1)^4 dx$
                $=\int\{(x-1)^5+(x-1)^4\}dx$
                $=\int(x-1)^5 dx+\int(x-1)^4 dx$
                $=\dfrac{1}{6}(x-1)^6+\dfrac{1}{5}(x-1)^5+C$

4 부정적분의 기본 성질

부정적분에서 다음 성질이 성립한다. (k는 상수)

① $\int k\,dx = kx + C$

② $\int kf(x)\,dx = k\int f(x)\,dx$

③ $\int \{f(x) \pm g(x)\}\,dx = \int f(x)\,dx \pm \int g(x)\,dx$ (복부호는 같은 순서)

예 $\int (2x+3)\,dx = \int 2x\,dx + \int 3\,dx = x^2 + 3x + C$

※ 두 함수 $f(x)$, $g(x)$에 대하여 $F(x) = \int f(x)\,dx$, $G(x) = \int g(x)\,dx$라 하면

$F'(x) = f(x)$, $G'(x) = g(x)$이므로 위 성질 중 ②, ③을 다음과 같이 생각할 수 있다.

② $\{kF(x)\}' = kF'(x) = kf(x)$이므로 $\int kf(x)\,dx = kF(x) = k\int f(x)\,dx$

③ $\{F(x) \pm G(x)\}' = F'(x) \pm G'(x) = f(x) \pm g(x)$이므로

$\int \{f(x) \pm g(x)\}\,dx = F(x) \pm G(x) = \int f(x)\,dx \pm \int g(x)\,dx$

참고

두 함수 $f(x)$, $g(x)$에 대하여

$\{f(x)g(x)\}' \neq f'(x)g'(x)$이므로

$\int f'(x)g'(x)\,dx \neq f(x)g(x) + C$

이다. 따라서 두 함수의 곱의 꼴로 표현된 함수의 부정적분을 구할 때는 전개하여 합의 꼴로 바꾼 후 부정적분을 구해야 한다.

$\int 2x\,dx + \int 3\,dx = x^2 + C_1 + 3x + C_2$에서

C_1, C_2는 상수이므로 $C_1 + C_2$를 새로운 상수 C로 생각하여 $x^2 + C_1 + 3x + C_2 = x^2 + 3x + C$처럼 나타낸다.

보기 다음 부정적분을 구하여라.

(1) $\int (x-1)^3\,dx - \int (x+1)^3\,dx$

(2) $\int \dfrac{x^4 + x^2 + 1}{x^2 - x + 1}\,dx$

(3) $\int (\sin\theta + \cos\theta)^2\,d\theta + \int (\sin\theta - \cos\theta)^2\,d\theta$

(4) $\int \dfrac{x^3}{x-2}\,dx + \int \dfrac{8}{2-x}\,dx$

보충

(2), (4)처럼 분수함수가 있는 경우이면 인수분해, 통분, 약분 등을 이용해 식을 간단히 한다.
또 (3)처럼 삼각함수를 포함하고 있으면 $\sin^2\theta + \cos^2\theta = 1$을 이용한다.

풀이 (1) $\int (x-1)^3\,dx - \int (x+1)^3\,dx$

$= \int \{(x^3 - 3x^2 + 3x - 1) - (x^3 + 3x^2 + 3x + 1)\}\,dx$

$= \int (-6x^2 - 2)\,dx = -2x^3 - 2x + C$

(2) $\int \dfrac{x^4 + x^2 + 1}{x^2 - x + 1}\,dx = \int \dfrac{(x^2 + x + 1)(x^2 - x + 1)}{x^2 - x + 1}\,dx$

$= \int (x^2 + x + 1)\,dx = \dfrac{1}{3}x^3 + \dfrac{1}{2}x^2 + x + C$

(3) $\int (\sin\theta + \cos\theta)^2\,d\theta + \int (\sin\theta - \cos\theta)^2\,d\theta$

$= \int \{(\sin\theta + \cos\theta)^2 + (\sin\theta - \cos\theta)^2\}\,d\theta$

$= \int 2(\sin^2\theta + \cos^2\theta)\,d\theta = \int 2\,d\theta = 2\theta + C$

(4) $\int \dfrac{x^3}{x-2}\,dx + \int \dfrac{8}{2-x}\,dx = \int \dfrac{x^3 - 8}{x-2}\,dx$

$= \int \dfrac{(x-2)(x^2 + 2x + 4)}{x-2}\,dx$

$= \int (x^2 + 2x + 4)\,dx$

$= \dfrac{1}{3}x^3 + x^2 + 4x + C$

주의

$\int 2\,d\theta = 2x + C$로 답하지 않도록 주의하자.

STEP 1 | 1등급 준비하기

부정적분의 뜻

01

함수 $f(x)$의 한 부정적분을 $F(x)$라 할 때, **보기**에서 옳은 것을 모두 고르시오. (단, C는 적분상수)

┤ 보기 ├

ㄱ. $\int \{2x+f(x)\}dx = x^2+F(x)+C$

ㄴ. $\int \{F(x)+xf(x)\}dx = xF(x)+C$

ㄷ. $\int \{xf(x)+1\}dx = xF(x)+x+C$

ㄹ. $\int \{x^2f(x)+2xF(x)\}dx = x^2F(x)+C$

02

함수 $f(x) = \int \left\{\dfrac{d}{dx}(x^2-6x)\right\}dx$의 최솟값이 10일 때, $f(1)$의 값은?

① 11　　② 12　　③ 13　　④ 14　　⑤ 15

부정적분의 활용

03

다음 부정적분이 ax^3+bx+C일 때, $3a+b$의 값을 구하시오. (단, C는 적분상수)

$$\int \frac{x^2}{x-2}dx + \int \frac{x^3}{x+1}dx - \int \frac{4}{x-2}dx + \int \frac{1}{x+1}dx$$

04

미분가능한 함수 $f(x)$의 도함수 $f'(x)$가

$$f'(x) = \begin{cases} -2x-2 & (x<0) \\ 2x-2 & (x>0) \end{cases}$$

이고, $f(-2)=1$일 때, $f(4)$의 값을 구하시오.

05*

다항함수 $f(x)$의 임의의 두 부정적분을 $F(x)$, $G(x)$라 하자. $G(0)=F(0)-a$일 때, **보기**에서 옳은 것을 모두 고르시오. (단, a는 상수)

┤ 보기 ├

ㄱ. $G(x)=F(x)-a$

ㄴ. $F'(x)-G'(x)=0$

ㄷ. $F(4)+F(3)-\{G(4)+G(3)\}=0$

$f(x)$와 부정적분 $F(x)$를 포함한 등식

06

이차함수 $f(x)$와 그 부정적분 $F(x)$에 대하여
$F(x)=xf(x)-2x^3-x^2$일 때, $f(x)$의 최솟값이 m이다. $3m$의 값을 구하시오. (단, $f(0)=1$)

07

임의의 실수 x에 대하여 미분가능한 함수 $f(x)$가
$f(1)=2$, $\int f(x)dx=xf(x)-x^2(x-1)$
을 만족시킬 때, $f(-1)$의 값은?

① 4 　　② 6 　　③ 8 　　④ 10 　　⑤ 12

부정적분과 접선의 기울기

08

점 $(1, 5)$를 지나는 곡선 $y=f(x)$ 위의 임의의 점 $(x, f(x))$에서의 접선의 기울기가 $9x^2-2x+5$일 때, $f(3)$의 값은?

① 85 　　② 86 　　③ 87 　　④ 88 　　⑤ 89

부정적분과 함수의 극대, 극소

09

미분가능한 함수 $f(x)$에 대하여
$f'(x)=a(x+1)(x-2)$ $(a>0)$이고, $f(x)$의 극댓값이 5, $f(0)=1$이다. 함수 $f(x)$의 극솟값을 $\dfrac{q}{p}$라 할 때, pq의 값을 구하시오. (단, p, q는 서로소인 정수이다.)

10

두 함수 $y=f(x)$, $y=g(x)$의 그래프가 그림과 같고, 함수 $H(x)$를
$H(x)=\int\{f(x)-g(x)\}dx$
로 정의할 때, 다음 중

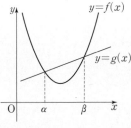

$y=H(x)$에 대한 설명으로 옳은 것은?

① 극댓값과 극솟값을 모두 갖지 않는다.
② $x=\alpha$에서 극댓값을 갖고, 극솟값은 갖지 않는다.
③ $x=\beta$에서 극솟값을 갖고, 극댓값은 갖지 않는다.
④ $x=\alpha$에서 극댓값, $x=\beta$에서 극솟값을 갖는다.
⑤ $x=\alpha$에서 극솟값, $x=\beta$에서 극댓값을 갖는다.

부정적분의 뜻

01
| 제한시간 2분 |

두 함수 $f(x)$, $g(x)$에 대하여

$$\frac{d}{dx}\int f(x)dx - \int \left\{ \frac{d}{dx}g(x) \right\} dx = 1$$

일 때, 다음 중 옳은 것은? (단, $f(0)=0$)

① $g(0)=0$이면 $f(x)=g(x)$이다.

② $f'(a)=1$인 a가 적어도 하나 존재한다.

③ $f(x)=g(x)+1$이다.

④ $f(x)>g(x)$이다.

⑤ $y=f(x)$와 $y=g(x)$의 교점은 없다.

02
| 제한시간 1.5분 |

두 다항함수 $f(x)=3x^2+2x+1$와 $g(x)$에 대하여

$f(x)+g(x)=\int \{f(x)-g(x)\}dx$일 때, $g(1)$의 값은?

① 1 　② 2 　③ 3 　④ 4 　⑤ 5

03
| 제한시간 2분 |

두 다항함수 $f(x)$, $g(x)$에 대하여

$$f(x)=\int xg(x)dx, \quad \frac{d}{dx}\{f(x)-g(x)\}=4x^3+2x$$

일 때, $g(1)$의 값은?

① 10 　② 11 　③ 12 　④ 13 　⑤ 14

[2016년 7월 학력평가]

04*
| 제한시간 2분 |

다항함수 $f(x)$가 모든 실수 x에 대해 $f(x)>0$이고, 두 함수 $A(x)=\int x^2 f(x)dx$, $B(x)=\int (x+2)f(x)dx$에 대하여 함수 $h(x)=A(x)-B(x)$는 $x=\alpha$에서 극대이고 $x=\beta$에서 극소일 때, $\beta-\alpha$의 값을 구하시오.

부정적분의 활용

05
| 제한시간 1.5분 |

두 다항함수 $f(x)$, $g(x)$에 대하여 다음이 성립할 때 $f(3)+g(2)$의 값을 구하시오.

> (가) $f(0)=2$, $g(0)=-1$
> (나) $f'(x)+g'(x)=3$
> (다) $f(x)g'(x)+f'(x)g(x)=4x+3$

06

| 제한시간 1.5분 |

다항함수 $f(x)$에서 $f(0)=-\dfrac{4}{3}$,

$\displaystyle\lim_{h\to 0}\dfrac{f(x+4h)-f(x-2h)}{3h}=(x-1)(x+7)$일 때,

$f(2)$의 값을 구하시오.

07

| 제한시간 2분 |

$f(x)$는 사차함수이고,
$y=f'(x)$의 그래프가 그림
과 같다. $\displaystyle\lim_{x\to 2}\dfrac{f(x)}{x-2}=-4$일
때, $f(x)$의 최솟값은?

① $-\dfrac{15}{4}$ ② $-\dfrac{13}{4}$ ③ $-\dfrac{11}{4}$ ④ $-\dfrac{9}{4}$ ⑤ $-\dfrac{7}{4}$

08

| 제한시간 2분 |

함수 $f(x)=\displaystyle\sum_{k=1}^{n}\dfrac{1}{k+1}x^{k-1}$에 대하여 $f(x)$의 부정적분을

$F(x)$라 하자. $F(0)=0$이고 x^n의 계수를 a_n이라 할 때,

$\displaystyle\sum_{k=1}^{20}a_k$의 값은?

① $\dfrac{18}{19}$ ② $\dfrac{19}{20}$ ③ $\dfrac{20}{21}$ ④ $\dfrac{21}{22}$ ⑤ $\dfrac{22}{23}$

09

| 제한시간 2분 |

$f(x)=\displaystyle\int(x^2-2x+4)dx$일 때, 양의 정수 n에 대하여 a_n

을 $a_n=\displaystyle\lim_{h\to 0}\dfrac{f(n+nh)-f(n)}{h}$이라 하자. 이때, $\displaystyle\sum_{n=1}^{6}a_n$의

값을 구하시오.

10

| 제한시간 2분 |

다음 그림은 연속함수 $f(x)$의 도함수 $y=f'(x)$의 그래
프이다. 방정식 $f(x)-f(0)=0$의 모든 근의 합을 구하
시오. (단, 곡선은 포물선의 일부이다.)

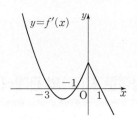

11

| 제한시간 1.5분 |

모든 실수 x에 대하여 미분가능한 함수 $f(x)$가 있다. $f'(x)=f_1(x)$, $f_1'(x)=f_2(x)$, $f_2'(x)=f_3(x)$이고 $f_3(x)=(6+7x+8x^2)(5x^2+6x^3+7x^4)$이라 할 때, $\lim\limits_{x\to\infty}\dfrac{f(x)\times f_3(x)}{f_1(x)\times f_2(x)}=a$이다. $9a$의 값을 구하시오.

12

| 제한시간 2분 |

두 함수 $f(x)=4x^2-2x-7$과 $g(x)=-2x^2+4x+5$의 부정적분을 각각 $F(x)$, $G(x)$라 하자. 두 함수 $y=F(x)$, $y=G(x)$의 그래프가 서로 다른 세 점에서 만날 때, 가능한 $F(0)-G(0)$의 값 중에서 정수는 모두 몇 개인지 구하시오.

$f(x)$와 부정적분 $F(x)$의 관계식

13

| 제한시간 1.5분 |

다항함수 $f(x)$에 대하여
$$\int xf'(x)dx=f(x)+\frac{1}{5}x^5-\frac{1}{4}x^4+\frac{1}{3}x^3-x+1$$
이 성립하고 $f(0)=-6$일 때, $f(2)$의 값은?

① 1   ② 2   ③ 3   ④ 4   ⑤ 5

접선의 기울기와 부정적분

14

| 제한시간 1.5분 |

미분가능한 함수 $f(x)$에 대하여 $x=a$에서 접선의 기울기가 $1+a+a^2$이다. $y=f(x)$가 구간 $(1,\ 2)$에서 x축과 교점을 갖게 되는 $f(0)$의 정수값은 모두 몇 개인지 구하시오.

15

| 제한시간 2분 |

x축에 접하는 이차곡선 $y=f(x)$ 위의 임의의 점 $(x,\ y)$에서 접선의 기울기가 $x-a$이다. 함수 $y=xf(x)$의 극댓값이 16일 때, a값을 구하시오. (단, a는 양의 실수이다.)

함수의 극대 극소와 부정적분

16
| 제한시간 1.5분 |

삼차함수 $f(x)$, $g(x)$의 도함수 $f'(x)$, $g'(x)$의 그래프가 그림과 같다.

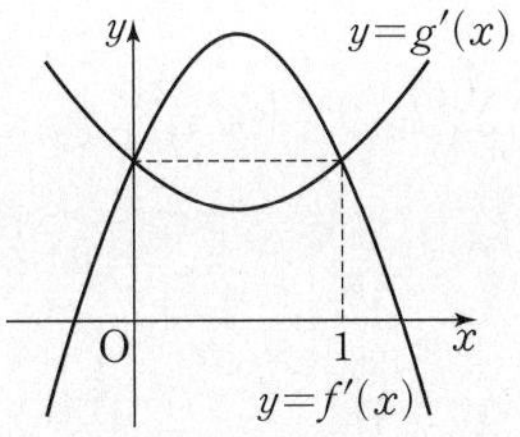

$h(x)=g(x)-f(x)$의 극댓값이 2이고, 극솟값이 0일 때, $h(2)$의 값은?

① 10   ② 12   ③ 14   ④ 16   ⑤ 18

17
| 제한시간 2분 |

다음과 같은 다항함수 $f(x)$에 대하여 $f(3)$의 값을 구하시오.

(가) $f'(x)=3x^2+2x-5$

(나) $y=f(x)$의 그래프는 x축과 서로 다른 두 점에서 만난다.

(다) $x\geq0$이면 $f(x)\geq0$

함수방정식과 부정적분

18
| 제한시간 2분 |

함수 $f(x)$가 모든 실수 x, y에 대하여 $f'(0)=-1$, $f(x+y)=f(x)+f(y)+x^2y+xy^2$을 만족시킨다. $f(x)$의 극댓점과 극솟점을 각각 P, Q라 할 때, 선분 $\overline{PQ}$의 길이는?

① $\dfrac{2\sqrt{5}}{3}$ ② $\dfrac{2\sqrt{7}}{3}$ ③ $\dfrac{2\sqrt{10}}{3}$

④ $\dfrac{2\sqrt{13}}{3}$ ⑤ $\dfrac{2\sqrt{17}}{3}$

19
| 제한시간 3분 |

다항함수 $f(x)$는 모든 실수 x, y에 대하여 $f(x+y)=f(x)+f(y)+2xy-1$을 만족시킨다. $\displaystyle\lim_{x\to1}\dfrac{f(x)-f'(x)}{x^2-1}=14$일 때, $f'(0)$의 값을 구하시오.

01

함수 $f_1, f_2, \cdots, f_n\ (n=1, 2, 3, \cdots)$에 대하여

$f_1(x)=x,\ f_{n+1}(x)=\int f_n(x)dx$라 정의한다.

$f_n(x)$의 최고차항의 계수를 a_n이라 할 때,

$\sum_{n=1}^{6}(n-1)a_n=\dfrac{q}{p}$이다. 이때 $p+q$의 값을 구하시오.

(단, p, q는 서로소인 자연수)

02

모든 자연수 n에 대하여 함수 $f_n(x)$에서 다음이 성립한다.

(가) $f_1(x)=1$

(나) $f_{n+1}(x)=(n+1)\displaystyle\int f_n(x)dx$

(다) $f_{n+1}(0)=0$

$F_n(x)=\displaystyle\int\{f_1(x)+f_2(x)+\cdots+f_n(x)\}dx$이고,

$F_n(0)=3$일 때, $F_8(2)$의 값을 구하시오.

03

신유형

자연수 n에 대하여

$f_n(x)=\displaystyle\int x(x+1)^n dx,\ f_n(-1)=0$일 때,

$\displaystyle\sum_{n=1}^{10}f_n(0)$의 값은?

① $-\dfrac{5}{16}$ ② $-\dfrac{9}{14}$ ③ $-\dfrac{5}{12}$

④ $-\dfrac{9}{10}$ ⑤ $-\dfrac{5}{8}$

04

연속함수 $f(x)$에 대하여 다음이 성립한다.

(가) $f'(x)=\begin{cases}1 & (-2<x<-1) \\ 2x & (-1<x<1) \\ -1 & (1<x<2)\end{cases}$

(나) 곡선 $y=f(x)$는 원점을 지난다.

(다) $f(-2+x)=f(2+x)$

이때, **보기**에서 옳은 것을 모두 고르시오.

---| 보기 |---

(ㄱ) 모든 실수 x에 대하여 $f(-x)=-f(x)$

(ㄴ) $f(5)=1$

(ㄷ) 함수 $y=f(x)$는 $x=1$에서 극댓값 1을 갖는다.

05

융합형

미분가능한 함수 $f(x)$의 도함수 $f'(x)$는

$$f'(x) = \begin{cases} 2x+4 & (x<0) \\ -2x+4 & (0<x<2) \\ 2x-4 & (x>2) \end{cases}$$

이고 $f(0)=0$, $f(2)=4$이다. 방정식 $f(x)=kx$ (단, k는 실수)의 서로 다른 실근의 개수를 $g(k)$라 할 때, $g(2)+g(3)+g(4)$의 값은?

① 6   ② 7   ③ 8   ④ 9   ⑤ 10

06

삼차함수 $f(x)$에 대하여 다음이 성립한다.

> ㈎ 곡선 $y=f(x)+1$은 $x=1$에서 x축에 접한다.
> ㈏ 곡선 $y=f(x)-1$은 $x=-1$에서 x축에 접한다.

이때 $f(3)$의 값을 구하시오.

07

신유형

두 함수 $f(x)$, $g(x)$의 도함수 $f'(x)$, $g'(x)$에 대하여

$$f'(x)+g'(x)=3x^2+1 \quad \cdots\cdots \ \text{㉠}$$

$$g(x)+2xf'(1)=x^2 \quad \cdots\cdots \ \text{㉡}$$

$$f'(1)+f(0)=-1 \quad \cdots\cdots \ \text{㉢}$$

이 성립할 때, 다음을 구하시오.

(1) $f'(1)$의 값

(2) $g(2)$의 값

(3) $f(3)$의 값

07 정적분

보충

정적분 $\int_a^b f(x)dx$에서 $t, u, v, \cdots$ 등으로 적분변수가 바뀌어도 그 값은 $F(b)-F(a)$와 같다.
$$\int_a^b f(x)dx = \int_a^b f(t)dt = \int_a^b f(u)du = \cdots$$
$$= F(b)-F(a)$$

보기 다음을 구하여라.

(1) 최고차항의 계수가 1인 삼차함수 $f(x)$가 $f(-1)=f(0)=f(2)=3$일

때, $\int_{-1}^2 f(x)dx$

(2) 함수 $y=f(x)$의 그래프가 오른쪽과 같고,

$f'(x)=g(x)$일 때 $\int_1^3 g(x)dx$

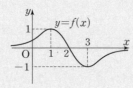

풀이 (1) $f(x)$는 최고차항의 계수가 1이고, $f(-1)=f(0)=f(2)=3$이므로

$f(x)=x(x+1)(x-2)+3=x^3-x^2-2x+3$

$$\int_{-1}^2 f(x)dx = \int_{-1}^2 (x^3-x^2-2x+3)dx = \left[\frac{1}{4}x^4 - \frac{1}{3}x^3 - x^2 + 3x \right]_{-1}^2$$

$$= \left(4 - \frac{8}{3} - 4 + 6 \right) - \left(\frac{1}{4} + \frac{1}{3} - 1 - 3 \right) = \frac{27}{4}$$

(2) $g(x)=f'(x)$이고, $y=f(x)$의 그래프에서 $f(3)=-1$, $f(1)=1$이므로

$$\int_1^3 g(x)dx = \int_1^3 f'(x)dx = \left[f(x) \right]_1^3 = f(3)-f(1) = -1-1 = -2$$

2 정적분의 기본 정리

① $\int_a^a f(x)dx = 0$　　　　　② $\int_a^b f(x)dx = -\int_b^a f(x)dx$

3 정적분의 성질

함수 $f(x)$, $g(x)$가 임의의 세 실수 a, b, c를 포함한 닫힌구간에서 연속일 때, 다음 성질이 성립한다. (단, k는 상수)

① $\int_a^b kf(x)dx = k\int_a^b f(x)dx$

② $\int_a^b \{f(x) \pm g(x)\}dx = \int_a^b f(x)dx \pm \int_a^b g(x)dx$ (복부호는 같은 순서)

③ $\int_a^b f(x)dx = \int_a^c f(x)dx + \int_c^b f(x)dx$

보충

정적분의 성질 ③은 a, b, c의 대소에 관계없이 성립한다.

보기 다음 정적분의 값을 구하여라.

(1) $\displaystyle\int_{-1}^{1} x(1-x)^2 dx$ (2) $\displaystyle\int_{0}^{2}(3x^2-1)dx-\int_{1}^{2}(3y^2-1)dy$

풀이 (1) $\displaystyle\int_{-1}^{1}x(1-x)^2 dx=\int_{-1}^{1}(x-2x^2+x^3)dx=\int_{-1}^{1}(-2x^2)dx$

$\displaystyle =2\int_{0}^{1}(-2x^2)dx=2\times\left[-\dfrac{2}{3}x^3\right]_{0}^{1}=-\dfrac{4}{3}$

(2) $\displaystyle\int_{0}^{2}(3x^2-1)dx-\int_{1}^{2}(3y^2-1)dy$

$\displaystyle =\left\{\int_{0}^{1}(3x^2-1)dx+\int_{1}^{2}(3x^2-1)dx\right\}-\int_{1}^{2}(3x^2-1)dx$

$\displaystyle =\int_{0}^{1}(3x^2-1)dx=\left[x^3-x\right]_{0}^{1}=\mathbf{0}$

참고
• 함수 $f(x)$가 $f(-x)=f(x)$,
즉 그래프가 y축에 대칭인 함수이면

$$\int_{-a}^{a}f(x)dx=2\int_{0}^{a}f(x)dx$$

• 함수 $f(x)$가 $f(-x)=-f(x)$,
즉 그래프가 원점에 대칭인 함수이면

$$\int_{-a}^{a}f(x)dx=0$$

• 함수 $f(x)$가 직선 $x=k$에 대하여 대칭인 함수
이면 x축 방향으로 $-k$만큼 평행이동한 것을
생각한다.

즉 $\displaystyle\int_{a}^{b}f(x)dx=\int_{a-k}^{b-k}f(x+k)dx$

⇨ 86쪽 16, 90쪽 18, 20

---

4 정적분으로 표시된 함수의 미분과 극한

① $\dfrac{d}{dx}\displaystyle\int_{a}^{x}f(t)dt=f(x)$ ② $\dfrac{d}{dx}\displaystyle\int_{x}^{x+a}f(t)dt=f(x+a)-f(x)$

③ $\displaystyle\lim_{n\to 0}\dfrac{1}{h}\int_{a}^{a+h}f(t)dt=f(a)$ ④ $\displaystyle\lim_{x\to a}\dfrac{1}{x-a}\int_{a}^{x}f(t)dt=f(a)$

보기 다음을 구하여라.

(1) 함수 $f(x)$에 대하여 $\displaystyle\int_{1}^{x}f(t)dt=x^2+3x-a$일 때, $f(a)$의 값

(2) $f'(x)=3x^2+2x+1$이고, $\displaystyle\lim_{x\to 0}\dfrac{1}{x}\int_{0}^{x}f(t)dt=1$일 때 $f(2)$의 값

(3) $\displaystyle\int_{1}^{x}(x-t)f(t)dt=x^3-3x+2$인 미분가능한 함수 $f(x)$에 대하여
$f(2)$의 값

풀이 (1) $\displaystyle\int_{1}^{1}f(t)dt=0$이므로 $0=1^2+3\times1-a$ $\quad\therefore a=4$

또 $\dfrac{d}{dx}\displaystyle\int_{1}^{x}f(t)dt=f(x)$이므로 $f(x)=2x+3$

$\therefore f(a)=f(4)=2\times4+3=\mathbf{11}$

(2) $f'(x)=3x^2+2x+1$에서 $f(x)=x^3+x^2+x+C$이고

$1=\displaystyle\lim_{x\to 0}\dfrac{1}{x}\int_{0}^{x}f(t)dt=f(0)=C$

따라서 $f(x)=x^3+x^2+x+1$이므로 $f(2)=8+4+2+1=\mathbf{15}$

(3) $\displaystyle\int_{1}^{x}(x-t)f(t)dt=x^3-3x+2$,

즉 $x\displaystyle\int_{1}^{x}f(t)dt-\int_{1}^{x}tf(t)dt=x^3-3x+2$의 양변을 x에 대해 미분하면

$\displaystyle\int_{1}^{x}f(t)dt+xf(x)-xf(x)=3x^2-3$

위 등식의 양변을 x에 대해 미분하면 $f(x)=6x$이므로 $f(2)=\mathbf{12}$

보충
① $\displaystyle\int_{a}^{x}f(t)dt=\left[F(t)\right]_{a}^{x}=F(x)-F(a)$

$\dfrac{d}{dx}\displaystyle\int_{a}^{x}f(t)dt=\dfrac{d}{dx}\{F(x)-F(a)\}=f(x)$

② $\displaystyle\int_{x}^{x+a}f(t)dt=\left[F(t)\right]_{x}^{x+a}=F(x+a)-F(x)$

$\dfrac{d}{dx}\displaystyle\int_{x}^{x+a}f(t)dt=\dfrac{d}{dx}\{F(x+a)-F(x)\}$

$=f(x+a)-f(x)$

③ $\displaystyle\lim_{n\to 0}\dfrac{1}{h}\int_{a}^{a+h}f(t)dt=\lim_{h\to 0}\dfrac{F(a+h)-F(a)}{h}$

$=F'(a)=f(a)$

④ $\displaystyle\lim_{x\to a}\dfrac{1}{x-a}\int_{a}^{x}f(t)dt=\lim_{x\to a}\dfrac{F(x)-F(a)}{x-a}$

$=F'(a)=f(a)$

※ $\displaystyle\int_{a}^{x}f(t)dt=g(x)$와 같이 적분구간에 변수 x가
들어있는 정적분을 포함한 등식에서 함수 $f(x)$
를 구할 때는 양변을 x에 대하여 미분한다.

참고
$\dfrac{d}{dx}\left\{\displaystyle\int_{a}^{x}(x-t)f(t)dt\right\}=\int_{a}^{x}f(t)dt$

STEP 1 | 1등급 준비하기

정적분의 뜻

01

그림처럼

$f(-1)=f(1)=f(2)=0$

이고, $f(0)=2$인 삼차함수

$y=f(x)$에 대하여

$\int_0^2 f'(x)dx$의 값은?

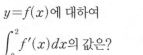

① -2 ② -1 ③ 0

④ 1 ⑤ 2

정적분의 성질

02

연속함수 $f(x)$에 대하여

$\int_1^7 f(x)dx=14, \int_3^5 f(x)dx=6, \int_3^7 f(x)dx=12$일 때,

$\int_1^5 f(x)dx$의 값을 구하시오.

정적분의 계산

03

부등식 $\int_0^{\frac{1}{2}} \sum_{k=1}^n kx^{k-1}dx \ge 0.99$가 성립하도록 하는 가장

작은 자연수 n값을 구하시오.

절댓값 기호가 있는 함수의 정적분

04*

$f(x)=||x|-2|+1$에 대하여, 정적분 $\int_{-2}^4 f(x)dx$의

값을 구하시오.

대칭인 함수의 정적분

05

$\int_{-2}^2 \dfrac{x^6}{x^2+1}dx + \int_{-2}^2 \dfrac{x^3}{x^2+1}dx + \int_{-2}^2 \dfrac{1}{x^2+1}dx$의 값은?

① $\dfrac{16}{15}$ ② $\dfrac{138}{15}$ ③ $\dfrac{169}{15}$

④ $\dfrac{175}{15}$ ⑤ $\dfrac{172}{15}$

06

연속함수 $f(x)$에 대하여 $\int_{-1}^1 f(x)dx=3$일 때,

$\int_{-1}^1 \{f(x)+f(-x)\}dx$의 값을 구하시오.

07

양수 a에 대하여 $\displaystyle\int_{-a}^{a}(3x^2+2x+x|x|)dx=\dfrac{1}{4}$일 때, $10a$의 값을 구하시오.

08

연속함수 $f(x)$에 대하여 다음이 성립할 때, $\displaystyle\int_{3}^{5}f(x)dx$의 값은?

> (가) $f(3-x)=f(3+x)$
> (나) $\displaystyle\int_{-1}^{1}f(x)dx=4,\ \int_{1}^{7}f(x)dx=0$

① -2 ② -1 ③ 0 ④ 1 ⑤ 2

정적분으로 정의된 함수

09

다항함수 $f(x)$에 대하여 다음을 구하시오.

(1) $\displaystyle\int_{2}^{x-1}f(t)dt=x^2+ax$일 때 $a+f(2)$의 값

(2) $\displaystyle\int_{1}^{x}f(t)dt=xf(x)-3x^4+x^2+3$일 때 $f(2)$의 값

10

다항함수 $f(x)$와 그 부정적분 중 하나인 $F(x)$에 대하여 다음이 성립할 때 $\displaystyle\lim_{x\to1}\dfrac{1}{x-1}\int_{1}^{x^2}f(t)dt$의 값은?

> (가) $xf(x)=F(x)-3x^3(x-2)$
> (나) $f(2)=4$

① 10 ② 20 ③ 30 ④ 40 ⑤ 50

11

등식 $f(x) = 3x^2 + 6x \int_0^1 f(t)dt$ 를 만족시키는 함수 $f(x)$에 대하여 $f(2)$의 값을 구하시오.

12

등식 $x \int_1^x f(t)dt = \int_1^x tf(t)dt + ax^2 + 2x + b$를 만족시키는 다항함수 $f(x)$에 대하여 $a+b$의 값은?

① -2 ② -1 ③ 0 ④ 1 ⑤ 2

13

함수 $f(x) = x(x+2)(x+4)$ 의 그래프는 오른쪽과 같다. 이 때 함수 $g(x) = \int_2^x f(t)dt$ 는 $x = \alpha$에서 극댓값을 갖는다. $g(\alpha)$의 값은?

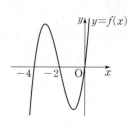

① -28 ② -29 ③ -30
④ -31 ⑤ -32

[2015년 10월 학력평가]

14*

그림은 이차함수 $y = f(x)$의 그래프이고, $g(x) = \int_x^{x+1} f(t)dt$ 라 하면 구간 $[0, 3]$에서 함수 $g(x)$는 $x = a$에서 최대, $x = b$에서 최소일 때, $a+b$의 값을 구하시오.

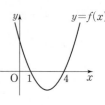

정적분과 그 성질

01
| 제한시간 2분 |

두 함수 $f(x)$, $g(x)$에 대하여 다음이 성립할 때, $f(1)+g(1)$의 값은?

> (가) $f(x)=4x^2+\int_0^1 \{f(t)+g(t)\}dt$
>
> (나) $g(x)=-x+\int_0^1 \{f(t)-g(t)\}dt$

① $-\dfrac{3}{2}$ ② $-\dfrac{4}{3}$ ③ $-\dfrac{5}{4}$ ④ 1 ⑤ $\dfrac{6}{5}$

02
| 제한시간 1.5분 |

다항함수 $f(x)$, $g(x)$에 대하여 **보기**에서 옳은 것을 모두 고르시오.

> ┤ 보기 ├
>
> ㄱ. $\int_a^b f(x)dx < \int_a^b g(x)dx$이면 $f(x) < g(x)$
>
> ㄴ. $\int_a^b f(x)dx = \int_a^b f(t)dt$
>
> ㄷ. $a < b < c$이면 $\int_a^b f(x)dx < \int_a^c f(x)dx$

03*
| 제한시간 2분 |

모든 실수 x에서 연속함수 $f(x)$가 다음을 만족시킬 때, $\int_4^5 f(x)dx$의 값을 구하시오.

> (가) $\int_0^1 f(x)dx=1$
>
> (나) $\int_n^{n+2} f(x)dx = \int_n^{n+1}(4x+1)dx$ $(n=0, 1, 2, \cdots)$

04
| 제한시간 2분 |

모든 실수 x에서 두 연속함수 $f(x)$, $g(x)$에 대하여 다음이 성립할 때, $\int_0^8 f(x)dx$의 값을 구하시오.

> (가) $f(x)+g(x)=4$, $f(x)g(x)=-x^2+4x$
>
> (나) $f(x) \geq g(x)$

정적분과 최대, 최소(극대, 극소)

05

| 제한시간 1.5분 |

구간 $[0, 8]$에서 정의된 함수 $f(x)$는

$$f(x)=\begin{cases} -x(x-4) & (0\leq x<4) \\ x-4 & (4\leq x\leq 8) \end{cases}$$

이다. 실수 $a(0\leq a\leq 4)$에 대하여 $\displaystyle\int_a^{a+4} f(x)dx$의 최솟값

은 $\dfrac{q}{p}$ 이다. $p+q$의 값을 구하시오.

(단, p, q는 서로소인 자연수이다.)

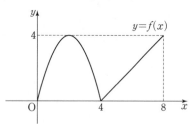

[2016년 09월 모의평가]

06*

| 제한시간 2분 |

이차함수 $y=f(x)$의 그 래프가 그림과 같고, 함수 $g(x)$가

$$g(x)=\int_2^{x+2} f(t)dt$$일 때,

$g(x)$의 극댓값과 극솟값의 합을 구하시오.

07

| 제한시간 2분 |

함수 $y=f(x)$의 그래프가 그림과 같을 때,

$$g(t)=\int_0^t (x+1)f(x)dx$$라 하

자. 구간 $[-1, 3]$에서 $g(t)$의

최솟값과 최댓값의 합을 $\dfrac{b}{a}$라 할 때, $a+b$의 값을 구하시오. (단, a, b는 서로소인 자연수이다.)

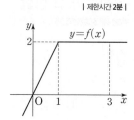

08

| 제한시간 2분 |

삼차함수 $f(x)=x^3-3x-1$이 있다. 실수 $t(t\geq -1)$에 대하여 $-1\leq x\leq t$에서 $|f(x)|$의 최댓값을 $g(t)$라 하자. 이때 $\displaystyle\int_{-1}^1 g(t)\,dt$의 값은?

① $\dfrac{11}{2}$ ② 4 ③ $\dfrac{13}{4}$ ④ $\dfrac{14}{5}$ ⑤ $\dfrac{5}{2}$

09

| 제한시간 2.5분 |

함수 $f(x)=\begin{cases} x^2+1 & (x<t) \\ -x^2+3x & (x\geq t) \end{cases}$에 대하여 함수 $g(t)$가

$$g(t)=\int_{\frac{1}{2}}^1 f(x)dx$$이고 $g(t)$의 최솟값이 m일 때, $24m$의

값을 구하시오.

절댓값 함수의 정적분

10
| 제한시간 2분 |

$0 \le a \le 3$에서 $\int_0^2 x|x-a|dx$의 값이 최대가 되도록 하는 a값을 구하시오.

11
| 제한시간 2분 |

실수 a, b에 대하여 다음이 성립할 때, $\dfrac{b}{a}$의 값은?

> (가) $0 < a < b$
>
> (나) $\displaystyle\int_0^a (|x-b|-b)\,dx = \int_0^b (|x-a|-a)\,dx$

① 2   ② 3   ③ 4   ④ 5   ⑤ 6

원점 또는 y축에 대칭인 함수의 정적분

12*
| 제한시간 1.5분 |

임의의 다항함수 $f(x)$에 대하여 다음 등식이 성립하도록 하는 실수 a값을 구하시오.

$$\int_{-a}^{a} \left\{ 3x^{999} + x^{998} + \frac{f(x)-f(-x)}{2} \right\} dx = \frac{2^{1000}}{999}$$

13
| 제한시간 2.5분 |

두 함수 $f(x) = \dfrac{1}{3}ax^3 + bx^2 + cx$, $g(x) = ax^2 + bx + c$와 임의의 일차함수 $h(x)$에 대하여 $\displaystyle\int_{-1}^{1} g(x)h(x)\,dx = 0$이 성립할 때, **보기**에서 옳은 것을 모두 고른 것은?

(단, $a \ne 0$이고, a, b, c는 상수)

> ┤ 보기 ├
>
> ㄱ. $ac < 0$ ㄴ. $\displaystyle\int_{-3}^{3} xg(x)\,dx = 0$
>
> ㄷ. $\displaystyle\int_0^x g(t)\,dt = f(x)$

① ㄱ   ② ㄴ   ③ ㄷ

④ ㄱ, ㄷ   ⑤ ㄱ, ㄴ, ㄷ

14*
| 제한시간 2.5분 |

삼차함수 $f(x)$에 대하여 다음이 성립할 때 $\displaystyle\int_{-1}^{1} (x+1)|f'(x)|\,dx$의 값을 구하시오.

> (가) 모든 실수 x에 대하여 $f(-x) = -f(x)$이다.
>
> (나) 함수 $f(x)$는 $x=1$에서 극솟값 -6을 갖는다.

15

| 제한시간 2분 |

$\int_0^2 \{|x^2-2x-3|+x^3-3x^2+3x-4\}dx=\dfrac{q}{p}$ 일 때,

$p+q$의 값을 구하시오. (단, p, q는 서로소인 정수이다.)

정적분과 대칭이동, 평행이동

16*

| 제한시간 1.5분 |

연속함수 $f(x)$에 대하여 다음이 성립할 때 $\displaystyle\int_1^2 f(x)dx$의

값을 구하시오.

> (가) 모든 실수 x에 대하여 $f(2-x)=f(2+x)$
>
> (나) $\displaystyle\int_0^3 f(x)dx=2$, $\displaystyle\int_0^4 f(x)dx=6$

17*

| 제한시간 1.5분 |

연속함수 $f(x)$에 대하여 다음이 성립할 때,

$\displaystyle\int_{-2}^{-1} f(x)dx$의 값을 구하시오.

> (가) 모든 실수 x에 대하여 $f(-x)=f(x)$가 성립한다.
>
> (나) $\displaystyle\int_{-2}^{1} f(x)dx=5$, $\displaystyle\int_1^2 f(x-1)dx=1$

18*

| 제한시간 2분 |

모든 실수 x에 대하여 $f(x)=f(4-x)$이고, $f(2)=0$,

$f(3)=-1$, $f'(1)=f'(3)=0$인 사차함수 $f(x)$가 있다.

$\displaystyle\int_{-1}^5 f(x)dx=k$일 때, $5k$의 값을 구하시오.

19*

| 제한시간 2분 |

연속함수 $f(x)$에 대하여 다음이 성립할 때,

$\displaystyle\int_0^9 f(x)dx$의 값은?

> (가) 모든 실수 a에 대하여
>
> $\displaystyle\int_0^a f(x+3)dx+\int_0^{-a} f(x+3)dx=0$이다.
>
> (나) $\displaystyle\int_{-3}^3 f(x)dx=6$, $\displaystyle\int_0^3 f(x)dx=2$

① 2   ② 4   ③ 6   ④ 8   ⑤ 10

정적분과 미분

20
| 제한시간 2분 |

함수 $f(x)$가 $f(x)=\int_{-2}^{x}(|t-1|-1)dt$ 일 때, **보기**에서 옳은 것을 모두 고르시오.

┤ 보기 ├
ㄱ. $f(0)=2$
ㄴ. $f(x)$는 극댓값과 극솟값을 모두 갖는다.
ㄷ. 방정식 $f(x)=0$의 해는 음의 실근 한 개와 양의 실근 두 개다.

21
| 제한시간 2분 |

함수 $f(x)=ax^3+bx^2+cx+d$에 대하여 다음이 성립할 때, $f(3)$의 값을 구하시오.

(가) 모든 실수 α에 대하여 $\int_{-\alpha}^{\alpha}f(x)dx=0$

(나) $\lim_{x \to 1}\dfrac{1}{x-1}\left\{\int_{1}^{x}f(t)dt+f(x)-4\right\}=10$

22
| 제한시간 2분 |

$f(t)=\lim_{x \to t}\dfrac{1}{x-t}\int_{t}^{x}|y-5|\,dy$, $g(x)=x^2-x+a$이다.
$f(t)g(t)$가 모든 t에 대하여 미분가능할 때, a값은?

① 20   ② 10   ③ 0
④ -10 ⑤ -20

23
| 제한시간 2분 |

다음과 같은 연속함수 $f(x)$에 대하여 $\int_{1}^{3}f(x)dx$의 최솟값을 k라 할 때, $100k$의 값을 구하시오.

(가) $f(2)=2$

(나) $3f(x)=\int_{2}^{x}\left\{\dfrac{f'(t)}{t-1}\right\}^2 dt+6$

24
| 제한시간 1.5분 |

다항함수 $f(x)$와 상수 a에 대하여
$\int_{1}^{x}xf(t)dt=2x^3+ax^2+1+\int_{1}^{x}tf(t)dt$일 때, $f(a)$의 값을 구하시오.

25

| 제한시간 1.5분 |

함수 $f(x)=x^2-2x$일 때, $g(x)=\int_0^x (x-t)f(t)dt$라 하자. 방정식 $g'(x)=0$은 서로 다른 a개의 실근을 가지고, 함수 $g(x)$는 $x=b$일 때 극솟값을 가진다. $a+b$의 값은?

① 2   ② 3   ③ 4   ④ 5   ⑤ 6

26*

| 제한시간 3분 |

다항함수 $f(x)$에 대하여 다음이 성립한다.

> (가) $\lim_{x \to \infty} \dfrac{f(x)}{x^4}=1$ (나) $f(1)=f'(1)=1$

$-1 \le n \le 4$인 정수 n에 대하여 함수 $g(x)$를 $g(x)=f(x-n)+n$ $(n \le x < n+1)$라 하자. 함수 $g(x)$가 열린구간 $(-1, 5)$에서 미분가능할 때, $\int_0^4 g(x)dx=\dfrac{q}{p}$이다. $p+q$의 값을 구하시오.

(단, p, q는 서로소인 자연수이다.)

[2015년 07월 학력평가]

27*

| 제한시간 4분 |

최고차항의 계수가 양수인 삼차함수 $f(x)$가 다음 조건을 만족시킨다.

> (가) 함수 $f(x)$는 $x=0$에서 극댓값, $x=k$에서 극솟값을 가진다. (단, k는 상수이다.)
>
> (나) $t>1$인 모든 실수 t에서 $\int_0^t |f'(x)|dx=f(t)+f(0)$

이때 **보기**에서 옳은 것을 모두 고른 것은?

| 보기 |

ㄱ. $\int_0^k f'(x)dx<0$

ㄴ. $0<k\le 1$

ㄷ. 함수 $f(x)$의 극솟값은 0이다.

① ㄱ   ② ㄷ   ③ ㄱ, ㄴ

④ ㄴ, ㄷ   ⑤ ㄱ, ㄴ, ㄷ

[2017학년도 수능]

※ 다음을 이용하여 물음에 답하시오. [01-02]

> (가) $\displaystyle\int_{\alpha}^{\beta}(x-\alpha)(x-\beta)\,dx=-\frac{1}{6}(\beta-\alpha)^3$
>
> (나) $\displaystyle\int_{\alpha}^{\beta}(x-\alpha)^2(x-\beta)\,dx=-\frac{1}{12}(\beta-\alpha)^4$

01

$\displaystyle\int_{2}^{n}x(x-2)(x-n)\,dx$를 다음과 같이 계산하려고 한다.

(1), (2)에 들어갈 식을 각각 $g_n(x)$, $h(n)$이라 하고, (3)에 들어갈 수를 k라 할 때, $3g_4(k+4)h(4)$의 값을 구하시오.

> $\displaystyle\int_{2}^{n}x(x-2)(x-n)\,dx$
>
> $=\displaystyle\int_{2}^{n}(x-2+2)(x-2)(x-n)\,dx$
>
> $=\displaystyle\int_{2}^{n}\{\boxed{\quad(1)\quad}+2(x-2)(x-n)\}\,dx$
>
> $=\displaystyle\int_{2}^{n}\boxed{\quad(1)\quad}\,dx+2\int_{2}^{n}(x-2)(x-n)\,dx$
>
> $=-\dfrac{1}{12}(n-2)^4-\boxed{\quad(2)\quad}$
>
> $=-\dfrac{1}{12}(n-2)^3(n+\boxed{\quad(3)\quad})$

02

이차항의 계수가 1인 이차함수 $f(x)$에서
$(x-2)(x-5)f(x)\ge0$이 항상 성립하고,
$\displaystyle\int_{5}^{2}xf(x)\,dx=k$일 때, $4k$의 값을 구하시오.

03

삼차함수 $y=f(x)$의 그래프는 그림과 같고,
$\displaystyle\int_{a}^{b}f(x)\,dx=0$이다. 함수 $g(x)$를 $g(x)=\displaystyle\int f(x)\,dx$라
할 때, 보기에서 옳은 것을 모두 고르시오.

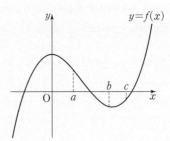

> ┤ 보기 ├
>
> ㄱ. $g(b)-g(c)>0$
>
> ㄴ. $g(a)=0$이면 $g(x)=0$은 서로 다른 네 개의 실근을 가진다.
>
> ㄷ. 함수 $g(x)$의 극댓값을 M이라 할 때,
> $\displaystyle\int_{a}^{c}|f(x)|\,dx=2M-g(a)-g(c)$이다.

04

연속함수 $f(x)$에 대하여 다음이 성립할 때, $\displaystyle\int_0^3 f(x)dx$ 의 값은?

(가) 임의의 실수 x에 대하여 $f(x+1)-f(x)=1$
(나) $0\le x\le 1$에서 $f(x)=x^2+1$

① 3 ② 4 ③ 5 ④ 6 ⑤ 7

05

창의력

연속함수 $f(x)$에 대하여 다음이 성립할 때 $\displaystyle\int_2^3 \{f(x)+f(-x)\}dx$의 값을 구하시오.

(가) $\displaystyle\int_{-3}^2 f(x)dx=4$
(나) $\displaystyle\int_{-2}^3 \{f(x)+f(-x)\}dx=10$
(다) $\displaystyle\int_1^3 \{f(x-1)+f(1-x)\}dx=2$

06

함수 $f(x)=3x^2-2x+4$에 대하여
함수 $g(t)=\left|\displaystyle\int_t^{t+1} f(x)dx+k\right|$일 때, 함수 $g(t)$가 항상 미분가능하도록 하는 실수 k의 최솟값을 α라 한다. 12α 의 값을 구하시오.

07

융합형

포물선 $y=9t^2-x^2$의 아래쪽에서 이 포물선과 x축에 동시에 접하는 넓이가 최대인 원의 중심의 y좌표를 $g(t)$라 할 때, $\displaystyle\int_0^3 g(t)dt$를 구하시오.

08

최고차항의 계수가 양수이고 $f(1)=0$인 이차함수 $f(x)$에 대하여 함수 $g(x)$를 $g(x)=\displaystyle\int_1^x f(t)dt$라 할 때, 다음이 성립한다.

> (가) $g(2)=-6$
> (나) 방정식 $|g(x)|=-g(3)$은 서로 다른 세 실근을 갖는다.

$g(-1)$의 값은?

① -68 ② -66 ③ -64
④ -62 ⑤ -60

[2016년 10월 학력평가]

09

닫힌구간 $[3, 6]$에서 연속이고, 열린구간 $(3, 6)$에서 미분가능한 함수 $f(x)$에 대하여 다음이 성립한다.

> (가) 열린구간 $(3, 6)$에 속하는 모든 x에 대하여
> $2 \le f'(x) \le 4$
> (나) 함수 $y=f(x)$의 그래프는 점 $(3, 6)$, $(4, 8)$, $(5, 11)$, $(6, 15)$를 모두 지난다.
> (다) 닫힌구간 $[4, 5]$에서 함수 $y=f(x)$의 그래프는 이차함수 그래프의 일부이다.

$\displaystyle\int_3^6 f(x)dx=k$라 할 때, $3k$의 값은?

① 44 ② 55 ③ 66 ④ 77 ⑤ 88

10

삼차함수 $f(x)$에서 $f(0)>0$이고, 함수 $g(x)$를 $g(x)=\left|\displaystyle\int_0^x f(t)dt\right|$라 할 때, 함수 $y=g(x)$의 그래프가 그림과 같다.

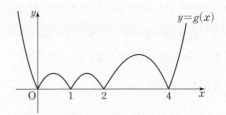

보기에서 옳은 것을 모두 고른 것은?

(단, $g(0)=g(1)=g(2)=g(4)=0$)

> ┤ 보기 ├
> ㄱ. 방정식 $f(x)=0$은 서로 다른 3개의 실근을 갖는다.
> ㄴ. $f'(0)>0$
> ㄷ. $f(1) \times f(3) < 0$
> ㄹ. $\displaystyle\int_n^{n+2} f(x)dx>0$인 자연수 n은 2개 있다.

① ㄱ ② ㄱ, ㄴ ③ ㄱ, ㄷ
④ ㄴ, ㄷ, ㄹ ⑤ ㄱ, ㄴ, ㄷ, ㄹ

08 정적분의 활용

1 곡선과 x축 사이의 넓이

함수 $f(x)$가 닫힌구간 $[a, b]$에서 연속일 때, 곡선 $y=f(x)$와 x축 및 두 직선 $x=a$, $x=b$ ($a<b$)로 둘러싸인 도형의 넓이를 S라 하면

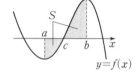

$$S=\int_a^b |f(x)|\,dx$$

이고, 다음과 같이 구한다.

① 닫힌구간 $[a, b]$에서 곡선 $y=f(x)$와 x축의 교점의 x좌표를 구한다.

② $f(x)$의 값이 양수인 구간과 음수인 구간으로 나누어 정적분을 구한다.

> **보충**
> 구간 $[a, b]$에서 $f(x)$가 양의 값과 음의 값을 모두 가진다면 $f(x)$의 값이 양인 구간과 음인 구간으로 나누어 생각한다.

보기 다음을 구하여라.

(1) 곡선 $y=x^3-x$와 x축으로 둘러싸인 도형의 넓이 S

(2) 곡선 $y=x^2-kx$와 x축으로 둘러싸인 도형의 넓이가 $\dfrac{9}{2}$일 때 양수 k값

(3) 곡선 $y=\sqrt{x}$와 y축 및 두 직선 $y=1$, $y=4$로 둘러싸인 도형의 넓이 S

풀이 (1) $x^3-x=0$, 즉 $x(x+1)(x-1)=0$에서
$x=-1$ 또는 $x=0$ 또는 $x=1$
따라서 곡선 $y=x^3-x$의 개형이 오른쪽 그림과 같으므로

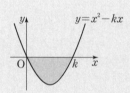

$$S=\int_{-1}^0 (x^3-x)\,dx-\int_0^1 (x^3-x)\,dx$$

$$=\left[\frac{1}{4}x^4-\frac{1}{2}x^2\right]_{-1}^0-\left[\frac{1}{4}x^4-\frac{1}{2}x^2\right]_0^1=\frac{1}{2}$$

(2) $x^2-kx=0$, 즉 $x(x-k)=0$에서
$x=0$ 또는 $x=k$ ($k>0$)
이때 곡선 $y=x(x-k)$의 개형이 오른쪽 그림과 같으므로 곡선 $y=x(x-k)$와 x축으로 둘러싸인 도형의 넓이 S는

$$S=-\int_0^k (x^2-kx)\,dx=-\left[\frac{1}{3}x^3-\frac{k}{2}x^2\right]_0^k=\frac{1}{6}k^3$$

따라서 $\dfrac{1}{6}k^3=\dfrac{9}{2}$이므로 $k^3=27$ $\therefore k=3$

(3) $y=\sqrt{x}$에서 $x=y^2$ (단, $y\geq0$)
이때 곡선 $y=\sqrt{x}$와 두 직선 $y=1$, $y=4$로 둘러싸인 도형은 오른쪽 그림과 같으므로

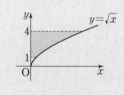

$$S=\int_1^4 y^2\,dy=\left[\frac{1}{3}y^3\right]_1^4=\frac{1}{3}(4^3-1)$$

$$=\frac{63}{3}=21$$

> **참고** y축과 곡선 사이의 넓이
> 함수 $x=g(y)$가 닫힌구간 $[c, d]$에서 연속일 때, 곡선 $x=g(y)$와 y축 및 두 직선 $y=c$, $y=d$로 둘러싸인 도형의 넓이 S는 $S=\int_c^d |g(y)|\,dy$이다.

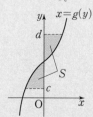

2 곡선과 직선 또는 곡선과 곡선 사이의 넓이

두 함수 $f(x)$, $g(x)$가 닫힌구간 $[a, b]$에서 연속일 때, $y=f(x)$와 $y=g(x)$ 및 두 직선 $x=a$, $x=b$로 둘러싸인 도형의 넓이 S는

$$S=\int_a^b |f(x)-g(x)|dx$$

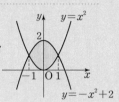

[보충] $y=f(x)$와 $y=g(x)$ 그래프 사이의 넓이는 다음과 같이 구한다.

1 그래프에서 교점의 x좌표를 구한다.

2 $f(x)-g(x)$의 값이 양수인 구간과 음수인 구간으로 나누어 정적분을 구한다.

[보기] 두 곡선 $y=x^2$, $y=-x^2+2$로 둘러싸인 도형의 넓이를 구하여라.

[풀이] $x^2=-x^2+2$에서 $2x^2-2=0$ $\qquad \therefore x=\pm1$

$\therefore S=\int_{-1}^1 \{(-x^2+2)-x^2\}dx=\int_{-1}^1 (-2x^2+2)dx$

$\qquad = 4\int_0^1 (-x^2+1)dx=\dfrac{8}{3}$

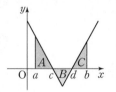

3 위치의 변화량과 움직인 거리

수직선 위를 움직이는 점 P의 시각 t에서의 속도 $v(t)$의 그래프가 오른쪽 그림과 같고, 세 부분의 넓이가 각각 A, B, C일 때

① $t=a$에서 $t=b$까지 점 P의 위치의 변화량은

$$\int_a^b v(t)dt=A-B+C$$

② 점 P가 실제로 움직인 거리는 $\int_a^b |v(t)|dt=A+B+C$

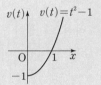

[참고] 수직선 위를 움직이는 점 P의 시각 t에서의 속도를 $v(t)$, 시각 $t=a$에서 점 P의 위치를 x_0이라 할 때, 시각 t에서 점 P의 위치 x는

$$x=x_0+\int_a^t v(t)dt$$

[보기] 원점을 출발하여 수직선 위를 움직이는 점 P의 t초 후의 속도 $v(t)$의 그래프가 그림과 같다. $t=\sqrt{3}$일 때 점 P의 위치 a와 이때까지 실제로 움직인 거리 b를 각각 구하여라.

[풀이] $a=\int_0^{\sqrt{3}} (t^2-1)dt=\left[\dfrac{1}{3}t^3-t\right]_0^{\sqrt{3}}=0$

$b=\int_0^1 (1-t^2)dt+\int_1^{\sqrt{3}} (t^2-1)=\left[t-\dfrac{1}{3}t^3\right]_0^1+\left[\dfrac{1}{3}t^3-t\right]_1^{\sqrt{3}}=\dfrac{4}{3}$

단축키 | 공식 또는 조건을 활용해 넓이를 구하는 방법

① 이차함수 $y=ax^2+bx+c$에 대하여 방정식 $f(x)=0$의 두 근이 α, β $(\alpha<\beta)$일 때, 곡선 $y=f(x)$와 x축으로 둘러싸인 도형의 넓이 S는 $S=\dfrac{|a|}{6}(\beta-\alpha)^3$

② 오른쪽 그림에서 곡선 $y=f(x)$와 x축으로 둘러싸인 도형의 넓이를 S_1, 곡선 $y=f(x)$와 x축 및 직선 $x=c$로 둘러싸인 도형의 넓이를 S_2라 할 때, $S_1=S_2$이면 $\int_a^c f(x)dx=0$

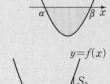
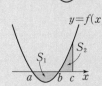

[참고] 삼차함수 $y=ax^3+bx^2+cx+d$의 그래프에 접하는 직선 $y=mx+n$이 삼각함수 그래프와 만나는 두 점의 x좌표가 α, β일 때 곡선과 직선 사이의 넓이는 $\dfrac{|a|}{12}(\beta-\alpha)^4$

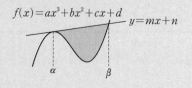

STEP 1 | 1등급 준비하기

곡선과 직선으로 둘러싸인 부분의 넓이

01

곡선 $y=|x^2-4|$와 직선 $y=5$로 둘러싸인 도형의 넓이는?

① $\dfrac{5}{2}$ ② $\dfrac{17}{2}$ ③ $\dfrac{44}{3}$

④ $\dfrac{53}{3}$ ⑤ $\dfrac{68}{3}$

02

점 $(0,\ -8)$에서 곡선 $y=4x^3$에 그은 접선과 곡선으로 둘러싸인 도형의 넓이는?

① 23 ② 24 ③ 25 ④ 26 ⑤ 27

03*

곡선 $y=x^2$과 두 직선 $y=2x+8$, $y=-x+2$으로 모두 둘러싸인 도형의 넓이는?

① $\dfrac{61}{2}$ ② $\dfrac{63}{2}$ ③ $\dfrac{65}{2}$

④ $\dfrac{67}{2}$ ⑤ $\dfrac{69}{2}$

두 곡선으로 둘러싸인 부분의 넓이

04*

두 곡선 $y=x^2-1$, $y=-x^2+2x+3$으로 둘러싸인 도형의 넓이는?

① 6 ② 7 ③ 8 ④ 9 ⑤ 10

05

함수 $f(x)=x^2+\dfrac{3}{2}\displaystyle\int_0^1 f(t)\,dt$에 대하여 두 곡선 $y=f(x)$, $y=xf(x)$로 둘러싸인 도형의 넓이를 구하시오.

둘러싸인 두 부분의 넓이가 같을 때

06

두 곡선 $y=x(a-x)$, $y=x^2(a-x)$로 둘러싸인 두 부분의 넓이가 같아지도록 상수 a의 값을 구하시오. (단, $a>1$)

07

사차방정식 $f(x)=x^4-6x^2+p=0$이 서로 다른 4개의 실근을 가진다고 한다. 이때, 곡선 $y=f(x)$와 x축으로 둘러싸인 부분 중에서 x축의 윗부분과 아래 부분의 넓이가 같아지도록 하는 실수 p값을 구하시오.

역함수의 그래프로 둘러싸인 부분의 넓이

08*

함수 $f(x)=x^3-x^2+x-1$의 역함수를 $g(x)$라 할 때, $\displaystyle\int_0^5 g(x)\,dx$의 값은?

① $\dfrac{97}{10}$ ② $\dfrac{97}{12}$ ③ $\dfrac{97}{14}$

④ $\dfrac{97}{16}$ ⑤ $\dfrac{97}{18}$

위치, 속도

09

출발 뒤 t분 후의 속도 $v(t)$가 $v(t)=t^2+2t$인 경주용 자동차가 직선 위를 달리고 있다. 출발점부터 3분간 $v(t)$의 속도로 달리다가 제동을 걸어 일정한 비율로 감속하기 시작해서 처음부터 3분간 달린 거리만큼 더 가서 정지했다. 제동이 걸린 시간은 모두 몇 분인가?

① 4분   ② 3.2분   ③ 3.6분

④ 3분   ⑤ 2.4분

10*

원점을 출발하여 수직선 위를 움직이는 점 P의 시각 t에서의 속도가 $v(t)=2at-at^2$이다. $t=0$부터 $t=b$까지 점 P가 움직인 거리와 $t=0$부터 $t=2b$까지 점 P의 위치의 변화량이 같을 때, 상수 b값은? (단, $a>0$, $1<b<2$)

① $\dfrac{3}{2}$ ② $\dfrac{5}{4}$ ③ $\dfrac{7}{5}$

④ $\dfrac{9}{7}$ ⑤ $\dfrac{13}{8}$

곡선과 직선으로 둘러싸인 부분의 넓이

01
| 제한시간 1.5분 |

곡선 $y=ax^3-3ax^2+2ax$와 x축으로 둘러싸인 부분의 넓이가 1일 때 양수 a값을 구하시오.

02
| 제한시간 1.5분 |

그림과 같이 곡선 $y=x^2\,(x\geq 0)$ 위의 두 점 $P(a, a^2)$, $Q(2, 4)$에서 x축에 내린 수선의 발을 각각 A, C, y축에 내린 수선의 발을 각각 B, D라 하자. 그림에서 색칠한 두 부분의 넓이 합이 4일 때, a^3의 값을 구하시오.

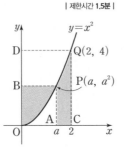

03
| 제한시간 2분 |

$0<a<2$일 때, 곡선 $y=x^2$과 직선 $y=a^2$으로 둘러싸인 부분의 넓이를 $S(a)$, 곡선 $y=x^2$과 두 직선 $y=a^2$, $x=2$로 둘러싸인 부분의 넓이를 $T(a)$라 하자. $S(a)+T(a)$의 최솟값을 m이라 할 때, $27m$의 값을 구하시오.

04
| 제한시간 2분 |

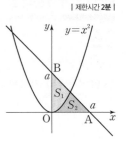

그림과 같이 좌표평면 위의 두 점 $A(a, 0)$, $B(0, a)\,(a>0)$을 지나는 직선과 곡선 $y=x^2$ 및 y축으로 둘러싸인 부분의 넓이를 S_1이라 하고, 직선 AB와 곡선 $y=x^2$ 및 x축으로 둘러싸인 부분의 넓이를 S_2라 하자. $S_1 : S_2 = 7 : 5$일 때, 상수 a값은?

① $\dfrac{7}{12}$　　② 1　　③ 2　　④ $\dfrac{12}{5}$　　⑤ 4

05
| 제한시간 2분 |

최고차항의 계수가 1인 사차함수 $f(x)$에 대하여 $y=f(x)$의 그래프가 원점을 지나고 $|f(x)|$가 한 점 $x=a\,(a>0)$에서만 미분가능하지 않고 $x=3$에서 극값을 가질 때, $y=f(x)$의 그래프와 x축으로 둘러싸인 영역의 넓이는?

① $\dfrac{256}{3}$　　② $\dfrac{64}{3}$　　③ $\dfrac{256}{5}$

④ $\dfrac{64}{5}$　　⑤ 256

두 곡선으로 둘러싸인 부분의 넓이 ①

06
| 제한시간 1.5분 |

두 곡선 $y=x^3+ax+b$, $y=ax^2+bx+1$이 $x=-1$에서 접할 때, 두 곡선으로 둘러싸인 부분의 넓이 S에 대하여 $3S$의 값을 구하시오.

둘러싸인 두 부분의 넓이가 같을 때

07
| 제한시간 1.5분 |

그림과 같이 곡선 $y=x^2-2ax$ $(0<a<1)$와 x축으로 둘러싸인 부분의 넓이를 S_1이라 하고, 곡선 $y=x^2-2ax$ 와 x축 및 직선 $x=2$로 둘러싸인 부분의 넓이를 S_2라 하자. $S_1=2S_2$일 때, 상수 a의 값은?

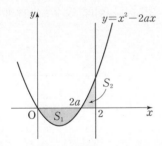

① $-1+\sqrt{3}$ ② $-1+\sqrt{2}$ ③ $2-\sqrt{3}$

④ $3-\sqrt{5}$ ⑤ $3-\sqrt{6}$

08
| 제한시간 1.5분 |

그림과 같이 실수 전체에서 미분가능한 함수 $y=f(x)$와 $y=g(x)$의 그래프의 교점의 x좌표가 α, β, γ $(\alpha<\beta<\gamma)$이다.

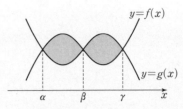

두 곡선으로 둘러싸인 두 부분의 넓이가 같을 때, 다음 중 곡선 $y=\int_{\alpha}^{x}\{f(t)-g(t)\}dt$의 그래프의 개형으로 옳은 것은?

① 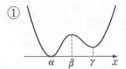   ②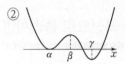

③ 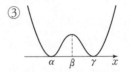   ④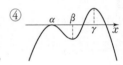

⑤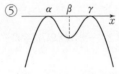

09*

| 제한시간 2분 |

곡선 $y=x^3-6x^2+9x$와 직선 $y=mx$로 둘러싸인 두 부분의 넓이가 같을 때, 정수 m의 값을 구하시오.

(단, $0<m<9$)

두 곡선으로 둘러싸인 부분의 넓이 ②

10

| 제한시간 1.5분 |

그림처럼 원점 O를 지나는 두 삼차함수 $y=f(x)$, $y=g(x)$의 그래프와 직선 $y=x$로 둘러싸인 네 부분의 넓이가 각각 S_1, S_2, S_3, S_4이다. 두 곡선 $y=f(x)$, $y=g(x)$와 직선 $y=x$는 $x=0$, $x=a$, $x=b$에서 만나고, $S_1=8$, $S_2=2$, $S_3=1$, $S_4=4$일 때, $\int_0^b \{2f(x)-g(x)-x\}dx$의 값은?

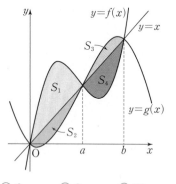

① 3　　② 6　　③ 9　　④ 12　　⑤ 15

11

| 제한시간 2분 |

그림과 같이 곡선 $y=x^2$과 원 $(x-1)^2+(y-2)^2=5$가 만날 때, 색칠한 부분의 넓이는?

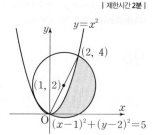

① $\dfrac{5}{2}\pi - \dfrac{4}{3}$　　② $\dfrac{5}{2}\pi - \dfrac{8}{3}$

③ $\dfrac{5}{2}\pi - 4$　　④ $5\pi - \dfrac{4}{3}$

⑤ $5\pi - \dfrac{8}{3}$

넓이 공식 활용하기

12

| 제한시간 2분 |

이차함수 $y=x^2$과 직선 $y=x+k$가 만나는 두 점의 x좌표를 각각 α, β $(\alpha<\beta)$라 하고, 직선 $y=x+k$와 x축 및 두 직선 $x=\alpha$, $x=\beta$로 둘러싸인 부분의 넓이를 S_1, 직선 $y=x+k$와 곡선 $y=x^2$으로 둘러싸인 부분의 넓이를 S_2라 할 때, $S_1=2S_2$이다. 이때, 상수 k에 대하여 $2k$값을 구하시오.

13

| 제한시간 2분 |

포물선 $y=x^2$과 직선 $y=m(x-1)+5$로 둘러싸인 부분의 넓이가 최솟값을 가질 때, m값을 구하시오.

14 *
| 제한시간 2.5분 |

곡선 $y=x^2$과 직선 $l : y=mx+n$ $(n>0)$으로 둘러싸인 도형의 넓이를 S_1이라 하고, 직선 l과 곡선 $y=x^2$이 만나는 두 점과 직선 l에 평행하고 곡선 $y=x^2$에 접하는 접점을 잇는 삼각형의 넓이를 S_2라 하자.

다음은 $S_1 : S_2 = 4 : 3$임을 증명하는 과정이다.

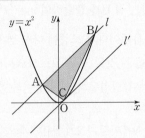

곡선 $y=x^2$과 직선 l이 만나는 두 점을 각각
$A(x_1, y_1)$, $B(x_2, y_2)$라 하자. $(x_1<x_2)$
이차방정식 $x^2-mx-n=0$의 근과 계수의 관계에서
$x_1+x_2=m$, $x_1x_2=-n$이므로
$$S_1=\int_{x_1}^{x_2}(mx+n-x^2)dx$$
$$= \boxed{\text{(가)}} \times (x_2-x_1)(m^2+4n)$$
직선 l과 평행하고 곡선 $y=x^2$에 접하는 접선을 l'이라 하고, 그 접점을 C라 하자.
이때 점 C의 x좌표는 $\boxed{\text{(나)}}$ 이다.
$$\overline{AB}=\sqrt{(x_2-x_1)^2+(y_2-y_1)^2}$$
$$=(x_2-x_1)\sqrt{\boxed{\text{(다)}}}$$
이므로 직선 l과 점 C 사이의 거리를 d라 하면
$$S_2=\frac{1}{2}\times\overline{AB}\times d$$
$$\vdots$$
그러므로 $S_1 : S_2 = 4 : 3$이다.

위의 (가)에 알맞은 값을 k라 하고 (나), (다)에 알맞은 식을 각각 $f(m)$, $g(m)$이라 할 때, $f(k)+g(k)$의 값은?

① 1
② $\dfrac{37}{36}$
③ $\dfrac{19}{18}$

④ $\dfrac{13}{12}$
⑤ $\dfrac{10}{9}$

15 *
| 제한시간 2.5분 |

곡선 $y=x^3+3x^2+k$는 $k=\alpha$, $k=\beta$ $(\alpha<\beta)$일 때 x축에 접한다. 곡선 $y=x^3+3x^2+\alpha$와 x축으로 둘러싸인 부분의 넓이를 S_1, 곡선 $y=x^3+3x^2+\beta$와 x축으로 둘러싸인 부분의 넓이를 S_2라 할 때, **보기**에서 옳은 것을 모두 고르시오.

┤ 보기 ├
ㄱ. $\alpha+\beta=-4$　　　　ㄴ. $S_1=\dfrac{27}{4}$
ㄷ. $S_1<S_2$

16
| 제한시간 2분 |

최고차항의 계수가 양수인 삼차함수 $f(x)$에 대하여
$\{f(-2)\}^2+\{f(1)\}^2+\{f'(1)\}^2=0$이 성립한다. 함수 $f(x)$의 도함수 $f'(x)$와 x축으로 둘러싸인 부분의 넓이가 6일 때, 함수 $f(x)$의 극댓값은?

① $\dfrac{3}{2}$
② 3
③ $\dfrac{9}{2}$

④ 6
⑤ $\dfrac{15}{2}$

역함수의 그래프로 둘러싸인 부분의 넓이

17

| 제한시간 2.5분 |

$f(x) = \dfrac{3}{4}x^2 - \dfrac{1}{8}x^3 \ (0 \leq x \leq 4)$에 대하여

$$h(x) = \begin{cases} f^{-1}(x) & (f^{-1}(x) \geq f(x)) \\ f(x) & (f^{-1}(x) < f(x)) \end{cases}$$

일때 $\displaystyle\int_0^4 h(x)dx$의 값을 구하시오.

직선 위에서 움직이는 점

18

| 제한시간 2분 |

수직선 위를 움직이는 두 점 P, Q가 있다. 점 P는 점 A(5)를 출발하여 시각 t에서의 속도가 $6t^2 - 2$이고, 점 Q는 점 B(k)를 출발하여 시각 t에서의 속도가 4이다. 두 점 P, Q가 동시에 출발한 후 2번 만나도록 하는 실수 k의 값의 범위가 $m < k < n$일 때 두 자연수 m, n에 대하여 $m+n$의 값을 구하시오.

19

| 제한시간 3.5분 |

길이가 25 m인 선분 AB 위에 두 점 P, Q가 있다.

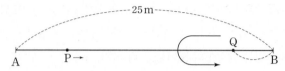

점 P는 점 A에서 점 B로 일정한 속도 u(m/s)로 움직이고, 동시에 점 Q는 점 B를 출발하여 $v = \dfrac{3}{4}t^2 - 3t$(m/s)의 속도로 점 A로 움직이다가 도중에 다시 점 B로 움직인다. 이때 **보기**에서 옳은 것을 모두 고르시오. (단, 점 A를 기준으로 점 P의 운동방향을 양의 방향이라 한다.)

┤ 보기 ├
ㄱ. 점 Q가 점 A에 가장 가깝게 접근할 때까지 4초 걸린다.
ㄴ. 점 Q가 다시 점 B로 돌아갈 때까지 6초 걸린다.
ㄷ. 점 P가 점 Q와 적어도 한 번 만나기 위한 속도 u의 최솟값은 $\dfrac{15}{4}$이다.

속도, 위치, 이동 거리와 그래프

20
| 제한시간 2.5분 |

원점을 출발하여 수직선 위를 움직이는 물체 A와 물체 B 가 있다. 다음 그래프는 시각 $t(0 \le t \le 5)$에서 물체 A의 속도 $f(t)$와 물체 B의 속도 $g(t)$를 나타낸 것이다.

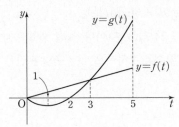

$\int_0^5 f(t)dt = \int_0^5 g(t)dt$이고 $0 < t \le 5$일 때, 다음을 구하시오.

(1) 물체 B가 방향을 바꾼 횟수

(2) 두 물체 A, B의 거리 차가 최대가 되는 t의 값

(3) 출발한 뒤 두 물체 A, B가 만나는 t의 값

21
| 제한시간 2.5분 |

A, B 두 사람이 달리기를 한다. A는 B보다 50 m 앞에서 출발하여 A는 50 m, B는 100 m를 달릴 때, 동시에 출발한 두 사람 사이의 간격은 계속 줄어들어 출발 후 10초 뒤에 B가 A를 추월하여 먼저 결승선에 도착하였다. 출발한 지 t초 후 A, B 두 사람의 속도를 각각 $f(t)$, $g(t)$라 할 때, 보기에서 옳은 것을 모두 고르시오. (단, B의 기록은 11초이고, 속도 단위는 m/s이다.)

┤ 보기 ├

ㄱ. $f(9) < g(9)$

ㄴ. $\int_0^{10} |f(t)|dt = \int_0^{10} |g(t)|dt$

ㄷ. $\int_0^{11} |f(t)|dt + 50 < \int_0^{11} |g(t)|dt$

22
| 제한시간 2.5분 |

수직선 위를 움직이는 점 P의 속도 $v(t)$에 대하여 $v(4-t) = v(4+t)$이고, 함수 $v(t)$ 그래프의 일부가 다음과 같다.

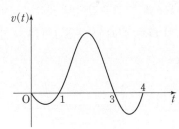

$x(a) = \int_0^a v(t)dt$이고 $x(1) = -\dfrac{1}{3}$, $x(3) = \dfrac{16}{3}$, $x(4) = \dfrac{10}{3}$일 때, 보기에서 옳은 것을 모두 고르시오.

┤ 보기 ├

ㄱ. 점 P는 $1 < t < 3$일 때 원점을 한 번 지난다.

ㄴ. $\int_1^3 v(t)dt = \dfrac{17}{3}$

ㄷ. $4 \le t \le 7$일 때 점 P가 실제로 움직인 거리는 $\dfrac{22}{3}$이다.

01

사차함수 $f(x)$와 삼차함수 $g(x)$의 그래프는 $x=-2$, $x=0$, $x=2$일 때 만나고, 두 함수의 그래프로 둘러싸인 부분의 넓이는 4이다. $\int_{-2}^{2}\{f(x)-g(x)\}dx=-4$일 때, $f(4)-g(4)$의 값을 구하시오.

02

융합형

좌표평면 위에 네 점 $O(0, 0)$, $A(1, 0)$, $B(1, 1)$, $C(0, 1)$을 꼭짓점으로 하는 정사각형 OABC가 있다. 곡선 $y=x^4$과 직선 $y=k$ $(0<k<1)$에 의해 정사각형 OABC를 네 영역으로 나눌 때, 그림과 같이 네 영역의 넓이를 각각 S_1, S_2, S_3, S_4 라 하자. 이때 $|S_1-S_3|+|S_2-S_4|$의 최솟값은?

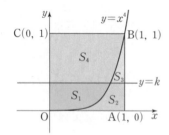

① $\dfrac{2}{5}$ ② $\dfrac{1}{2}$ ③ $\dfrac{3}{5}$ ④ $\dfrac{2}{3}$ ⑤ $\dfrac{3}{4}$

[2010년 사관학교]

03

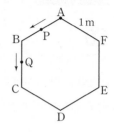

한 변의 길이가 1 m인 정육각형 ABCDEF에서 두 점 P, Q가 동시에 점 A를 출발하여 시계반대방향으로 육각형의 변을 따라 돌기 시작한 t분 후의 두 점 P, Q의 속도는 각각 $v_P(t)=9t^2+36$(m/분), $v_Q(t)=6t^2+24t$(m/분)이다. 출발 후 8분 동안 두 점 P, Q가 만나는 횟수를 구하시오. (단, 출발 순간은 제외한다.)

04

신유형

곡선 $y=x^2+2x+9-|4x|$와 직선 $y=mx+9$로 둘러싸인 부분의 넓이가 최소일 때, m의 값을 α, 넓이의 최솟값을 S라 하자. 이때 $\alpha+S$의 값은?

① 10　② $\dfrac{40}{3}$　③ $\dfrac{50}{3}$　④ 20　⑤ $\dfrac{70}{3}$

06

두 점 P, Q가 원점을 동시에 출발하여 수직선 위를 움직인다. 그림은 시각 $t(0\le t\le 7)$에서 점 P의 속도 $f(t)$와 점 Q의 속도 $g(t)$의 그래프를 나타낸 것이다. **보기**에서 옳은 것을 모두 고르시오.

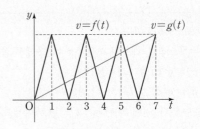

┤ 보기 ├
ㄱ. 점 P는 $0<t<7$인 범위에서 방향을 6번 바꾼다.
ㄴ. 두 점 P, Q는 원점을 출발한 다음 오직 한 번 만난다.
ㄷ. 두 점 P, Q가 가장 멀리 떨어져 있을 때의 시각을 $t=\alpha$라 하면 $3<\alpha<4$이다.

05*

직선 $y=x-2$ 위의 임의의 점 P에서 곡선 $y=x^2$에 그은 두 접선의 접점을 $Q(\alpha, \alpha^2)$, $R(\beta, \beta^2)$ $(\alpha<\beta)$라 하자. 곡선 $y=x^2$과 두 선분 PQ, PR로 둘러싸인 도형의 넓이를 S라 할 때, $\dfrac{36S}{\beta-\alpha}$의 최솟값은?

① 15　② 18　③ 21　④ 24　⑤ 27

07

다음은 극댓값과 극솟값을 모두 가지고 사차항의 계수가 a인 사차함수 $y=f(x)$의 그래프와 직선 $y=mx+n$이 두 점 $(\alpha, f(\alpha))$, $(\beta, f(\beta))$에서 접할 때, 직선과 곡선으로 둘러싸인 부분의 넓이를 구하는 과정이다.

$g(x)=mx+n$라 하자.
함수 $y=f(x)$의 그래프와 직선이 $x=\alpha$, β에서 접하므로
  $f(\alpha)=g(\alpha)$, $f'(\alpha)=g'(\alpha)$,
  $f(\beta)=g(\beta)$, $f'(\beta)=g'(\beta)$
임을 알 수 있다. 이때 $h(x)=f(x)-g(x)$라 놓으면
$h(\alpha)=h'(\alpha)=h(\beta)=h'(\beta)=0$이므로
$h(x)=a\times \boxed{\text{(가)}}$ 와 같이 놓을 수 있다.
직선과 곡선으로 둘러싸인 부분의 넓이를 S라 하면
$$S=\int_{\alpha}^{\beta} |f(x)-g(x)|\,dx=\int_{\alpha}^{\beta} \left|a\times \boxed{\text{(가)}}\right|\,dx$$
이고, x축 방향으로 평행이동해도 넓이는 같으므로
$$S=\int_{0}^{\beta-\alpha} |ax^2(x-\beta+\alpha)^2|\,dx=\boxed{\text{(나)}}$$

위의 (가), (나)에 알맞은 것을 써넣으시오.

08

창의력

실수 전체에서 정의된 연속함수 $f(x)$가 모든 실수 x에서 $f(2+x)=-f(2-x)$이고, $x\geq 2$에서 $f(x)\geq 0$이다. $\int_{-1}^{0} f(x)\,dx=-1$, $\int_{2}^{4} f(x)\,dx=2$일 때 $y=f(x)$의 그래프와 x축, y축, 직선 $x=5$로 둘러싸인 부분의 넓이를 구하시오.

나를
이끄는
힘

"It is not knowledge but the act of learning,
not possession but the act of getting there,
which grants the greatest enjoyment."

별명이 '수학의 왕자(Prince of mathematics)'였다가 '수학의 신(Mathematical God)'으로 승격하였다는 근세 유럽의 위대한 수학자 가우스(Karl Friedrich Gauss)가 한 말입니다. 부모 모두 하루 벌어 하루 먹고 사는 노동자였기에 제대로 된 교육조차 받지 못했다는 가우스는 늘 새로운 문제를 찾고, 그 해결 방법을 고민하며 평생을 보냈습니다.

"우리에게 가장 큰 즐거움을 주는 것은 지식이 아니라 배우는 것이다. 소유가 아니라 얻으려고 노력하는 과정이다."고 한 가우스였으니 비록 그가 산 삶이 화려하지 못했지만 그는 행복하게 살았으리라 짐작할 수 있지 않을까요?

– 틀린 문제를 놓고 계속 좌절하지 마세요.

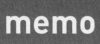

배움으로 행복한 내일을 꿈꾸는
천재교육 커뮤니티 안내 . . .

 교재 안내부터 구매까지 한 번에!
천재교육 홈페이지

천재교육 홈페이지에서는 자사가 발행하는 참고서,
교과서에 대한 소개는 물론 도서 구매도 할 수 있습니다.
회원에게 지급되는 별을 모아 다양한 상품 응모에도
도전해 보세요.

 구독, 좋아요는 필수! 핵유용 정보 가득한
천재교육 유튜브 <천재TV>

신간에 대한 자세한 정보가 궁금하세요?
참고서를 어떻게 활용해야 할지 고민인가요?
공부 외 다양한 고민을 해결해 줄 채널이 필요한가요?
학생들에게 꼭 필요한 콘텐츠로 가득한 천재TV로 놀러 오세요!

 다양한 교육 꿀팁에 깜짝 이벤트는 덤!
천재교육 인스타그램

천재교육의 새롭고 중요한 소식을 가장 먼저 접하고 싶다면?
천재교육 인스타그램 팔로우가 필수!
누구보다 빠르고 재미있게 천재교육의 소식을 전달합니다.
깜짝 이벤트도 수시로 진행되니 놓치지 마세요!

최강
TOT

최강 TOT

TOP
OF THE
TOP

1등급 비밀!!

수학 II

정답과 풀이

천재교육

TOT

TOP

OF THE

TOP

정답과 풀이

수학 II

01 함수의 극한

STEP 1 | 1등급 준비하기　　　　　　p.6~7

01 ①	**02** (1) 4　(2) -4　(3) 0　(4) ∞　(5) 4		
03 39	**04** ③	**05** 13	**06** ⑤
07 ⑤	**08** ④	**09** 13	**10** 1
11 -8			

01 ⓐ ①

GUIDE

$y=f(x)$의 그래프를 y축에 대하여 대칭이동한 것이 $y=f(-x)$의 그래프이다.

$y=f(x)$의 그래프에서
$$\lim_{x \to 2} f(x) = \lim_{x \to 2+} f(x) = 2$$

오른쪽 $y=f(-x)$의 그래프에서
$$\lim_{x \to 0+} f(-x) = 1$$

$$\therefore \lim_{x \to 2} f(x) + \lim_{x \to 0+} f(-x)$$
$$= 2 + 1 = 3$$

참고

$-x=t$라 하면 $\displaystyle\lim_{x \to 0+} f(-x) = \lim_{t \to 0-} f(t) = 1$

02 ⓐ (1) 4　(2) -4　(3) 0　(4) ∞　(5) 4

GUIDE

$[x]$에서 다음이 성립한다. (단, n은 정수)

❶ $[x]=n$이면 $n \le x < n+1$

❷ $x=[x]+h$ $(0 \le h < 1)$

❸ $0 \le x-[x] < 1$ ⇨ $x-1 < [x] \le x$

(1) $\displaystyle\lim_{x \to 0+} \frac{8}{x}\left|\frac{x}{2}\right| = \lim_{x \to 0+}\left(\frac{8}{x} \times \frac{x}{2}\right) = 4$

(2) $\displaystyle\lim_{x \to 0-} \frac{8}{x}\left|\frac{x}{2}\right| = \lim_{x \to 0-}\left\{\frac{8}{x} \times \left(-\frac{x}{2}\right)\right\} = -4$

(3) $0 < x < 1$에서 $0 < \dfrac{x}{2} < \dfrac{1}{2}$이므로 $\left[\dfrac{x}{2}\right] = 0$

　이때 $\dfrac{8}{x}\left[\dfrac{x}{2}\right] = 0$　$\therefore \displaystyle\lim_{x \to 0+} \frac{8}{x}\left[\frac{x}{2}\right] = 0$

(4) $-1 < x < 0$에서 $-\dfrac{1}{2} < \dfrac{x}{2} < 0$이므로 $\left[\dfrac{x}{2}\right] = -1$

　이때 $\dfrac{8}{x}\left[\dfrac{x}{2}\right] = -\dfrac{8}{x}$ $\therefore \displaystyle\lim_{x \to 0-} \frac{8}{x}\left[\frac{x}{2}\right] = \lim_{x \to 0-}\left(-\frac{8}{x}\right) = \infty$

(5) $\dfrac{8}{x} - 1 < \left[\dfrac{8}{x}\right] \le \dfrac{8}{x}$에서 $\dfrac{x}{2} \times \dfrac{8-x}{x} < \dfrac{x}{2}\left[\dfrac{8}{x}\right] \le \dfrac{x}{2} \times \dfrac{8}{x}$

　즉 $4 - \dfrac{x}{2} < \dfrac{x}{2}\left[\dfrac{8}{x}\right] \le 4$에서 $\displaystyle\lim_{x \to 0+}\left(4 - \frac{x}{2}\right) = 4$이므로

　$\displaystyle\lim_{x \to 0+} \frac{x}{2}\left[\frac{8}{x}\right] = 4$

03 ⓐ 39

GUIDE

❶ $x \to -\infty$인 극한값 계산은 $x=-t$로 치환한다.

❷ 분수식의 계산, 무리식의 유리화 등을 이용한다.

(가) $A = \displaystyle\lim_{x \to -\infty} \frac{3-8x}{\sqrt{9x^2-1} + \sqrt{x^2+5}} = \lim_{t \to \infty} \frac{3+8t}{\sqrt{9t^2-1}+\sqrt{t^2+5}}$

$$= \lim_{t \to \infty} = \frac{\dfrac{3}{t}+8}{\sqrt{9-\dfrac{1}{t^2}} + \sqrt{1+\dfrac{5}{t^2}}} = 2$$

(나) $B = \displaystyle\lim_{x \to -1} \frac{16}{x+1}\left(\frac{1}{2} - \frac{1}{x+3}\right)$

$$= \lim_{x \to -1}\left\{\frac{16}{x+1} \times \frac{x+1}{2(x+3)}\right\} = 4$$

(다) $\displaystyle\lim_{x \to \infty}(\sqrt{x^2-Cx} - x)$

$$= \lim_{x \to \infty} \frac{(\sqrt{x^2-Cx}-x)(\sqrt{x^2-Cx}+x)}{\sqrt{x^2-Cx}+x}$$

$$= \lim_{x \to \infty} \frac{-Cx}{\sqrt{x^2-Cx}+x}$$

$$= \lim_{x \to \infty} \frac{-C}{\sqrt{1-\dfrac{C}{x}}+1} = \frac{-C}{1+1} = -3 \qquad \therefore C = 6$$

(라) $D = \displaystyle\lim_{x \to 3} \frac{x^3-3x^2}{\sqrt{4x-3}-\sqrt{2x+3}}$

$$= \lim_{x \to 3} \frac{x^2(x-3)(\sqrt{4x-3}+\sqrt{2x+3})}{4x-3-(2x+3)}$$

$$= \lim_{x \to 3} \frac{x^2(\sqrt{4x-3}+\sqrt{2x+3})}{2} = 27$$

$$\therefore A+B+C+D = 2+4+6+27 = 39$$

04 ⓐ ③

GUIDE

❶ $\displaystyle\lim_{x \to a} \frac{f(x)}{g(x)} = \alpha$ (α는 상수)이고 $\displaystyle\lim_{x \to a} g(x) = 0$이면 $\displaystyle\lim_{x \to a} f(x) = 0$

❷ $\displaystyle\lim_{x \to a} \frac{f(x)}{g(x)} = \alpha$ ($\alpha \ne 0$인 상수)이고 $\displaystyle\lim_{x \to a} f(x) = 0$이면 $\displaystyle\lim_{x \to a} g(x) = 0$

$\displaystyle\lim_{x \to 3} \frac{x-3}{\sqrt{x-a}-1}$ 의 값이 수렴하려면 $\displaystyle\lim_{x \to 3}(\sqrt{x-a}-1) = 0$

이어야 하므로 $\sqrt{3-a} = 1$에서 $a = 2$

$$\lim_{x \to 3} \frac{x-3}{\sqrt{x-2}-1} = \lim_{x \to 3}(\sqrt{x-2}+1) = 2$$

이때 $\displaystyle\lim_{x \to 2} \frac{x^2+bx+c}{x-2} = 2$이므로 $\displaystyle\lim_{x \to 2}(x^2+bx+c) = 0$에서

$4+2b+c = 0$, 즉 $c = -4-2b$

$$\lim_{x \to 2} \frac{x^2+bx+c}{x-2} = \lim_{x \to 2} \frac{x^2+bx-4-2b}{x-2}$$

$$= \lim_{x \to 2} \frac{(x-2)(x+b+2)}{x-2} = 4+b = 2$$

에서 $b = -2$, $c = 0$

$$\therefore a+b+c = 2-2+0 = 0$$

05 13

GUIDE

$\lim\limits_{x\to\alpha}f(x)=\lim\limits_{x\to\beta}f(x)=\lim\limits_{x\to\gamma}f(x)=0$에서 $f(\alpha)=f(\beta)=f(\gamma)=0$

$\lim\limits_{x\to\alpha}\dfrac{f(x)}{x-\alpha}$의 값이 존재하려면 $\lim\limits_{x\to\alpha}f(x)=f(\alpha)=0$이어야 한다.

마찬가지로 $\lim\limits_{x\to\beta}f(x)=f(\beta)=0$, $\lim\limits_{x\to\gamma}f(x)=f(\gamma)=0$이다.

$f(x)=x^3+4x^2+x-6=(x-1)(x+2)(x+3)$이므로

$f(1)=f(-2)=f(-3)=0$

즉 α,β,γ의 값은 $1,-2,-3$ 중 하나이다. 이때

$\lim\limits_{x\to1}\dfrac{(x-1)(x+2)(x+3)}{x-1}=12$

$\lim\limits_{x\to-2}\dfrac{(x-1)(x+2)(x+3)}{x+2}=-3$

$\lim\limits_{x\to-3}\dfrac{(x-1)(x+2)(x+3)}{x+3}=4$

에서 $a+b+c=13$

06 답 ⑤

GUIDE

$x^4-x^3-3x^2+5x-2=(x-1)^3(x+2)$이므로 분모가
$x-1$, $(x-1)^2$, $(x-1)^3$ 중 하나일 때, 극한값 b가 존재한다.

$\lim\limits_{x\to1}\dfrac{x^4-x^3-3x^2+5x-2}{(x-1)^a}=\lim\limits_{x\to1}\dfrac{(x-1)^3(x+2)}{(x-1)^a}$의 값이

존재하려면 자연수 a는 3 이하이어야 한다.

$a=3$일 때, $b=3$이고, $a=1,2$일 때, $b=0$이므로

$a+b$의 최댓값은 6

07 답 ⑤

GUIDE

그래프에서 $x\to0+$일 때, $f(x)\to3-$이므로
$\lim\limits_{x\to0+}f(f(x))=\lim\limits_{t\to3-}f(t)$라 할 수 있다.

또 $x\to2+$일 때, $f(x)=3$이므로 $\lim\limits_{x\to2+}f(f(x))=f(3)$

$\lim\limits_{x\to0+}f(f(x))=\lim\limits_{t\to3-}f(t)=3$

$\lim\limits_{x\to2+}f(f(x))=f(3)=2$

$\therefore\ \lim\limits_{x\to0+}f(f(x))+\lim\limits_{x\to2+}f(f(x))=3+2=5$

08 답 ④

GUIDE

❶ t시간 후 두 점 P, Q의 좌표는 $\mathrm{P}(3t,0)$, $\mathrm{Q}(0,5-t)$

❷ x절편이 a이고 y절편이 b인 직선의 방정식은 $\dfrac{x}{a}+\dfrac{y}{b}=1$

직선 PQ의 방정식은 $\dfrac{x}{3t}+\dfrac{y}{5-t}=1$, 즉 $y=\dfrac{t-5}{3t}x+5-t$

직선 AB의 방정식은 $\dfrac{x}{3}+\dfrac{y}{4}=1$, 즉 $y=-\dfrac{4}{3}x+4$

두 식을 연립하여 풀면 $x=\dfrac{3}{5}t$, $y=\dfrac{4(5-t)}{5}$

즉 교점 R의 좌표는 $\left(\dfrac{3}{5}t,\dfrac{4(5-t)}{5}\right)$이므로

직선 OR의 기울기 $f(t)$는 $f(t)=\dfrac{4(5-t)}{3t}$

$\therefore\ \lim\limits_{t\to1}f(t)=\dfrac{16}{3}$

참고

$\dfrac{t-5}{3t}x+5-t=-\dfrac{4}{3}x+4$에서 $\dfrac{t-5}{3t}x+\dfrac{4}{3}x=t-1$

즉 $\dfrac{5(t-1)}{3t}x=t-1$에서 $x=\dfrac{3t}{5}$

09 답 13

GUIDE

$\lim\limits_{x\to\infty}\dfrac{f(x)-x^3}{3x}=2$에서 $f(x)=x^3+6x+b$이고,

$\lim\limits_{x\to0}f(x)=-7$에서 $f(0)=-7$이다.

㈎에서 $x\to\infty$일 때 0이 아닌 극한값이 존재하고, 분모, 분자가
각각 다항함수이므로 $f(x)$의 최고차항은 x^3, 이차항은 없다.
즉 $f(x)-x^3=ax+b$ (a,b는 상수, $a\ne0$)로 놓을 수 있다.

이때 $\lim\limits_{x\to\infty}\dfrac{f(x)-x^3}{3x}=\lim\limits_{x\to\infty}\dfrac{ax+b}{3x}=\lim\limits_{x\to\infty}\dfrac{a+\dfrac{b}{x}}{3}=\dfrac{a}{3}=2$

에서 $a=6$

㈏에서 $\lim\limits_{x\to0}f(x)=f(0)=b=-7$이므로 $b=-7$

$\therefore\ f(x)=x^3+6x-7$

따라서 $f(2)=2^3+6\times2-7=13$

10 답 1

GUIDE

❶ $x\to1$일 때 (분모)$\to0$이므로 (분자)$\to0$, 즉 $g(1)-2\times1=0$

❷ $f(x)+x-1=(x-1)g(x)$에서
$f(x)=(x-1)g(x)-(x-1)=(x-1)\{g(x)-1\}$

$\lim\limits_{x\to1}\dfrac{g(x)-2x}{x-1}$의 값이 존재하므로

$\lim\limits_{x\to1}\{g(x)-2x\}=g(1)-2=0$에서 $g(1)=2$

$\therefore\ \lim\limits_{x\to1}\dfrac{f(x)g(x)}{x^2-1}=\lim\limits_{x\to1}\dfrac{(x-1)\{g(x)-1\}\times g(x)}{x^2-1}$

$=\lim\limits_{x\to1}\dfrac{\{g(x)-1\}\times g(x)}{x+1}$

$=\dfrac{1\times2}{2}=1$

11 답 −8

GUIDE

$\lim\limits_{x \to \alpha} f(x) = \alpha$, $\lim\limits_{x \to \alpha} g(x) = \beta$ (α, β는 실수)일 때

❶ $f(x) \le h(x) \le g(x)$이고, $\alpha = \beta$이면 $\lim\limits_{x \to \alpha} h(x) = \alpha$

❷ $\lim\limits_{x \to \alpha} f(x)g(x) = \lim\limits_{x \to \alpha} f(x) \times \lim\limits_{x \to \alpha} g(x) = \alpha\beta$

❸ $\{f(x)\}^2 - 4x^4 = \{f(x) + 2x^2\}\{f(x) - 2x^2\}$

$2x^2 - 2x + 1 < f(x) < 2x^2 - 2x + 7$에서

$4x^2 - 2x + 1 < f(x) + 2x^2 < 4x^2 - 2x + 7$이고,

$-2x + 1 < f(x) - 2x^2 < -2x + 7$이다.

(ⅰ) $4x^2 - 2x + 1 < f(x) + 2x^2 < 4x^2 - 2x + 7$이고,

$\lim\limits_{x \to \infty} \dfrac{4x^2 - 2x + 1}{x^2} = \lim\limits_{x \to \infty} \dfrac{4x^2 - 2x + 7}{x^2} = 4$이므로

$\lim\limits_{x \to \infty} \dfrac{f(x) + 2x^2}{x^2} = 4$

(ⅱ) $-2x + 1 < f(x) - 2x^2 < -2x + 7$이고,

$\lim\limits_{x \to \infty} \dfrac{-2x + 1}{x} = \lim\limits_{x \to \infty} \dfrac{-2x + 7}{x} = -2$이므로

$\lim\limits_{x \to \infty} \dfrac{f(x) - 2x^2}{x} = -2$

$\therefore \lim\limits_{x \to \infty} \dfrac{\{f(x)\}^2 - 4x^4}{x^3 + 2x^2 + 1}$

$= \lim\limits_{x \to \infty} \dfrac{\{f(x) + 2x^2\}\{f(x) - 2x^2\}}{x^3 + 2x^2 + 1}$

$= \lim\limits_{x \to \infty} \left\{ \dfrac{f(x) + 2x^2}{x^2} \times \dfrac{f(x) - 2x^2}{x} \times \dfrac{x^3}{x^3 + 2x^2 + 1} \right\}$

$= 4 \times (-2) \times 1 = -8$

STEP 2 | 1등급 굳히기 p. 8~13

01 5	**02** ②	**03** ②	**04** 5
05 16	**06** −3	**07** ㄴ, ㄷ	**08** −2
09 2	**10** ㄱ, ㄴ, ㄷ	**11** 14	**12** ②
13 −1	**14** 4	**15** 2	**16** ④
17 ①	**18** ②	**19** 8	**20** ②
21 5	**22** ③	**23** ②	**24** ㄱ, ㄷ
25 ②	**26** ㄹ		

01 답 5

GUIDE

$x \to -1-$, 즉 −1보다 작으면서 −1에 한없이 가까워지는 경우이므로 $-2 < x < -1$에서 생각한다. 이때 이 범위의 수인 $x = -1.2$와 같은 예를 이용해도 된다. 즉 $[-1.2] = -2$, $\langle -1.2 \rangle = -1$

$-2 < x < -1$에서 $[x] = -2$, $\langle x \rangle = -1$

$\therefore 20 \lim\limits_{x \to -1-} (\langle x \rangle + 3)^{[x]} = 20 \times 2^{-2} = 5$

---

02 답 ②

GUIDE

구하려는 것을 식으로 나타내면 $\lim\limits_{a \to 0+} \dfrac{-b + \sqrt{b^2 - 4ac}}{2a}$이므로 분자를 유리화 한다.

$\lim\limits_{a \to 0+} \beta = \dfrac{-b + \sqrt{b^2 - 4ac}}{2a}$

$= \lim\limits_{a \to 0+} \dfrac{(-b + \sqrt{b^2 - 4ac})(-b - \sqrt{b^2 - 4ac})}{2a(-b - \sqrt{b^2 - 4ac})}$

$= \lim\limits_{a \to 0+} \dfrac{4ac}{2a(-b - \sqrt{b^2 - 4ac})}$

$= \dfrac{2c}{-2b} = -\dfrac{c}{b}$

---

03 답 ②

GUIDE

$P(t, \sqrt{t})$라 하면 $\overline{OP} = \sqrt{t^2 + t}$이고

$S_1 = \pi(t^2 + t)$, $S_2 = \dfrac{1}{2} \times \sqrt{t} \times \sqrt{t^2 + t}$이다.

이때 $\lim\limits_{t \to 0+} \dfrac{S_1}{S_2}$의 값을 구한다.

$\lim\limits_{t \to 0+} \dfrac{S_1}{S_2} = \lim\limits_{t \to 0+} \dfrac{\pi(t^2 + t)}{\dfrac{1}{2}\sqrt{t}\sqrt{t^2 + t}} = \lim\limits_{t \to 0+} \dfrac{\pi t(t + 1)}{\dfrac{1}{2} t \sqrt{t + 1}}$

$= \lim\limits_{t \to 0+} \dfrac{2\pi(t + 1)}{\sqrt{t + 1}} = 2\pi$

---

04 답 5

GUIDE

❶ $f(x) = [x]^2 - 2a[x]$라 하면 $\lim\limits_{x \to 2-} f(x) = \lim\limits_{x \to 2+} f(x)$이고, $g(x) = \dfrac{[x]^2 + 3x}{[x]}$라 하면 $\lim\limits_{x \to n-} g(x) = \lim\limits_{x \to n+} g(x)$이다.

❷ $\lim\limits_{x \to n-} x = \lim\limits_{x \to n+} x = n$

$\lim\limits_{x \to 2-} ([x]^2 - 2a[x]) = 1 - 2a$, $\lim\limits_{x \to 2+} ([x]^2 - 2a[x]) = 4 - 4a$

에서 $\lim\limits_{x \to 2} ([x]^2 - 2a[x])$의 값이 존재하므로 좌극한과 우극한이 같다. 즉 $1 - 2a = 4 - 4a$에서 $a = \dfrac{3}{2}$

$\therefore \lim\limits_{x \to 2} ([x]^2 - 3[x]) = -2$

또 $\lim\limits_{x \to n-} \dfrac{[x]^2 + 3x}{[x]} = \dfrac{(n-1)^2 + 3n}{n - 1} = \dfrac{n^2 + n + 1}{n - 1}$

$\lim\limits_{x \to n+} \dfrac{[x]^2 + 3x}{[x]} = \dfrac{n^2 + 3n}{n} = n + 3$이고, $\lim\limits_{x \to n} \dfrac{[x]^2 + 3x}{[x]}$의

값이 존재하므로 $\dfrac{n^2 + n + 1}{n - 1} = n + 3$에서 $n = 4$

$\therefore \lim\limits_{x \to n} \dfrac{[x]^2 + 3x}{[x]} = 7$

따라서 $-2 + 7 = 5$

05 ⓐ 16

8을 기준으로 생각해 보자. 예를 들어 $x=8.1$일 때 $f(8.1)=4$이고, $8.1>2f(4)$이므로 $g(8.1)=f(8.1)$이다.

또 $x=7.9$일 때 $f(7.9)=4$이고, $7.9<2f(7.9)$이므로 $g(7.9)=\dfrac{1}{f(7.9)}$

$8<x<11$일 때, $f(x)=4$이고 $x>2f(x)$이므로

$\alpha=\displaystyle\lim_{x\to 8+}g(x)=\lim_{x\to 8+}f(x)=4$

$7<x<8$일 때, $f(x)=4$이고 $x<2f(x)$이므로

$\beta=\displaystyle\lim_{x\to 8-}g(x)=\lim_{x\to 8-}\dfrac{1}{f(x)}=\dfrac{1}{4}$

$\therefore \dfrac{\alpha}{\beta}=16$

06 ⓐ −3

예를 들어 $x=4.0001$이면 $f(x)=4$, $g(x)=0.0001$이므로 정수 a에 대하여 $x\longrightarrow a+$이면 $f(x)\longrightarrow a$, $g(x)\longrightarrow 0$임을 알 수 있다.

또 $x=3.9999$이면 $f(x)=3$, $g(x)=0.9999$이므로 정수 a에 대하여 $x\longrightarrow a-$이면 $f(x)\longrightarrow a-1$, $g(x)\longrightarrow 1$이다.

※ ㈎에서 좌극한과 우극한을 비교한다.

$\displaystyle\lim_{x\to a-}\dfrac{f(x)+3}{g(x)-2}=\dfrac{(a-1)+3}{1-2}=-(a+2)$

$\displaystyle\lim_{x\to a+}\dfrac{f(x)+3}{g(x)-2}=\dfrac{a+3}{0-2}=-\dfrac{1}{2}(a+3)$

이때 $-(a+2)=-\dfrac{1}{2}(a+3)$에서 $a=-1$, $b=-1$

$t=x^2+2x+3$이라 하면 $x\longrightarrow -1+$일 때 $t\longrightarrow 2+$이므로 $f(t)\longrightarrow 2$, $g(t)\longrightarrow 0$이다. 즉

$\displaystyle\lim_{x\to -1+}\dfrac{f(x^2+2x+3)}{g(x^2+2x+3)-2}=\lim_{t\to 2+}\dfrac{f(t)}{g(t)-2}=\dfrac{2}{0-2}=-1$

이므로 $c=-1$

$\therefore a+b+c=-1+(-1)+(-1)=-3$

07 ⓐ ㄴ, ㄷ

❶ 좌극한과 우극한을 함께 생각한다.

❷ $f(x+4)=f(x)$에서 $\displaystyle\lim_{x\to\infty}g\left\{f\left(2+\dfrac{1}{x}\right)\right\}=\lim_{x\to\infty}g\left\{f\left(6+\dfrac{1}{x}\right)\right\}$이고, $\displaystyle\lim_{x\to\infty}g\left\{f\left(4+\dfrac{1}{x}\right)\right\}=\lim_{x\to\infty}g\left\{f\left(8+\dfrac{1}{x}\right)\right\}$이다.

ㄱ. $\displaystyle\lim_{x\to 0+}g(f(x))=\lim_{t\to 0+}g(t)=-2$

$\displaystyle\lim_{x\to 0-}g(f(x))=\lim_{t\to 0-}g(t)=0$

$\displaystyle\lim_{x\to 0}g(f(x))$는 존재하지 않는다. (×)

ㄴ. $\displaystyle\lim_{x\to 2+}g(f(x))=g(-1)=1$

$\displaystyle\lim_{x\to 2-}g(f(x))=g(1)=1$ (○)

ㄷ. $\displaystyle\lim_{x\to\infty}g\left\{f\left(2+\dfrac{1}{x}\right)\right\}=g(-1)=1$

또 $\displaystyle\lim_{x\to\infty}g\left\{f\left(6+\dfrac{1}{x}\right)\right\}=\lim_{x\to\infty}g\left\{f\left(2+\dfrac{1}{x}\right)\right\}=1$

$\displaystyle\lim_{x\to\infty}g\left\{f\left(4+\dfrac{1}{x}\right)\right\}=\lim_{x\to\infty}g\left\{f\left(\dfrac{1}{x}\right)\right\}=\lim_{t\to 0+}g(t)=-2$

또 $\displaystyle\lim_{x\to\infty}g\left\{f\left(8+\dfrac{1}{x}\right)\right\}=\lim_{x\to\infty}g\left\{f\left(4+\dfrac{1}{x}\right)\right\}=-2$

$\therefore$ (주어진 식)$=1+(-2)+1+(-2)=-2$ (○)

08 ⓐ −2

예를 들어 $a=2$일 때, 즉 $y=x^2+2$의 그래프는 그림처럼 점 $(0, 2)$를 지나므로 $|x|+|y|=2$의 그래프와 한 점에서 만난다. 이와 같이 a값에 따라 주어진 두 식의 그래프를 함께 그려 교점의 개수를 구한다. 이때 두 그래프가 접하는 경우도 생각한다.

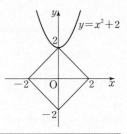

(i) $y=x^2+a$의 그래프가 직선 $y=x-2$와 접할 때 $x^2+a=x-2$의 판별식이 0이므로

$D=(-1)^2-4(a+2)=0$

$\therefore a=-\dfrac{7}{4}$

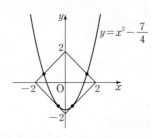

(ii) $a<-4$일 때 [그림 1]과 같으므로 $f(a)=0$

(iii) $a=-4$일 때, [그림 2]와 같으므로 $f(a)=2$

(iv) $-4<a<-2$일 때 [그림 3]과 같으므로 $f(a)=4$

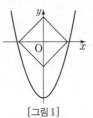
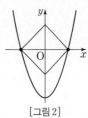
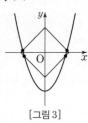

[그림 1]　　　[그림 2]　　　[그림 3]

(v) $a=-2$일 때 [그림 4]와 같으므로 $f(a)=5$

(vi) $-2<a<-\dfrac{7}{4}$일 때 [그림 5]와 같으므로 $f(a)=6$

(vii) $a=-\dfrac{7}{4}$일 때 [그림 6]과 같으므로 $f(a)=4$

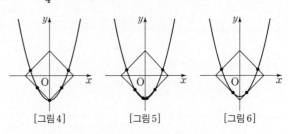

[그림 4]　　　[그림 5]　　　[그림 6]

(viii) $-\dfrac{7}{4}<a<2$일 때 [그림 7]과 같으므로 $f(a)=2$

(ix) $a=2$일 때 [그림 8]과 같으므로 $f(a)=1$

(x) $a>2$일 때 [그림 9]와 같으므로 $f(a)=0$

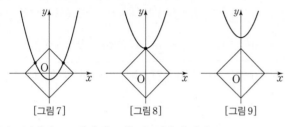

[그림 7]　　　[그림 8]　　　[그림 9]

(i)~(x)에서 $y=f(a)$의 그래프는 다음과 같다.

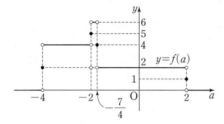

따라서 $k=-2$일 때 $\displaystyle\lim_{a\to k+}f(a)+\lim_{a\to k-}f(a)=6+4=10$

1등급 NOTE

$y=x^2+a$와 $|x|+|y|=2$의 그래프는 y축에 대하여 대칭이므로 $x>0$에서 교점 개수와 $x<0$에서 교점 개수가 같다.

---

09 답 2

GUIDE

$\left(1+\sqrt[3]{\dfrac{x}{3-x}}\right)\left(1-\sqrt[3]{\dfrac{x}{3-x}}+\sqrt[3]{\left(\dfrac{x}{3-x}\right)^2}\right)=1+\dfrac{x}{3-x}$

(i) $\displaystyle\lim_{x\to\infty}x\left(\sqrt{\dfrac{x+3}{x-3}}-1\right)$

$=\displaystyle\lim_{x\to\infty}\dfrac{x\left(\sqrt{\dfrac{x+3}{x-3}}-1\right)\left(\sqrt{\dfrac{x+3}{x-3}}+1\right)}{\left(\sqrt{\dfrac{x+3}{x-3}}+1\right)}$

$=\displaystyle\lim_{x\to\infty}\dfrac{\dfrac{6x}{x-3}}{\sqrt{\dfrac{x+3}{x-3}}+1}=\dfrac{6}{2}=3$

(ii) $\displaystyle\lim_{x\to\infty}x\left(1+\sqrt[3]{\dfrac{x}{3-x}}\right)$

$=\displaystyle\lim_{x\to\infty}\dfrac{x\left(1+\sqrt[3]{\dfrac{x}{3-x}}\right)\left(1-\sqrt[3]{\dfrac{x}{3-x}}+\sqrt[3]{\left(\dfrac{x}{3-x}\right)^2}\right)}{1-\sqrt[3]{\dfrac{x}{3-x}}+\sqrt[3]{\left(\dfrac{x}{3-x}\right)^2}}$

$=\displaystyle\lim_{x\to\infty}\dfrac{\dfrac{3x}{3-x}}{1-\sqrt[3]{\dfrac{x}{3-x}}+\sqrt[3]{\left(\dfrac{x}{3-x}\right)^2}}$

$=\dfrac{-3}{1-(-1)+1}=-1$

따라서 구하려는 값은 $3+(-1)=2$

---

10 답 ㄱ, ㄴ, ㄷ

GUIDE

❶ $0<x<1$일 때, $0<f(x)<1$이므로 $\displaystyle\lim_{n\to\infty}\{f(x)\}^n=0$이다.

❷ $0<x<1$, $x=1$, $1<x<2$로 나누어 $p(x)$, $q(x)$, $r(x)$를 각각 구한다.

㈎ $p(x)=\displaystyle\lim_{n\to\infty}\dfrac{2\{f(x)\}^n}{\{f(x)\}^n+1}$에서

x	$0<x<1$	$x=1$	$1<x<2$
$p(x)$	0	1	2

㈏ $q(x)=\displaystyle\lim_{n\to\infty}f^n(x)$에서

x	$0<x<1$	$x=1$	$1<x<2$
$q(x)$	0	1	2

㈐ $r(x)=\displaystyle\lim_{n\to-\infty}\dfrac{2\{f(x)\}^n}{\{f(x)\}^n+1}=\lim_{t\to\infty}\dfrac{2}{1+\{f(x)\}^t}$이므로

x	$0<x<1$	$x=1$	$1<x<2$
$r(x)$	2	1	0

ㄱ. $p(1)=1$, $q(1)=1$, $r(1)=1$ (◯)

ㄴ. $p(x)+r(x)=2$ (◯)

ㄷ. $p(x)=q(x)$ (◯)

참고

❶ 예를 들어 $x=\dfrac{2}{3}$일 때, 그래프에서

$f\left(\dfrac{2}{3}\right)$, $f^2\left(\dfrac{2}{3}\right)$, $f^3\left(\dfrac{2}{3}\right)$, $\cdots$

을 차례로 구해 보면

$\displaystyle\lim_{n\to\infty}f^n\left(\dfrac{2}{3}\right)=0$

임을 알 수 있다. 이것은 $0<x<1$인 모든 x에 대해 성립한다.

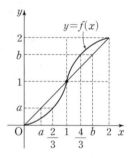

마찬가지로 $x=\dfrac{4}{3}$일 때, 그래프에서

$f\left(\dfrac{4}{3}\right)$, $f^2\left(\dfrac{4}{3}\right)$, $f^3\left(\dfrac{4}{3}\right)$, $\cdots$을 차례로 구해 보면 $\displaystyle\lim_{n\to\infty}f^n\left(\dfrac{4}{3}\right)=2$임을 알 수 있다. 이것은 $1<x<2$인 모든 x에 대해 성립한다.

❷ $n=-t$라 하면 $\displaystyle\lim_{n\to-\infty}\{f(x)\}^n=\lim_{t\to\infty}\{f(x)\}^{-t}$이므로

$\displaystyle\lim_{n\to-\infty}\dfrac{2\{f(x)\}^n}{\{f(x)\}^n+1}=\lim_{t\to\infty}\dfrac{2\{f(x)\}^{-t}}{\{f(x)\}^{-t}+1}=\lim_{t\to\infty}\dfrac{2}{1+\{f(x)\}^t}$

---

11 답 14

GUIDE

$P(a, b)$에서 그은 접선의 방정식이 $ax+by=1$이므로 x절편은 $\left(\dfrac{1}{a}, 0\right)$ $a^2+b^2=1$에서 $b=\sqrt{1-a^2}$이므로 그림처럼 생각하면 삼각형의 밑변 길이는 $\dfrac{1}{a}-1$, 높이는 $|b|=\sqrt{1-a^2}$

$S(a)=\dfrac{1}{2}\sqrt{1-a^2}\times\left(\dfrac{1}{a}-1\right)$

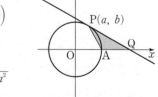

$$\lim_{a \to 1} \frac{S(a)}{(1-a^2)^m} = \frac{\sqrt{1-a^2} \times (1-a)}{2a(1-a^2)^m}$$

$$= \lim_{a \to 1} \frac{(1-a^2)^{\frac{3}{2}}}{2a(1-a^2)^m(1+a)}$$

의 값이 존재하고 그 값이 0이 아니므로 $m=\dfrac{3}{2}$이다.

$$n = \lim_{a \to 1} \frac{1}{2a(1+a)} = \frac{1}{4}$$

$$\therefore 8(m+n) = 8\left(\frac{3}{2} + \frac{1}{4}\right) = 14$$

LECTURE
원 $x^2+y^2=r^2$ 위의 점 $P(a, b)$에서 원에 그은 접선의 방정식은
$ax+by=r^2$

12 ⑤ ②

GUIDE

그림과 같이 보조선을 그어서 생긴 두 직각삼 각형은 서로 합동이다. 직선 OA의 기울기가 m이므로 그림처럼 생각하면

$a^2+m^2a^2=1$에서 $a=\dfrac{1}{\sqrt{m^2+1}}$

$$\therefore A\left(\frac{1}{\sqrt{m^2+1}}, \frac{m}{\sqrt{m^2+1}}\right)$$

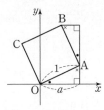

$A\left(\dfrac{1}{\sqrt{m^2+1}}, \dfrac{m}{\sqrt{m^2+1}}\right)$이고,

점 B의 x좌표는 $\dfrac{1}{\sqrt{m^2+1}} - \dfrac{m}{\sqrt{m^2+1}} = \dfrac{1-m}{\sqrt{m^2+1}}$

점 B의 y좌표는 $\dfrac{m}{\sqrt{m^2+1}} + \dfrac{1}{\sqrt{m^2+1}} = \dfrac{1+m}{\sqrt{m^2+1}}$

$$\therefore B\left(\frac{1-m}{\sqrt{m^2+1}}, \frac{1+m}{\sqrt{m^2+1}}\right)$$

이때 $x^2 = \dfrac{(1-m)^2}{m^2+1}$, $y = \dfrac{1+m}{\sqrt{m^2+1}}$ 이므로

$$\lim_{m \to 1} \frac{y - \sqrt{2}}{x^2} = \lim_{m \to 1} \frac{(1+m - \sqrt{2m^2+2})\sqrt{m^2+1}}{(1-m)^2}$$

$$= \lim_{m \to 1} \left\{ \frac{-m^2+2m-1}{(1-m)^2} \times \frac{\sqrt{m^2+1}}{1+m+\sqrt{2m^2+2}} \right\}$$

$$= \lim_{m \to 1} \left(-\frac{\sqrt{m^2+1}}{1+m+\sqrt{2m^2+2}} \right)$$

$$= -\frac{\sqrt{2}}{4}$$

13 ⑤ −1

GUIDE

❶ $\lim_{x \to 0} \dfrac{|x-2a|+b}{x}$에서 $x \to 0$일 때 (분모)$\longrightarrow 0$이고,

극한값이 존재하므로 (분자)$\longrightarrow 0$이어야 한다.

❷ 합차 공식을 써서 절댓값 기호를 없앤다.

$x \to 0$일 때 (분자)$\longrightarrow 0$이어야 하므로

$$\lim_{x \to 0} (|x-2a|+b) = 0 \qquad \therefore b = -2a \ (\because a > 0)$$

$$\lim_{x \to 0} \frac{|x-2a|-2a}{x} = \lim_{x \to 0} \frac{|x-2a|^2-(2a)^2}{x(|x-2a|+2a)}$$

$$= \lim_{x \to 0} \frac{x^2-4ax}{x(|x-2a|+2a)}$$

$$= \lim_{x \to 0} \frac{x-4a}{|x-2a|+2a}$$

$$= \frac{-4a}{4a} = -1$$

14 ⑤ 4

GUIDE

$\lim_{x \to a} f(x) \neq 0$이면 $\lim_{x \to a} \dfrac{f(a)}{f(a)} = 1 \neq \dfrac{3}{5}$이므로

$\lim_{x \to a} f(x) = f(a) = 0$이다.

$f(x) = (x-\alpha)(x-\beta)$이고, $f(a)=0$이므로 $a=\alpha$라 하면

$$\lim_{x \to a} \frac{f(x)-(x-a)}{f(x)+(x-a)} = \lim_{x \to \alpha} \frac{(x-\alpha)(x-\beta)-(x-\alpha)}{(x-\alpha)(x-\beta)+(x-\alpha)}$$

$$= \lim_{x \to \alpha} \frac{(x-\beta)-1}{(x-\beta)+1}$$

$$= \frac{\alpha-\beta-1}{\alpha-\beta+1} = \frac{3}{5}$$

즉 $5(\alpha-\beta)-5 = 3(\alpha-\beta)+3$에서 $2(\alpha-\beta)=8$이므로

$|\alpha-\beta| = 4$

참고

$f(x)=(x-\alpha)(x-\beta)$이고 $f(a)=0$에서

$a=\beta$로 놓고 풀면 $\beta-\alpha=4$를 얻는다.

$\therefore |\alpha-\beta| = 4$

15 ⑤ 2

GUIDE

처음부터 주어진 식의 분모를 유리화하면 더 복잡한 식이 생기는 경우이 므로 분모와 분자를 x^2으로 나누는 것을 생각한다.

$$\lim_{x \to 0} \frac{x^2}{2-x^2-x^n-\sqrt{4-x^2}}$$

$$= \lim_{x \to 0} \frac{1}{\dfrac{2-x^2-x^n-\sqrt{4-x^2}}{x^2}}$$

$$= \lim_{x \to 0} \frac{1}{\dfrac{2-\sqrt{4-x^2}}{x^2} - (x^{n-2}+1)}$$

$$= \lim_{x \to 0} \frac{1}{\dfrac{4-(4-x^2)}{x^2(2+\sqrt{4-x^2})} - (x^{n-2}+1)}$$

$$= \lim_{x \to 0} \frac{1}{\dfrac{1}{2+\sqrt{4-x^2}} - (x^{n-2}+1)}$$

그런데 $\lim\limits_{x \to 0} \dfrac{1}{2+\sqrt{4-x^2}}=\dfrac{1}{4}$이므로

$n>2$일 때, (주어진 식)$=-\dfrac{4}{3}$

$n=2$일 때, (주어진 식)$=-\dfrac{4}{7}$

$n=1$일 때, (주어진 식)$=0$

따라서 구하려는 값은 $n=2$

16 답 ④

GUIDE

❶ $-\dfrac{1}{x}=t$로 치환한다.

❷ 극한값이 존재하려면 (분모) $\longrightarrow 0$일 때 (분자) $\longrightarrow 0$이어야 한다.

(가) $\lim\limits_{x \to 0-} \dfrac{xf\left(-\dfrac{1}{x}\right)}{-x+2}=1$에서 $-\dfrac{1}{x}=t$로 치환하면

$x \longrightarrow 0-$일 때 $t \longrightarrow \infty$이므로

$\lim\limits_{x \to 0-} \dfrac{xf\left(-\dfrac{1}{x}\right)}{-x+2}=\lim\limits_{t \to \infty} \dfrac{-\dfrac{1}{t}f(t)}{\dfrac{1}{t}+2}=\lim\limits_{t \to \infty} \dfrac{-f(t)}{2t+1}=1$

즉 $f(x)=-2x+a$로 놓을 수 있다.

(나) $\lim\limits_{x \to 3} \dfrac{f(x)+3}{x^2-3x}=\lim\limits_{x \to 3} \dfrac{-2x+a+3}{x(x-3)}=\alpha$

극한값이 존재하므로 $\lim\limits_{x \to 3}(-2x+a+3)=0$, $a=3$

$\therefore f(x)=-2x+3$

$\alpha=\lim\limits_{x \to 3} \dfrac{f(x)+3}{x^2-3x}=\lim\limits_{x \to 3} \dfrac{-2x+6}{x(x-3)}=\lim\limits_{x \to 3} \dfrac{-2}{x}=-\dfrac{2}{3}$

따라서 $f(3)=-3$, $\alpha=-\dfrac{2}{3}$이므로

$f(3) \times \alpha=(-3) \times \left(-\dfrac{2}{3}\right)=2$

17 답 ①

GUIDE

$\lim\limits_{x \to a}f(x)=\alpha$, $\lim\limits_{x \to a}g(x)=\beta$일 때

$f(x) \le h(x) \le g(x)$이고, $\alpha=\beta$이면 $\lim\limits_{x \to a}h(x)=\alpha$이다.

$ax+b \le f(x) \le 2x^2+2x+1$인 함수 $f(x)$에 대하여

$\lim\limits_{x \to -2}f(x)$의 값이 존재하려면

$\lim\limits_{x \to -2}(ax+b)=\lim\limits_{x \to -2}(2x^2+2x+1)$이어야 한다.

$-2a+b=5$에서 $b=2a+5$

또 모든 실수 x에 대하여 $ax+2a+5 \le 2x^2+2x+1$,

즉 $2x^2+(2-a)x-2a-4 \ge 0$이 성립하려면

$D=(2-a)^2-4 \times 2 \times (-2a-4)=(a+6)^2 \le 0$

따라서 $a=-6$, $b=-7$이므로 $a+b=(-6)+(-7)=-13$

18 답 ②

GUIDE

$g(1)=0$에서 $g(x)$는 $x-1$을 인수로 가진다. 이때 $\lim\limits_{x \to 1} \dfrac{g(x)}{f(x)}$의 극한값이 존재하지 않으려면 $f(x)$가 $(x-1)^2$을 인수로 가져야 한다.

(가) $\lim\limits_{x \to \infty} \dfrac{f(x)}{g(x)}=\dfrac{1}{2}$에서 $g(x)$의 최고차항은 $2x^3$이다.

또 $g(1)=0$에서 $g(x)$는 $x-1$을 인수로 가지므로

$g(x)=(x-1)(2x^2+ax+b)$라 할 수 있다.

(나) $\lim\limits_{x \to 1} \dfrac{g(x)}{f(x)}$의 값이 존재하지 않으려면 $f(x)$는 반드시

$(x-1)^2$을 인수로 가져야 한다.

(다) $\lim\limits_{x \to -1}(x+1)g(x)=0$이고, $\lim\limits_{x \to -1} \dfrac{f(x)}{(x+1)g(x)}$의 값이 존재

한다. 즉 $\lim\limits_{x \to -1}f(x)=0$이므로 $f(x)$는 $x+1$을 인수로 가진다.

$\therefore f(x)=(x+1)(x-1)^2$

$\lim\limits_{x \to -1} \dfrac{f(x)}{(x+1)g(x)}=\lim\limits_{x \to -1} \dfrac{(x+1)(x-1)^2}{(x+1)(x-1)(2x^2+ax+b)}$

$=-\dfrac{2}{2-a+b}=-\dfrac{2}{9}$

$\therefore a-b=-7$ ...... ㉠

(라) $\lim\limits_{x \to 3} \dfrac{f(x)}{g(x)}=\dfrac{f(3)}{g(3)}=\dfrac{16}{2(18+3a+b)}=8$

$\therefore 3a+b=-17$ ...... ㉡

㉠, ㉡을 연립해서 풀면 $a=-6$, $b=1$이므로

$g(x)=(x-1)(2x^2-6x+1)$

$\therefore \lim\limits_{x \to 2}\{f(x)-g(x)\}=f(2)-g(2)=3-(-3)=6$

19 답 8

GUIDE

❶ 예를 들어 $a=2$일 때 $y=f(x)$의 그래프는 그림과 같으므로 $x \longrightarrow -2$, $x \longrightarrow 2$, $x \longrightarrow 3$일 때 극한값이 없음을 알 수 있다.

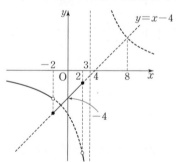

❷ a가 양수이므로 분수함수 그래프와 직선의 교점, 그리고 $a=3$을 기준으로 a값의 범위를 나누어 생각한다.

그림과 같이 분수함수 $y=\dfrac{20}{x-3}$의 그래프와 직선 $y=x-4$의 교점의 x좌표는 $x=-1$, $x=8$이다.

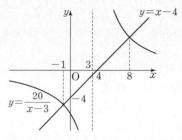

$\lim\limits_{x \to c} f(x)$의 값이 존재하지 않는 c의 값은 다음 각 경우에서

$0<a<1$일 때, $\pm a$, 3

$a=1$일 때, 1, 3

$1<a<3$일 때, $\pm a$, 3

$a=3$일 때, ± 3

$3<a<8$일 때, $\pm a$

$a=8$일 때, -8

$a>8$일 때, $\pm a$

따라서 $a=8$

20 ᖮ ②

GUIDE

$x-3=t$로 치환하면 $x \to 3$일 때 $t \to 0$이므로

$\lim\limits_{x \to 3} \dfrac{f(x-2)}{x-3} = \lim\limits_{t \to 0} \dfrac{f(t+1)}{t} = 2$, 즉 $\dfrac{2f(x+1)-x^2-6x}{f(x+1)+3x^2}$

의 분모, 분자를 x로 나누는 것을 생각한다.

$x-3=t$로 치환하면 $\lim\limits_{x \to 3} \dfrac{f(x-2)}{x-3} = \lim\limits_{t \to 0} \dfrac{f(t+1)}{t} = 2$이므로

$\lim\limits_{x \to 0} \dfrac{2f(x+1)-x^2-6x}{f(x+1)+3x^2} = \lim\limits_{x \to 0} \dfrac{\dfrac{2f(x+1)}{x}-x-6}{\dfrac{f(x+1)}{x}+3x}$

$= \dfrac{2 \times 2-0-6}{2+3 \times 0} = -1$

21 ᖮ 5

GUIDE

$y=f(x)$의 그래프가 주어져 있으므로 $\dfrac{t-1}{t+1}=x$로 치환하는 것을 생각한다. 마찬가지로 $\dfrac{4t-1}{t+1}=x$처럼 치환해서 생각한다.

$t \to \infty$일 때 $\dfrac{t-1}{t+1} \to 1$, $\dfrac{t-1}{t+1}<1$이므로 $\dfrac{t-1}{t+1} \to 1-$

$t \to -\infty$일 때 $\dfrac{4t-1}{t+1} \to 4+$

$\dfrac{t-1}{t+1}=x$로 놓으면 $\lim\limits_{t \to \infty} f\left(\dfrac{t-1}{t+1}\right) = \lim\limits_{x \to 1-} f(x) = 2$

$\dfrac{4t-1}{t+1}=x$로 놓으면 $\lim\limits_{t \to -\infty} f\left(\dfrac{4t-1}{t+1}\right) = \lim\limits_{x \to 4+} f(x) = 3$

$\therefore \lim\limits_{t \to \infty} f\left(\dfrac{t-1}{t+1}\right) + \lim\limits_{t \to -\infty} f\left(\dfrac{4t-1}{t+1}\right) = 2+3 = 5$

주의

$\lim\limits_{t \to -\infty} \dfrac{4t-1}{t+1} = \lim\limits_{t \to -\infty} \left(4-\dfrac{5}{t+1}\right)$이므로

$t \to -\infty$일 때 $\dfrac{4t-1}{t+1} \to 4-$가 아니라 $\dfrac{4t-1}{t+1} \to 4+$임을 주의한다.

22 ᖮ ③

GUIDE

$\dfrac{g(x)}{f(x)} = h(x)$로 놓으면 $g(x) = h(x)f(x)$

$\therefore \log g(x) = \log h(x) + \log f(x)$

$\dfrac{g(x)}{f(x)} = h(x)$로 놓으면

$\lim\limits_{x \to a} \dfrac{\log g(x)}{\log f(x)} = \lim\limits_{x \to a} \dfrac{\log h(x)f(x)}{\log f(x)}$

$= \lim\limits_{x \to a} \dfrac{\log h(x)+\log f(x)}{\log f(x)}$

$= \lim\limits_{x \to a} \left(\dfrac{\log h(x)}{\log f(x)}+1\right) = 0+1 = 1$

참고

$\lim\limits_{x \to a} \dfrac{g(x)}{f(x)} = \lim\limits_{x \to a} h(x) = 100$이므로 $\lim\limits_{x \to a} \dfrac{\log h(x)}{\log f(x)} = \dfrac{\log 100}{\infty} = 0$

23 ᖮ ②

GUIDE

❶ $\lim\limits_{x \to 2} \dfrac{f(\sqrt{f(x)}-\sqrt{x})}{x-2} = \lim\limits_{x \to 2} \left(\dfrac{f(\sqrt{f(x)}-\sqrt{x})}{\sqrt{f(x)}-\sqrt{x}} \times \dfrac{\sqrt{f(x)}-\sqrt{x}}{x-2}\right)$

❷ $\sqrt{f(x)}-\sqrt{x} = t$로 치환하는 것을 생각한다.

$f(x)$가 다항함수이므로 $\lim\limits_{x \to 0} \dfrac{f(x)}{x} = -2$에서 $f(0)=0$이고,

$\lim\limits_{x \to 2} \dfrac{f(x)-2}{x-2} = 5$에서 $f(2)=2$이다.

$\lim\limits_{x \to 2} \dfrac{f(\sqrt{f(x)}-\sqrt{x})}{x-2}$

$= \lim\limits_{x \to 2} \left(\dfrac{f(\sqrt{f(x)}-\sqrt{x})}{\sqrt{f(x)}-\sqrt{x}} \times \dfrac{\sqrt{f(x)}-\sqrt{x}}{x-2}\right)$

$= \lim\limits_{x \to 2} \dfrac{f(\sqrt{f(x)}-\sqrt{x})}{\sqrt{f(x)}-\sqrt{x}} \times \lim\limits_{x \to 2} \dfrac{(\sqrt{f(x)}-\sqrt{x})(\sqrt{f(x)}+\sqrt{x})}{(x-2)(\sqrt{f(x)}+\sqrt{x})}$

$\sqrt{f(x)}-\sqrt{x} = t$라 하면 $x \to 2$일 때, $t \to 0$이므로

$\lim\limits_{x \to 2} \dfrac{f(\sqrt{f(x)}-\sqrt{x})}{\sqrt{f(x)}-\sqrt{x}} \times \lim\limits_{x \to 2} \dfrac{f(x)-x}{(x-2)\sqrt{f(x)}+\sqrt{x}}$

$= \lim\limits_{t \to 0} \dfrac{f(t)}{t} \times \lim\limits_{x \to 2} \left\{\dfrac{f(x)-2-(x-2)}{x-2} \times \dfrac{1}{\sqrt{f(x)}+\sqrt{x}}\right\}$

$= -2 \times \left(\lim\limits_{x \to 2} \dfrac{f(x)-2}{x-2}-1\right) \times \lim\limits_{x \to 2} \dfrac{1}{\sqrt{f(x)}+\sqrt{x}}$

$= (-2) \times (5-1) \times \left(\dfrac{1}{\sqrt{2}+\sqrt{2}}\right) = -2\sqrt{2}$

24 답 ㄱ, ㄷ

GUIDE

ㄱ. $\lim\limits_{x\to 2}\{3f(x)-2g(x)\}=1$이므로 $\lim\limits_{x\to 2}\dfrac{3f(x)-2g(x)}{f(x)}=0$을 이용한다.

ㄴ. $f(x)+4g(x)=7f(x)-2\{3f(x)-2g(x)\}$
$\quad -2f(x)+6g(x)=7f(x)-3\{3f(x)-2g(x)\}$

ㄷ. 분모와 분자를 각각 유리화하고 $\lim\limits_{x\to 2}\{3f(x)-2g(x)\}=1$과
$\lim\limits_{x\to 2}g(x)=\infty$임을 이용한다.

ㄱ. $\lim\limits_{x\to 2}f(x)=\infty$, $\lim\limits_{x\to 2}\{3f(x)-2g(x)\}=1$이므로

$$\lim_{x\to 2}\dfrac{3f(x)-2g(x)}{f(x)}=\lim_{x\to 2}\left(3-\dfrac{2g(x)}{f(x)}\right)=0$$

$$\therefore \lim_{x\to 2}\dfrac{f(x)}{g(x)}=\dfrac{2}{3}\ (\bigcirc)$$

ㄴ. $\lim\limits_{x\to 2}\dfrac{f(x)+4g(x)}{-2f(x)+6g(x)}$

$$=\lim_{x\to 2}\dfrac{7f(x)-2\{3f(x)-2g(x)\}}{7f(x)-3\{3f(x)-2g(x)\}}$$

$$=\lim_{x\to 2}\dfrac{7-\dfrac{2\{3f(x)-2g(x)\}}{f(x)}}{7-\dfrac{3\{3f(x)-2g(x)\}}{f(x)}}=\dfrac{7}{7}=1\ (\times)$$

ㄷ. $\lim\limits_{x\to 2}\dfrac{\sqrt{4g(x)+2x}-\sqrt{6f(x)}}{\sqrt{2g(x)}-\sqrt{3f(x)}}$

$$=\lim_{x\to 2}\dfrac{(4g(x)-6f(x)+2x)(\sqrt{2g(x)}+\sqrt{3f(x)})}{(2g(x)-3f(x))(\sqrt{4g(x)+2x}+\sqrt{6f(x)})}$$

$$=\lim_{x\to 2}\dfrac{4g(x)-6f(x)+2x}{2g(x)-3f(x)}\times\lim_{x\to 2}\dfrac{\sqrt{2g(x)}+\sqrt{3f(x)}}{\sqrt{4g(x)+2x}+\sqrt{6f(x)}}$$

$$=\lim_{x\to 2}\dfrac{2\{3f(x)-2g(x)\}-2x}{3f(x)-2g(x)}\times\lim_{x\to 2}\dfrac{\sqrt{2}+\sqrt{\dfrac{3f(x)}{g(x)}}}{\sqrt{4+\dfrac{2x}{g(x)}}+\sqrt{\dfrac{6f(x)}{g(x)}}}$$

$$=(-2)\times\dfrac{\sqrt{2}+\sqrt{2}}{2+2}=-\sqrt{2}\ (\bigcirc)$$

다른 풀이

ㄴ. $3f(x)-2g(x)=h(x)$라 하면 $\lim\limits_{x\to 2}h(x)=1$이므로

$$\lim_{x\to 2}\dfrac{f(x)+4g(x)}{-2f(x)+6g(x)}$$

$$=\lim_{x\to 2}\dfrac{\dfrac{2g(x)+h(x)}{3}+4g(x)}{-2\times\dfrac{2g(x)+h(x)}{3}+6g(x)}$$

$$=\lim_{x\to 2}\dfrac{14g(x)+h(x)}{14g(x)-2h(x)}$$

$$=\lim_{x\to 2}\dfrac{14+\dfrac{h(x)}{g(x)}}{14-\dfrac{2h(x)}{g(x)}}=1$$

참고

❶ ㄱ에서 $x\to 2$일 때, $\dfrac{3f(x)-2g(x)}{f(x)}\to\dfrac{1}{\infty}$ 꼴이므로

$$\lim_{x\to 2}\dfrac{3f(x)-2g(x)}{f(x)}=0$$

❷ $3f(x)-2g(x)=h(x)$라 하면
$2g(x)=3f(x)-h(x)$, $\lim\limits_{x\to 2}2g(x)=\lim\limits_{x\to 2}3f(x)-\lim\limits_{x\to 2}h(x)=\infty$

$$\therefore \lim_{x\to 2}g(x)=\infty$$

---

25 답 ②

GUIDE

참, 거짓을 따질 경우 반례를 생각해 본다. 함수의 극한에 대한 적당한 반례를 기억하면 좋다.

ㄱ. [반례] $f(x)=x$, $g(x)=\dfrac{1}{x}$일 때,

$\lim\limits_{x\to 0}\dfrac{f(x)}{g(x)}=\lim\limits_{x\to 0}x^2=0$으로 $\lim\limits_{x\to 0}\dfrac{f(x)}{g(x)}$의 값은 존재하지만

$\lim\limits_{x\to 0}g(x)$의 값이 존재하지 않는다. ($\bigcirc$)

ㄴ. $\lim\limits_{x\to a}\dfrac{f(x)}{g(x)}=\alpha$, $\lim\limits_{x\to a}f(x)g(x)=0$일 때,

$$\lim_{x\to a}\{f(x)\}^2=\lim_{x\to a}\left\{\dfrac{f(x)}{g(x)}\times f(x)g(x)\right\}$$

$$=\lim_{x\to a}\dfrac{f(x)}{g(x)}\times\lim_{x\to a}f(x)g(x)$$

$$=\alpha\times 0=0$$

즉 $\lim\limits_{x\to a}f(x)=0$이므로 $\lim\limits_{x\to a}f(x)$의 값이 존재한다. ($\bigcirc$)

ㄷ. [반례] $f(x)=\begin{cases}1 & (x\geq 0)\\ -1 & (x<0)\end{cases}$, $g(x)=x^2$이면

$\lim\limits_{x\to 0}g(f(x))=1$, $\lim\limits_{x\to f(0)}g(x)=1$이므로 극한값이 존재하지만 $\lim\limits_{x\to 0}f(x)$의 값은 존재하지 않는다. ($\times$)

---

26 답 ㄹ

GUIDE

ㄴ. 함수 $y=f(x)$가 $x=a$에서 연속인지 따져 본다.

ㄹ. 대우를 생각해 본다.

ㄱ. [반례] $f(x)=\begin{cases}2 & (x<1)\\ 1 & (x\geq 1)\end{cases}$이면 $\lim\limits_{x\to\infty}f\left(1-\dfrac{1}{x^2}\right)=2$이므로

$\lim\limits_{x\to 1-}f(x)=2$이지만 $\lim\limits_{x\to 1+}f(x)=1$

즉 $\lim\limits_{x\to 1}f(x)$는 존재하지 않는다. ($\times$)

ㄴ. $\lim\limits_{x\to a}f(x)=0$이지만 함숫값은 알 수 없다. ($\times$)

ㄷ. [반례] $f(x)=\begin{cases}1 & (x<0)\\ -1 & (x\geq 0)\end{cases}$, $g(x)=\begin{cases}-1 & (x<0)\\ 1 & (x\geq 0)\end{cases}$이면

$\lim\limits_{x\to 1}f(x)$와 $\lim\limits_{x\to 1}g(x)$ 어느 것도 존재하지 않지만

$\lim_{x \to 1} \{f(x)+g(x)\}=0$이다. (×)

ㄹ. 대우 「$\lim_{x \to a} g(x)$, $\lim_{x \to a} \dfrac{f(x)}{g(x)}$ 값이 모두 존재하면 $\lim_{x \to a} f(x)$

도 존재한다.」가 참이므로 참이다. (○)

참고

ㄴ에서 $f(x)$가 다항함수가 아니면 왼쪽 그림처럼 $f(a) \neq \lim_{x \to a} f(x)$인 경우도 생각할 수 있다. $f(x)$가 다항함수이면 $x=a$에서 연속일 때 극한값과 함숫값이 모두 존재한다. 즉 $\lim_{x \to a} f(x)=f(a)$이다.

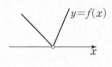
극한값 $\lim_{x \to a} f(x)=0$이지만
함숫값 $f(a)$가 없다.

극한값 $\lim_{x \to a} f(x)=0$
함숫값 $f(a)=0$

STEP 3 | 1등급 뛰어넘기 p. 14~16

01 ①	02 5	03 192	04 ⑤
05 5	06 ④	07 ㄱ, ㄷ	08 2
09 ①	10 38	11 11	

---

01 답 ①

GUIDE

$\lim_{x \to 2} f(x)-f(2)$를 구해야 하므로 $x=2$일 때와 $x \neq 2$일 때로 구분해서 $f(x)$를 구한다.

$x=2$일 때, $f(2)=\lim_{t \to 2} \dfrac{(t-1)(t-2)}{(t-2)(t-4)}=-\dfrac{1}{2}$

$x \neq 2$일 때, $f(x)=\lim_{t \to 2} \dfrac{t^2-3t+x}{(t-x)(t-4)}=\dfrac{-2+x}{(2-x)(-2)}=\dfrac{1}{2}$

$x \longrightarrow 2$일 때, $g(x) \longrightarrow 2$이므로 $\lim_{x \to 2} f(g(x))=\dfrac{1}{2}$이다.

또 $f(\lim_{x \to 2} g(x))=f(2)=-\dfrac{1}{2}$

$\therefore \lim_{x \to 2} f(g(x))-f(\lim_{x \to 2} g(x))=\dfrac{1}{2}-\left(-\dfrac{1}{2}\right)=1$

---

02 답 5

GUIDE

$\dfrac{\{f(x)\}^2+af(x)g(x)+b\{g(x)\}^2}{\{f(x)-3g(x)\}(x-2)}$ 의 분모, 분자를 각각 $(x-2)^2$으로 나눈 결과에서 주어진 조건을 이용한다.

$\lim_{x \to 2} \dfrac{\{f(x)\}^2+af(x)g(x)+b\{g(x)\}^2}{\{f(x)-3g(x)\}(x-2)}$

$=\lim_{x \to 2} \dfrac{\left[\dfrac{f(x)}{x-2}\right]^2+a\left[\dfrac{f(x)}{x-2}\right]\left[\dfrac{g(x)}{x-2}\right]+b\left[\dfrac{g(x)}{x-2}\right]^2}{\dfrac{f(x)}{x-2}-\dfrac{3g(x)}{x-2}}=5$

에서 분모의 극한값이 0이므로 분자의 극한값도 0이다.

즉 $9+3a+b=0$, $b=-3a-9$

$\lim_{x \to 2} \dfrac{\{f(x)\}^2+af(x)g(x)-3(a+3)\{g(x)\}^2}{\{f(x)-3g(x)\}(x-2)}$

$=\lim_{x \to 2} \dfrac{\{f(x)-3g(x)\}\{f(x)+(a+3)g(x)\}}{\{f(x)-3g(x)\}(x-2)}$

$=\lim_{x \to 2} \dfrac{f(x)+(a+3)g(x)}{x-2}=3+a+3=5$

따라서 $a=-1$, $b=-6$이므로 $a-b=5$

---

03 답 192

GUIDE

❶ 극한값을 가지는 조건을 이용해 $f(x)$의 인수를 하나씩 찾는다.
❷ 극한값이 존재하면 좌극한과 우극한이 서로 같다.

㈎에서 $\lim_{x \to 0} \dfrac{f(x)}{|x|}$ 의 값이 존재하려면 $f(0)=0$이어야 한다.

즉 $f(x)$는 상수항이 0이므로 다항식 $g(x)$에 대하여 $f(x)=xg(x)$라 할 수 있다.

이때 $\lim_{x \to 0+} \dfrac{xg(x)}{|x|}=g(0)$, $\lim_{x \to 0-} \dfrac{xg(x)}{|x|}=-g(0)$이고,

좌극한과 우극한이 같아야 하므로 $g(0)=-g(0)$에서 $g(0)=0$

즉 $g(x)$도 x를 인수로 가지므로, $f(x)$는 x^2을 인수로 가진다.

㈏에서 $\lim_{x \to 2+} \dfrac{f(x)}{[x]}=\dfrac{f(2)}{2}$, $\lim_{x \to 2-} \dfrac{f(x)}{[x]}=f(2)$이므로

$\dfrac{f(2)}{2}=f(2)$에서 $f(2)=0$이다. 즉 $f(x)$는 $x-2$를 인수로 가지므로 다항식 $h(x)$에 대하여 $f(x)=x^2(x-2)h(x)$라 할 수 있다. 또 ㈐에서

$\lim_{x \to 2} \dfrac{f(x)}{f(2-x)}=\lim_{x \to 2} \dfrac{x^2(x-2)h(x)}{-x(2-x)^2h(2-x)}$

$\qquad\qquad =\lim_{x \to 2} \dfrac{xh(x)}{(2-x)h(2-x)}$

극한값이 존재하려면 $h(2)=0$이어야 하고,

$h(x)=3(x-2)$일 때 $f(x)$의 차수가 가장 낮다.

따라서 $f(x)=3x^2(x-2)^2$이므로 $f(4)=192$

---

04 답 ⑤

GUIDE

❶ $\lim_{x \to a} \dfrac{f(x)}{g(x)}=(n-1)(n-2)$에 $n=1, 2, 3, 4$를 차례로 대입해 본다.
❷ $g(1)=0$이므로 삼차함수 $g(x)$는 $g(x)=(x-1)(x^2+ax+b)$로 놓을 수 있다.

$n=1$일 때, $\lim\limits_{x \to 1} \dfrac{f(x)}{g(x)}=0$ ······ ㉠

$n=2$일 때, $\lim\limits_{x \to 2} \dfrac{f(x)}{g(x)}=0$ ······ ㉡

$n=3$일 때, $\lim\limits_{x \to 3} \dfrac{f(x)}{g(x)}=2$ ······ ㉢

$n=4$일 때, $\lim\limits_{x \to 4} \dfrac{f(x)}{g(x)}=6$ ······ ㉣

㉮에서 $g(1)=0$이므로 최고차항의 계수가 1인 삼차함수 $g(x)$는 $g(x)=(x-1)(x^2+ax+b)$로 놓을 수 있다.

이때 ㉠, ㉡에서 $f(x)=(x-1)^2(x-2)$이고

㉢에서 $\lim\limits_{x \to 3} \dfrac{f(x)}{g(x)}=\dfrac{2}{9+3a+b}=2$이므로

$3a+b+8=0$ ······ ㉤

㉣에서 $\lim\limits_{x \to 4} \dfrac{f(x)}{g(x)}=\dfrac{6}{16+4a+b}=6$이므로

$4a+b+15=0$ ······ ㉥

㉤, ㉥을 연립하여 풀면 $a=-7$, $b=13$

$\therefore g(x)=(x-1)(x^2-7x+13)$, $g(5)=4\times3=12$

05 답 5

GUIDE

❶ 중점 조건과 수직 조건을 이용해 P의 좌표를 m으로 나타낸다.

❷ 점 (x_1, y_1)에서 직선 $ax+by+c=0$까지의 거리 d는
$$d=\dfrac{|ax_1+by_1+c|}{\sqrt{a^2+b^2}}$$

원점을 직선 $y=m(x-2)$에 대하여 대칭이동한 점을 (a, b)라 하면 $\left(\dfrac{a}{2}, \dfrac{b}{2}\right)$가 $y=m(x-2)$ 위에 있으므로

$\dfrac{b}{2}=m\left(\dfrac{a}{2}-2\right)$, $b=m(a-4)$ ······ ㉠

원점과 점 (a, b)를 지나는 직선이 $y=m(x-2)$와 서로 수직이므로 $\dfrac{b}{a}\times m=-1$, $mb=-a$ ······ ㉡

㉠, ㉡을 연립해서 풀면 $a=\dfrac{4m^2}{m^2+1}$, $b=\dfrac{-4m}{m^2+1}$

$f(m)=\dfrac{\left|\dfrac{4m^2}{m^2+1}+\dfrac{4m}{m^2+1}-4\right|}{\sqrt{2}}=\dfrac{|4(m-1)|}{\sqrt{2}(m^2+1)}$

$\lim\limits_{m \to 1} \dfrac{\sqrt{2}|m^2+3m-4|}{f(m)}=\lim\limits_{m \to 1} \dfrac{2(m^2+1)|m^2+3m-4|}{|4(m-1)|}$
$=\lim\limits_{m \to 1} \dfrac{(m^2+1)|m+4|}{2}=5$

06 답 ④

GUIDE

$\lim\limits_{x \to -\infty}[\{f(x)\}^2+4x^7]=-\infty$이므로
$\{f(x)\}^2+4x^7$에서 최고차항은 $4x^7$이다.

㉮ $\lim\limits_{x \to -\infty}[\{f(x)\}^2+4x^7]=-\infty$에서 $x \longrightarrow -\infty$이면 $\{f(x)\}^2 \longrightarrow \infty$이고 $4x^7 \longrightarrow -\infty$이므로 $f(x)$는 삼차 이하인 다항함수이다.

㉯에서 $\lim\limits_{x \to 1} \dfrac{f(x)}{x-2\sqrt{x}+1}=\lim\limits_{x \to 1} \dfrac{f(x)}{(\sqrt{x}-1)^2}$
$=\lim\limits_{x \to 1} \dfrac{f(x)(\sqrt{x}+1)^2}{(x-1)^2}=8$

이고 $f(x)$가 다항함수이므로 $(x-1)^2$을 인수로 가진다.

$f(x)=(x-1)^2(x+a)$라 하면

$\lim\limits_{x \to 1} \dfrac{f(x)(\sqrt{x}+1)^2}{(x-1)^2}=\lim\limits_{x \to 1} \dfrac{(x-1)^2(x+a)(\sqrt{x}+1)^2}{(x-1)^2}$
$=\lim\limits_{x \to 1}(x+a)(\sqrt{x}+1)^2=4(1+a)=8$

따라서 $a=1$이고, $f(x)=(x+1)(x-1)^2$에서 $f(3)=16$

참고

❶ 함수 $f(x)$의 최고차항이 x^n이라 하면 $\{f(x)\}^2+4x^7=4x^7+x^{2n}+\cdots$에서 $2n$이 될 수 있는 값은 2, 4, 6 중 하나이다.

❷ $f(x)$가 다항함수라는 조건이 없다면
$\lim\limits_{x \to 1} \dfrac{f(x)}{x-2\sqrt{x}+1}=\lim\limits_{x \to 1} \dfrac{f(x)}{(\sqrt{x}-1)^2}=\lim\limits_{x \to 1} \dfrac{f(x)(\sqrt{x}+1)^2}{(x-1)^2}=8$
에서 $(x-1)^2$을 인수로 가진다고 단정할 수 없다.

❸ $f(x)$가 이차함수이면 $f(x)=(x-1)^2$이므로
$\lim\limits_{x \to 1} \dfrac{f(x)(\sqrt{x}+1)^2}{(x-1)^2}=4$가 되어 ㉯에 어긋난다.

07 답 ㄱ, ㄷ

GUIDE

❶ $\{f(x)\}^2-x^2 f(x)+x^3-x^2=\{f(x)-x\}\{f(x)-x^2+x\}=0$에서 $f(x)=x$ 또는 $f(x)=x^2-x$

❷ $\lim\limits_{x \to a} f(x)$의 값이 존재하려면 유일해야 한다.

ㄱ. $f(1)=1$이거나 $f(1)=1^2-1=0$이므로
$f(1)\neq1$이면 $f(1)=0$이다. (○)

ㄴ. $\lim\limits_{x \to -1} f(x)=-1$이거나 $\lim\limits_{x \to -1} f(x)=2$가 되어 서로 다르므로 $\lim\limits_{x \to -1} f(x)$의 값이 존재하지 않는다. (×)

ㄷ. 방정식 $x=x^2-x$의 해는 $x=0$ 또는 $x=2$이고 $\lim\limits_{x \to 0} f(x)=0$, $\lim\limits_{x \to 2} f(x)=2$이어서 각각 유일하게 정해진다. 즉 $\lim\limits_{x \to a} f(x)$의 값이 존재하는 a값은 0과 2로 2개이다. (○)

1등급 NOTE

모든 실수 x에 대하여 $f(x)=x$ 또는 $f(x)=x^2-x$는 어떤 실수 a에 대하여 $f(a)$값이 a 또는 a^2-a인 것을 뜻한다.

$\lim\limits_{x \to a} f(x)$값이 존재하려면 서로 다른 두 가지 꼴로 나타나는 $f(x)$지만 $x \to a$일 때 $f(a)$값이 서로 같아야 한다는데서 힌트를 찾을 수 있다.

08 $\boxed{\text{답}}$ 2

GUIDE

0을 기준으로 다항함수가 각각 정의되므로 $\lim_{x \to 0} f(x)$의 값이 존재하면 모든 실수 k에 대하여 $\lim_{x \to 0} (f \circ f)(x)$의 값이 존재하게 된다. 즉 $\lim_{x \to 0} f(x)$의 값은 존재하지 않아야 한다.

$\lim_{x \to 0} f(x)$의 값은 존재하지 않으므로

양수 a에 대하여 $\lim_{x \to a} (f \circ f)(x)$

의 값이 존재하지 않으려면

$f(a) = 0$이어야 한다.

$\therefore b = 0$

이때 $y = f(x)$의 그래프는 오른쪽과 같다.

$\lim_{x \to a} (f \circ f \circ f)(x)$의 값이 존재하려면

$\lim_{x \to a+} (f \circ f \circ f)(x) = \lim_{x \to a-} (f \circ f \circ f)(x)$이어야 한다.

$x \to a+$이면 $y = f(x)$의 그래프에서 $f(x) \to 0+$이므로

$f(f(x)) \to 0-$이고, 이때 $f(f(f(x))) \to 3$이다.

$\therefore \lim_{x \to a+} (f \circ f \circ f)(x) = 3$

$x \to a-$이면 $y = f(x)$의 그래프에서 $f(x) \to 0-$이므로

$f(f(x)) \to 3-$이고, 이때 $f(f(f(x))) \to 9 - 3a$이다.

$\therefore \lim_{x \to a-} (f \circ f \circ f)(x) = 9 - 3a$

따라서 $3 = 9 - 3a$에서 $a = 2$이므로 $a + b = 2 + 0 = 2$

채점 기준	배점
① b값 구하기	30%
② a값 구하기	70%

09 $\boxed{\text{답}}$ ①

GUIDE

❶ 원의 중심 (p, q)에서 두 직선에 이르는 거리는 원의 반지름 길이와 같다.

❷ 점 (p, q)가 직선 l의 아래쪽에 있으므로 $2p + q - a < 0$
또 점 (p, q)가 직선 m의 아래쪽에 있으므로 $p - 2q + 2a > 0$

원의 중심 (p, q)에서

직선 $2x + y - a = 0$까지 거리는 $\dfrac{|2p+q-a|}{\sqrt{5}}$이고,

직선 $x - 2y + 2a = 0$까지 거리는 $\dfrac{|p-2q+2a|}{\sqrt{5}}$이다.

$\therefore \dfrac{|2p+q-a|}{\sqrt{5}} = \dfrac{|p-2q+2a|}{\sqrt{5}} = q + 1$

점 (p, q)가 두 직선의 아래쪽에 있으므로

$2p + q - a < 0$, $p - 2q + 2a > 0$

즉 $\dfrac{|2p+q-a|}{\sqrt{5}} = \dfrac{|p-2q+2a|}{\sqrt{5}} = q + 1$에서

$-2p - q + a = p - 2q + 2a = \sqrt{5}q + \sqrt{5}$

(ⅰ) $-2p - q + a = p - 2q + 2a$에서 $q = 3p + a$

(ⅱ) $p - 2q + 2a = \sqrt{5}q + \sqrt{5}$에서 $p = (2 + \sqrt{5})q - 2a + \sqrt{5}$

(ⅰ), (ⅱ)에서 $p = (2 + \sqrt{5})(3p + a) - 2a + \sqrt{5}$이므로

$p = \dfrac{-\sqrt{5}a - \sqrt{5}}{5 + 3\sqrt{5}} = \dfrac{-\sqrt{5}(a+1)}{5 + 3\sqrt{5}} = \dfrac{-(a+1)}{\sqrt{5} + 3}$

$\therefore \lim_{a \to -1} \dfrac{p}{a^2 - 1} = \lim_{a \to -1} \left\{ \dfrac{-(a+1)}{\sqrt{5}+3} \times \dfrac{1}{a^2-1} \right\}$

$\qquad = \lim_{a \to -1} \dfrac{1}{(\sqrt{5}+3)(1-a)} = \dfrac{3 - \sqrt{5}}{8}$

참고

직선 l: $y = -2x + a$ 보다 아래쪽은 $y < -2x + a$이므로 $2x + y - a < 0$

직선 m: $y = \dfrac{1}{2}x + a$ 보다 아래쪽은 $y < \dfrac{1}{2}x + a$이므로 $x - 2y + 2a > 0$

10 $\boxed{\text{답}}$ 38

GUIDE

❶ 음이 아닌 정수 k에 대하여 $f(k)$, $g(k)$는 정수이다.

❷ 예를 들어 $h(2) = 1 + \{g(1) - f(1) + 1\} + \{g(2) - f(2) + 1\}$이므로
$t \le 12$일 때, $h(t) = \sum_{k=0}^{t} \{g(k) - f(k) + 1\}$이다.

❸ $t \to c+$이면 $h(c)$를 포함하지만 $t \to c-$이면 $h(c)$를 포함하지 않는다.

※ $t > 12$인 경우도 빠뜨리지 않는다.

(ⅰ) $t \le 12$일 때,

$\displaystyle \lim_{t \to c+} h(t) = \sum_{k=0}^{c} (-k^2 + 12k + 1)$,

$\displaystyle \lim_{t \to c-} h(t) = \sum_{k=0}^{c-1} (-k^2 + 12k + 1)$

(ⅱ) $t > 12$일 때,

$\displaystyle \lim_{t \to c+} h(t) = \sum_{k=0}^{11} (-k^2 + 12k + 1) + \sum_{k=12}^{c} (k^2 - 12k + 1)$

$\displaystyle \lim_{t \to c-} h(t) = \sum_{k=0}^{11} (-k^2 + 12k + 1) + \sum_{k=12}^{c-1} (k^2 - 12k + 1)$

(ⅰ), (ⅱ)에서 $\lim_{t \to c+} h(t) - \lim_{t \to c-} h(t) = |c^2 - 12c + 1|$

즉 $26 \le |c^2 - 12c + 1| < 34$를 $y = |x^2 - 12x + 1|$에서 다음 그림처럼 생각할 수 있다.

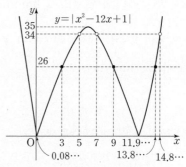

따라서 가능한 c값은 3, 4, 8, 9, 14이므로
구하려는 값은 $3 + 4 + 8 + 9 + 14 = 38$

참고

❶ $f(x)=x^2-10x$와 $g(x)=2x$ 둘레와 그 내부에서 $x=k$ (k는 12보다 작은 자연수)일 때, x, y좌표가 모두 정수인 점은 (k, k^2-10k)부터 y좌표가 1씩 차례로 커져 $(k, 2k)$까지이므로 그 개수는 $2k-(k^2-10k)+1=-k^2+12k+1$이다.

❷ $t>12$일 때는 간단한 예, 즉 $t \to 13+$인 경우와 $t \to 13-$인 경우로 나누어 생각해서 일반성을 찾는다.

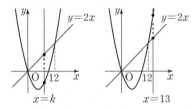

11 달 11

GUIDE

흡수 부분을 포함한 정사각형 ABCD를 꼭짓점 A가 원점에 오도록 좌표평면에 놓고, 대칭이동을 이용하여 계속 확장해 보자.

A$(0, 0)$, B$(1, 0)$, C$(1, 1)$, D$(0, 1)$이 네 꼭짓점이 되도록 정사각형 ABCD를 좌표평면에 놓고, 빛이 반사되는 부분을 대칭이동을 이용하여 계속 확장해 보자. 이때 빛이 흡수되는 부분과 $\tan\theta=\dfrac{3}{4}$인 빛을 다음과 같이 나타낼 수 있다.

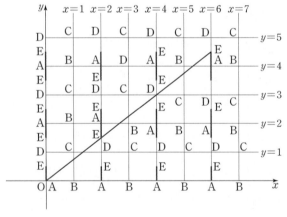

$x \to \dfrac{3}{4}-$일 때, 빛이 반사되는 지점은 $x=1, 2, 3, 4, 5$와 $y=1, 2, 3, 4$와 만나는 교점의 개수이므로 $\displaystyle\lim_{x \to \frac{3}{4}-} f(x)=9$

$x \to \dfrac{3}{4}+$일 때, 빛이 반사되는 지점은 직선 $x=1$, $y=1$과 만나는 교점의 개수이므로 $\displaystyle\lim_{x \to \frac{3}{4}+} f(x)=2$

참고

$x \to \dfrac{3}{4}-$일 때 빛은 점 $(4, 3)$의 바로 아래를 지나므로 $\overline{\text{DE}}$, $\overline{\text{DC}}$에서 두 번 반사된다고 할 수 있다.

---

02 함수의 연속

01 달 ②

GUIDE

$x=1$일 때 우극한과 좌극한, 함숫값을 비교한다.

ㄱ. $\displaystyle\lim_{x \to 1-} x[x-1]=-1$, $\displaystyle\lim_{x \to 1+} x[x-1]=0$으로 좌극한값과 우극한값이 다르므로 극한값이 존재하지 않는다.

ㄴ. 우극한값, 좌극한값이 모두 0으로 같고, 함숫값도 0이다.

ㄷ. $\displaystyle\lim_{x \to 1-} [x(x-1)]=-1$, $\displaystyle\lim_{x \to 1+} [x(x-1)]=0$으로 좌극한값과 우극한값이 다르므로 극한값이 존재하지 않는다.

02 달 -4

GUIDE

$g(x)$가 $f(x)$의 접선이 되는 a값을 경계로 구분한다.

직선 $g(x)=ax-1$은 a값에 관계없이 점 $(0, -1)$을 지나므로 그림과 같이 생각할 수 있다. 이때 포물선과 접선이 접할 때의 a값은 $x^2=ax-1$이 중근을 가질 때이므로 $x^2-ax+1=0$에서 $D=a^2-4=0$ $\therefore a=-2, 2$

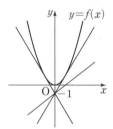

즉 $h(a)=\begin{cases} 2 & (|a|>2) \\ 0 & (|a|<2) \\ 1 & (|a|=2) \end{cases}$ 이므로

함수 $h(a)$는 $a=-2, 2$일 때 불연속이다.
따라서 $(-2) \times 2 = -4$

03 달 -1

GUIDE

$x=-1$과 $x=1$에서 연속임을 이용한다.

$\displaystyle\lim_{x \to -1-} f(x)=2-a+b$, $\displaystyle\lim_{x \to -1+} f(x)=f(-1)=0$에서
$a-b=2$ ⋯⋯ ㉠
또 $\displaystyle\lim_{x \to 1+} f(x)=2+a+b$, $\displaystyle\lim_{x \to 1-} f(x)=f(1)=2$에서
$a+b=0$ ⋯⋯ ㉡
㉠, ㉡에서 $a=1$, $b=-1$이므로
$ab=-1$

04 답 −2

GUIDE
❶ $x=1$과 $x=3$일 때 연속임을 이용한다.
❷ 주기가 4이므로 $\lim\limits_{x\to 1+} f(x) = \lim\limits_{x\to 1-} f(x)$임을 이용한다.

$f(1) = \lim\limits_{x\to 1+} f(x) = a+9$, $\lim\limits_{x\to 1-} f(x) = \lim\limits_{x\to 5-} f(x) = 15+b$

에서 $b = a-6$ ······ ㉠

$f(3) = \lim\limits_{x\to 3+} f(x) = 9+b$, $\lim\limits_{x\to 3-} f(x) = 3a+17$에서

$b = 3a+8$ ······ ㉡

㉠, ㉡에서 $a=-7$, $b=-13$

$\therefore f(6) = f(2) = 2^2 - 7 \times 2 + 8 = -2$

05 답 2

GUIDE
(분모)$\neq 0$인 경우를 생각한다. 즉 이차식인 분모의 최고차항의 계수가 양수이므로 (분모)>0이어야 한다.

분모와 분자가 각각 다항함수로 연속이므로
분모 $x^2 - 2(k+1)x + 3k+7$이 0이 아니면 된다.
즉 $x^2 - 2(k+1)x + 3k+7 > 0$이어야 하므로 판별식

$\dfrac{D}{4} = (k+1)^2 - (3k+7) = (k+2)(k-3) < 0$

에서 $-2 < k < 3$이고, 이 범위에 속한 정수 k값의 합은 2

06 답 1

GUIDE
등식의 양변에 $x=1$을 대입해 본다.

주어진 식의 양변에 $x=1$을 대입하면 $k=0$
또 함수 $f(x)$가 $x=1$일 때도 연속이므로

$f(1) = \lim\limits_{x\to 1} f(x) = \lim\limits_{x\to 1} \dfrac{x^2 - x}{x-1} = \lim\limits_{x\to 1} x = 1$

$\therefore k + f(1) = 0 + 1 = 1$

07 답 2

GUIDE
❶ $f(x) = t$로 치환한다.
❷ 함수 $y = (g \circ f)(x)$가 $x=1$에서 연속이면 $\lim\limits_{x\to 1} g(f(x)) = g(f(1))$
이 성립함을 이용한다.

$f(x)$를 t로 치환하면
$x \longrightarrow 1-$일 때 $t \longrightarrow -1+$이므로
$\lim\limits_{x\to 1-} g(f(x)) = \lim\limits_{t\to -1+} g(t) = 1$
$x \longrightarrow 1+$일 때 $t \longrightarrow 0+$이므로
$\lim\limits_{x\to 1+} g(f(x)) = \lim\limits_{t\to 0+} g(t) = 1$
$\therefore \lim\limits_{x\to 1} g(f(x)) = 1$

$\lim\limits_{x\to 1} g(f(x)) = g(f(1))$이어야 하고, 이때
$g(f(1)) = g(a)$이므로 $g(a) = 1$
함수 $y = g(x)$의 그래프에서 $g(a) = 1$인 양수 $a = 2$

08 답 (1) −1 (2) 3

GUIDE
분수함수는 분모가 0이 되는 x값에서 불연속이다.

(1) 함수 $f(x) = \dfrac{2}{x+1}$, $g(x) = \dfrac{1}{x-2}$에서

$g(f(x)) = \dfrac{1}{f(x)-2} = \dfrac{1}{\dfrac{2}{x+1}-2}$

(ⅰ) $x+1 = 0$일 때 함수 $g(f(x))$는 정의되지 않는다.
따라서 불연속이다. 이때 $x=-1$

(ⅱ) $\dfrac{2}{x+1} - 2 = 0$일 때, 함수 $g(f(x))$는 정의되지 않는다.
따라서 불연속이다. 이때

$\dfrac{2}{x+1} = 2$, $x+1 = 1$ $\therefore x=0$

(ⅰ), (ⅱ)에서 함수 $g(f(x))$는 $x=-1$, $x=0$일 때 불연속
$\therefore -1 + 0 = -1$

(2) 함수 $f(x) = \dfrac{2}{x+1}$, $g(x) = \dfrac{1}{x-2}$에서

$f(g(x)) = \dfrac{2}{g(x)+1} = \dfrac{2}{\dfrac{1}{x-2}+1}$

(ⅰ) $x-2 = 0$일 때, 함수 $f(g(x))$는 정의되지 않는다.
따라서 불연속이다. 이때 $x=2$

(ⅱ) $\dfrac{1}{x-2} + 1 = 0$일 때, 함수 $f(g(x))$는 정의되지 않는다.
따라서 불연속이다. 이때

$\dfrac{1}{x-2} = -1$, $x-2 = -1$ $\therefore x=1$

(ⅰ), (ⅱ)에서 함수 $f(g(x))$는 $x=1$, $x=2$일 때 불연속
$\therefore 1 + 2 = 3$

참고

$f(x) = \dfrac{2}{x+1}$, $g(x) = \dfrac{1}{x-2}$에서 합성함수

$(f \circ g)(x) = f(g(x)) = \dfrac{2}{g(x)+1} = -\dfrac{2}{x-1} + 2$

가 $x=1$에서만 불연속이라고 생각하면 안된다.
$g(2)$의 값이 존재하지 않으므로 $(f \circ g)(2)$도 존재하지 않는다.

09 답 ④

GUIDE
$\lim\limits_{n\to\infty} x^n$을 포함한 식이므로 $|x|>1$, $|x|<1$, $x=1$, $x=-1$로 나누어 $f(x)$를 구한다.

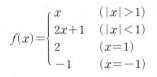

$$f(x)=\begin{cases} x & (|x|>1) \\ 2x+1 & (|x|<1) \\ 2 & (x=1) \\ -1 & (x=-1) \end{cases}$$

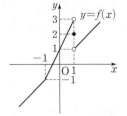

ㄱ. $x=-1$에서 좌극한, 우극한 모두 -1이다. (○)

ㄴ. $f(x)$는 $x=1$에서 불연속이다. (×)

ㄷ. $x=1$에서 $(x-1)f(x)$의 좌극한, 우극한, 함숫값이 모두 0이 되어서 연속이다. 함수 $f(x)$가 $x=1$에서만 불연속이므로 $(x-1)f(x)$가 $x=1$에서 연속이면 실수 전체에서 연속이 된다.

(○)

10 @ ⑤
GUIDE
$f(2)\times f(3)<0$, $f(3)\times f(4)<0$, $f(4)\times f(5)<0$이다.

$f(2)\times f(3)<0$이므로 사잇값 정리에 따라 방정식 $f(x)=0$은 열린구간 $(2, 3)$에서 적어도 하나의 실근을 가진다.
마찬가지로 $f(3)\times f(4)<0$이므로 구간 $(3, 4)$, $f(4)\times f(5)<0$이므로 구간 $(4, 5)$에서 각각 적어도 하나의 실근을 가진다.
따라서 방정식 $f(x)=0$의 실근은 적어도 3개 존재한다.

11 @ ㄴ, ㄹ, ㅁ
GUIDE
$f(x)=x^3-3x^2+3$으로 놓고 $f(-2)$, $f(-1)$, $\cdots$, $f(3)$의 부호를 확인해 본다.

$f(x)=x^3-3x^2+3$에서 $f(-2)=-17$, $f(-1)=-1$, $f(0)=3$, $f(1)=1$, $f(2)=-1$, $f(3)=3$
이다. 이때 $f(x)$의 부호가 바뀌는 구간에서 적어도 하나의 실근을 가지므로 구간 $(-1, 0)$, $(1, 2)$, $(2, 3)$ 각각에서 적어도 하나의 실근을 가진다. 그런데 방정식 $f(x)=0$에서 실근이 3개라 했으므로 위 각 구간에서 실근이 한 개씩 존재한다.

12 @ ㄱ, ㄷ
GUIDE
주어진 방정식의 좌변을 $f(x)$로 놓고 $f(1)\times f(2)<0$인 것을 찾는다.

ㄱ. $f(x)=2^x-\dfrac{1}{2^x}-2$라 하면 $f(x)$는 구간 $[1, 2]$에서 연속이고

$f(1)f(2)=\left(-\dfrac{1}{2}\right)\times\dfrac{7}{4}<0$이므로 방정식 $f(x)=0$은

$1<x<2$에서 적어도 하나의 실근을 가진다.

ㄴ. $g(x)=x+\sin\dfrac{\pi}{2}x+1$이라 하면 $g(x)$는 구간 $[1, 2]$에서

연속이고, $1\leq x\leq 2$일 때 $2\leq x+1\leq 3$, $-1\leq\sin\dfrac{\pi}{2}x\leq 1$

이므로 $1\leq x+1+\sin\dfrac{\pi}{2}x\leq 4$이다.

따라서 방정식 $g(x)=0$은 $1<x<2$에서 실근을 가지지 않는다.

ㄷ. $h(x)=x-2+\log_2 x$라 하면 $h(x)$는 구간 $[1, 2]$에서 연속이고 $h(1)h(2)=(-1)\times 1<0$이므로 방정식 $h(x)=0$은 $1<x<2$에서 적어도 하나의 실근을 가진다.

주의

ㄴ. $g(1)\times g(2)>0$이지만 $1\leq x\leq 2$에서 $g(x)=0$이 되는 x값이 있는지 확인해야 한다.

STEP 2	1등급 굳히기		p. 22~26
01 ④	**02** ④	**03** 5	**04** ⑤
05 ③	**06** ③	**07** 2	**08** ②
09 -1	**10** -4	**11** 11	**12** 37
13 2	**14** 2	**15** -1	**16** ③
17 ㄱ, ㄴ, ㄷ	**18** 4	**19** ③	**20** ②
21 3	**22** ⑤	**23** ⑤	**24** -3
25 4			

01 @ ④
GUIDE
분모에서 0이 되는 것을 찾는다.

①과 ②는 다항함수이므로 실수 전체에서 연속이다.
③과 ⑤는 분모가 0이 되지 않으므로 실수 전체에서 연속이다.
④는 $x=-1$, 1일 때 분모가 0이 되므로 불연속이다.

02 @ ④
GUIDE
불연속함수와 연속함수의 조합 또는 불연속함수와 또 다른 불연속함수의 조합에서는 연속인 경우가 있다.

① [반례] $f(x)=\begin{cases} -1 & (x<1) \\ 1 & (x\geq 1) \end{cases}$, $g(x)=\begin{cases} 1 & (x<1) \\ -1 & (x\geq 1) \end{cases}$

② [반례] $f(x)=0$, $g(x)=\begin{cases} 1 & (x<1) \\ -1 & (x\geq 1) \end{cases}$

③, ⑤ [반례] $f(x)=\begin{cases} -1 & (x<1) \\ 1 & (x\geq 1) \end{cases}$

03 답 5

$f(x)$는 $x \neq -2$일 때 연속이고, $g(x)$는
$x \neq n$ $(n=-3, -2, -1, 0, 1, 2)$일 때 연속이다.

함수 $f(x) = \dfrac{x^2-4}{x+2}$는 $x \neq -2$일 때 연속이므로

집합 A는 $\{x \mid -4 < x < -2\} \cup \{x \mid -2 < x < 3\}$

또 함수 $g(x) = [x]$는 $x \neq n$ (n은 정수)일 때 연속이므로

집합 B는 $\{x \mid -4 < x < -3\} \cup \{x \mid -3 < x < -2\} \cup$

$\cdots \cup \{x \mid 1 < x < 2\} \cup \{x \mid 2 < x < 3\}$

이때 $A-B = \{-3, -1, 0, 1, 2\}$이므로 $n(A-B) = 5$

04 답 ⑤

함수 $f(x)$는 $x=1$에서 불연속이므로 $f(x)g(x)$가 $x=1$에서 연속이 되는 $g(x)$를 찾는다.

ㄱ. $f(x)g(x) = \begin{cases} \dfrac{(x-1)^2}{x} & (0 < x \leq 1) \\ x(x-1) & (1 < x < 2) \end{cases}$

이때 $\displaystyle\lim_{x \to 1-} f(x)g(x) = \lim_{x \to 1+} f(x)g(x) = 0$이고,

$\displaystyle\lim_{x \to 1} f(x)g(x) = f(1)g(1) = 0$이므로 $x=1$에서 연속이다.

ㄴ. $\displaystyle\lim_{x \to 1-} f(x)g(x) = 1$, $\displaystyle\lim_{x \to 1+} f(x)g(x) = \infty$이므로
$x=1$에서 불연속이다.

ㄷ. $f(x)g(x) = \begin{cases} \dfrac{(x-1)^3+1}{x} & (0 < x \leq 1) \\ x & (1 < x < 2) \end{cases}$

이때 $\displaystyle\lim_{x \to 1-} f(x)g(x) = \lim_{x \to 1+} f(x)g(x) = 1$이고,

$\displaystyle\lim_{x \to 1} f(x)g(x) = f(1)g(1) = 1$이므로 $x=1$에서 연속이다.

05 답 ③

중심이 $(1, 2)$인 원이 $y=x$, $y=-x$에 각각 접하는 경우와 원점을 지나는 경우를 기준으로 r값의 범위를 나눈다.

원의 중심 $(1, 2)$와 직선 $x-y=0$ 사이의 거리는

$\dfrac{|1-2|}{\sqrt{1^2+(-1)^2}} = \dfrac{\sqrt{2}}{2}$

이고, 원의 중심 $(1, 2)$와 직선 $x+y=0$ 사이의 거리는

$\dfrac{|1+2|}{\sqrt{1^2+1^2}} = \dfrac{3\sqrt{2}}{2}$이다.

또 원의 중심 $(1, 2)$와 원점 사이의 거리는 $\sqrt{5}$이다.

(i) $0 < r < \dfrac{\sqrt{2}}{2}$일 때, $f(r)=0$ [다음 왼쪽 그림]

(ii) $r = \dfrac{\sqrt{2}}{2}$일 때, $f(r)=1$ [다음 오른쪽 그림]

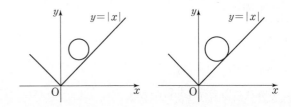

(iii) $\dfrac{\sqrt{2}}{2} < r < \dfrac{3\sqrt{2}}{2}$일 때, $f(r)=2$ [아래 왼쪽 그림]

(iv) $r = \dfrac{3\sqrt{2}}{2}$일 때, $f(r)=3$ [아래 오른쪽 그림]

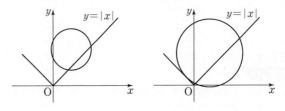

(v) $\dfrac{3\sqrt{2}}{2} < r < \sqrt{5}$일 때, $f(r)=4$ [아래 왼쪽 그림]

(vi) $r = \sqrt{5}$일 때, $f(r)=3$ [아래 오른쪽 그림]

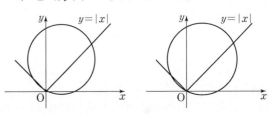

(vii) $r > \sqrt{5}$일 때, $f(r)=2$ [아래 그림]

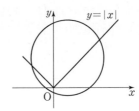

(i)~(vii)에 따라 함수 $f(r)$의 그래프는 다음과 같다.

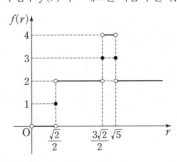

따라서 함수 $f(r)$는 $r = \dfrac{\sqrt{2}}{2}$, $\dfrac{3\sqrt{2}}{2}$, $\sqrt{5}$에서 불연속이므로

불연속인 점은 모두 3개

06 답 ③

GUIDE

❶ $x=1$일 때 우극한과 좌극한을 비교한다.

❷ $y=f(-x)$의 그래프는 $y=f(x)$ 그래프를 y축에 대하여 대칭이동해서 생각한다.

ㄱ. $\lim\limits_{x\to-1+}f(x)=-1$, $\lim\limits_{x\to1-}f(x)=1$ (×)

ㄴ. $\lim\limits_{x\to1+}f(x)=-1$, $\lim\limits_{x\to1-}f(x)=1$이므로
$\quad\lim\limits_{x\to1}f(x)$이 존재하지 않는다. (×)

ㄷ. $\lim\limits_{x\to1+}\{f(x)+f(-x)\}=(-1)+1=0$
$\quad\lim\limits_{x\to1-}\{f(x)+f(-x)\}=1+(-1)=0$
$\quad f(1)+f(-1)=1+(-1)=0$ (○)

07 답 2

GUIDE

$x=0$와 $x=1$에서 연속이어야 하므로 $f(0)=1$, $f(1)=0$을 생각한다.

$$g(x)=\begin{cases}x+1 & (x<0)\\ax^2+bx+c & (0\le x\le1)\\0 & (x>1)\end{cases}$$

이 모든 실수 x에서 연속이려면

(ⅰ) $g(0)=\lim\limits_{x\to0-}g(x)$이어야 하므로 $c=1$

(ⅱ) $g(1)=\lim\limits_{x\to1+}g(x)$이어야 하므로
$\quad a+b+1=0$ ∴ $b=-a-1$

이때 $0\le a\le1$이고 $a=0$일 때 $b=-1$, $a=1$일 때 $b=-2$이므로 $-2\le b\le-1$

따라서 점 (a,b)가 나타내는 자취는 두 점 $(0,-1)$, $(1,-2)$를 잇는 선분이므로 $l=\sqrt{(1-0)^2+(-2+1)^2}=\sqrt{2}$ ∴ $l^2=2$

08 답 ②

GUIDE

ㄴ. $y=|f(x)|$의 그래프를 그려 $f(x)-|f(x)|$를 구해 본다.

ㄷ. $a=-1$일 때를 생각해 본다.

ㄱ. $\lim\limits_{x\to1+}\{f(x)+f(-x)\}=-1+1=0$ (○)

ㄴ. $f(x)-|f(x)|=g(x)$라 하면 $-2<x<1$과 $x\ge2$에서 $f(x)=|f(x)|$이므로 $g(x)$는 다음과 같다.

$$g(x)=\begin{cases}2x+4 & (x\le-2)\\0 & (-2<x<1)\\2x-4 & (1\le x<2)\\0 & (x\ge2)\end{cases}$$

즉 $g(x)$는 $x=1$에서만 불연속이다. (○)

ㄷ. [반례] $a=-1$일 때, $f(x+1)$, $f(x)f(x+1)$은 다음과 같다.

$$f(x+1)=\begin{cases}x+3 & (x<-2)\\0 & (x=-2)\\(x+1)^2 & (-2<x<0)\\x-1 & (x\ge0)\end{cases}$$

$$f(x)f(x+1)=\begin{cases}(x+2)(x+3) & (x<-2)\\0 & (x=-2)\\(x+2)(x+1)^2 & (-2<x<-1)\\x^2(x+1)^2 & (-1\le x<0)\\x^2(x-1) & (0\le x<1)\\(x-2)(x-1) & (x\ge1)\end{cases}$$

즉 $f(x)f(x+1)$은 실수 전체에서 연속이다. (×)

참고

함수 $y=f(x)f(x+1)$의 그래프는 다음과 같다.

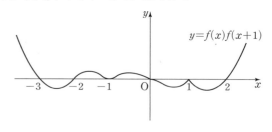

다른 풀이

함수 $f(x)$가 $x=-1$, 1일 때 불연속이므로 함수 $f(x-a)$가 $x=-1$, 1일 때 연속이고, 함숫값이 0인 경우를 생각한다.

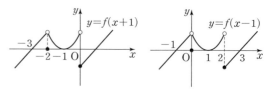

이때 $f(x+1)$은 $x=-2$, 0에서 불연속이고, $f(x-1)$은 $x=0$, 2에서 불연속이지만 $f(x)$가 $x=-2$, 0, 2에서 연속이고 함숫값이 0이므로 $f(x)f(x+1)$과 $f(x)f(x-1)$은 모두 연속함수이다.

09 답 -1

GUIDE

$x=-1$, $x=1$일 때 극한값과 함숫값을 비교한다.

$f(-1)=\lim\limits_{x\to-1}f(x)$에서 $c=\lim\limits_{x\to-1}\dfrac{x^3+ax+b}{(x-1)(x+1)}$이고

극한값이 존재하려면 $\lim\limits_{x\to-1}(x^3+ax+b)=-1-a+b=0$

$a-b=-1$ ……… ㉠

$f(1)=\lim\limits_{x\to1}f(x)$에서 $d=\lim\limits_{x\to1}\dfrac{x^3+ax+b}{(x-1)(x+1)}$이고

극한값이 존재하려면 $\lim\limits_{x\to1}(x^3+ax+b)=1+a+b=0$

$a+b=-1$ ……… ㉡

㉠, ㉡에서 $a=-1$, $b=0$이므로

$c=\lim\limits_{x\to-1}\dfrac{x^3-x}{(x-1)(x+1)}=\lim\limits_{x\to-1}x=-1$

$d=\lim\limits_{x\to1}\dfrac{x^3-x}{(x-1)(x+1)}=\lim\limits_{x\to1}x=1$

$\therefore a+b+c+d=-1$

10 @ -4

GUIDE

$x=3$에서 $h(x)$가 연속이고, $x=0$에서 $|h(x)-1|$이 연속임을 이용한다.

$h(x)$가 $x=3$에서 연속이므로 $f(3)=g(3)$, 즉 $3=3a+b$

또 $x=0$에서 $h(x)$는 불연속이지만 $|h(x)-1|$은 연속이므로

$f(0)\neq g(0)$이고, $|f(0)-1|=|g(0)-1|$

즉 $f(0)-1=-g(0)+1$에서 $g(0)=-f(0)+2=-1$이므로

$a=\dfrac{4}{3},\ b=-1$ $\therefore 3ab=-4$

참고

$a<0$이면 $h(x)$가 $x=0$에서 불연속인 조건에 어긋난다.

11 @ 11

GUIDE

$f(x)$는 $x=1$에서 좌우 극한값과 함숫값이 존재하지만 같지 않은 경우이다. 분모에 인수 $(x-1)$이 있으면 $(x-1)^2$을 곱하는 것을 생각한다.

(i) $\lim\limits_{x\to1}(x-1)[x]=(1-1)f(1)=0$이므로

$x=1$에서 $(x-1)[x]$는 연속이다. $\therefore a=1$

(ii) $g(x)=\lim\limits_{n\to\infty}\dfrac{x^n+x+3}{x^{n+1}-x^n+2x-2}=\lim\limits_{n\to\infty}\dfrac{x^n+x+3}{(x-1)(x^n+2)}$

이므로 $g(x)$에 $(x-1)^2$, $(x-1)^3$, $\cdots$을 곱하면 $x=1$일 때 연속이다. $\therefore b=2$

(iii) $h(x)$에 $(x-1)^2$, $(x-1)^3$, $\cdots$을 곱하면 $x=1$일 때 연속이다. $\therefore c=2$

따라서 $a+2b+3c=1+4+6=11$

12 @ 37

GUIDE

함수 $f(x)$가 연속함수이므로 $f(4)=\lim\limits_{x\to4}f(x)$임을 이용한다.

$x=4$를 주어진 등식에 대입하면 $0=4a-4$ $\therefore a=1$

또 함수 $f(x)$가 $x=4$에서도 연속이므로

$f(4)=\lim\limits_{x\to4}f(x)=\lim\limits_{x\to4}\dfrac{x^2+x-20}{\sqrt{x}-2}$

$=\lim\limits_{x\to4}\dfrac{(x+5)(x-4)(\sqrt{x}+2)}{x-4}$

$=\lim\limits_{x\to4}(x+5)(\sqrt{x}+2)=36$

$\therefore f(4)+a=36+1=37$

13 @ 2

GUIDE

함수 $f(x)$는 $x=0,\ 1,\ 2$에서 불연속이므로 이때 함수 $g(x)$의 연속을 조사한다.

함수 $y=f(x)$의 그래프는

$x=0,\ x=1,\ x=2$에서 불연속이다.

(i) $x=0$일 때

$g(0)=-f(0)=-1$이고

$\lim\limits_{x\to0-}g(x)=\lim\limits_{x\to-0}(x-1)f(x)=-1\times2=-2$

$\lim\limits_{x\to0+}g(x)=\lim\limits_{x\to+0}(x-1)f(x)=-1\times2=-2$

$\therefore \lim\limits_{x\to0}g(x)=-2$

이때 $\lim\limits_{x\to0}g(x)\neq g(0)$이므로

함수 $g(x)$는 $x=0$에서 불연속이다.

(ii) $x=1$일 때, $g(1)=0$이고

$\lim\limits_{x\to1-}g(x)=\lim\limits_{x\to1-}(x-1)f(x)=0\times1=0$

$\lim\limits_{x\to1+}g(x)=\lim\limits_{x\to1+}(x-1)f(x)=0\times0=0$

$\therefore \lim\limits_{x\to1}g(x)=1$

이때 $\lim\limits_{x\to1}g(x)=g(1)$이므로 함수 $g(x)$는 $x=1$에서 연속이다.

(iii) $x=2$일 때, $g(2)=f(2)=2$이고

$\lim\limits_{x\to2-}g(x)=\lim\limits_{x\to2-}(x-1)f(x)=1\times1=1$

$\lim\limits_{x\to2+}g(x)=\lim\limits_{x\to2+}(x-1)f(x)=1\times1=1$

$\therefore \lim\limits_{x\to2}g(x)=1$

이때 $\lim\limits_{x\to2}g(x)\neq g(2)$이므로

함수 $g(x)$는 $x=2$에서 불연속이다.

따라서 구간 $[-1,\ 3]$에서 함수 $g(x)$가 불연속이 되는 x값은 $0,\ 2$이므로 $0+2=2$

14 @ 2

GUIDE

$x\to1+$일 때 $\lim\limits_{n\to\infty}x^n=\infty$, $x\to1-$일 때 $\lim\limits_{n\to\infty}x^n=0$임을 이용한다.

$\lim\limits_{x\to1+}f(x)=a+b$, $\lim\limits_{x\to1-}f(x)=2$, $f(1)=\dfrac{a+b+4}{3}$

에서 $a+b=2$

$\lim\limits_{x\to-1+}f(x)=1$, $\lim\limits_{x\to-1-}f(x)=-a+b$, $f(-1)=a-b+2$

에서 $a-b=-1$

따라서 $a=\dfrac{1}{2},\ b=\dfrac{3}{2}$이므로

$|a^2-b^2|=\left|\dfrac{1}{4}-\dfrac{9}{4}\right|=2$

15 답 −1

GUIDE

❶ $|x|>1$, $|x|=1$, $|x|<1$로 구간을 나누어 $f(x)$를 구한다.

❷ $|x|<1$일 때 $-\dfrac{1}{2}<\sin\dfrac{\pi}{6}x<\dfrac{1}{2}$이다.

$f(x)=\displaystyle\lim_{n\to\infty}\dfrac{\sin^{2n}\dfrac{\pi}{6}x+1+k}{x^{2n}+1}$에서

(i) $|x|>1$일 때, $\displaystyle\lim_{n\to\infty}x^{2n}=\infty$이므로

$$f(x)=\lim_{n\to\infty}\dfrac{\dfrac{\sin^{2n}\dfrac{\pi}{6}x}{x^{2n}}-\dfrac{1}{x^{2n}}+\dfrac{k}{x^{2n}}}{1+\dfrac{1}{x^{2n}}}=0$$

(ii) $|x|<1$일 때, $\displaystyle\lim_{n\to\infty}x^{2n}=0$이고 $-\dfrac{\pi}{6}<\dfrac{\pi}{6}x<\dfrac{\pi}{6}$,

$-\dfrac{1}{2}<\sin\dfrac{\pi}{6}x<\dfrac{1}{2}$이므로 $\displaystyle\lim_{n\to\infty}\sin^{2n}\dfrac{\pi}{6}x=0$이다. 즉

$$f(x)=\lim_{n\to\infty}\dfrac{\sin^{2n}\dfrac{\pi}{6}x+1+k}{x^{2n}+1}=1+k$$

(iii) $|x|=1$일 때, $\displaystyle\lim_{n\to\infty}x^{2n}=1$, $\displaystyle\lim_{n\to\infty}\sin^{2n}\dfrac{\pi}{6}=0$이므로

$$f(x)=\dfrac{0+1+k}{1+1}=\dfrac{1+k}{2}$$

이때 함수 $f(x)$가 모든 실수 x에서 연속이려면 $x=1$에서 연속

이어야 하므로 $\displaystyle\lim_{x\to1+}f(x)=\lim_{x\to1-}f(x)=f(1)$에서

$$0=1+k=\dfrac{1+k}{2}\qquad \therefore k=-1$$

16 답 ③

GUIDE

$|x-b|>1$, $|x-b|=1$, $|x-b|<1$로 구간을 나누어 $g(x)$를 구한다.

함수 $g(x)$는 다음과 같다.

(i) $|x-b|>1$일 때 $g(x)=2$

(ii) $|x-b|=1$일 때 $g(x)=\dfrac{3}{2}$

(iii) $|x-b|<1$일 때 $g(x)=1$

또 $f(x)=(x-2)^2+a-4$이므로 함수 $f(x)$는 연속이고, 그 그

래프는 직선 $x=2$에 대하여 대칭이다.

한편 함수 $g(x)$가 $x=b-1$, $x=b+1$일 때 불연속이므로 함수

$h(x)=f(x)g(x)$가 모든 실수 x에서 연속이려면

$f(b-1)=f(b+1)=0$이면 된다.

$y=f(x)$의 그래프에서 축이 $x=2$

이므로 $\dfrac{b-1+b+1}{2}=b=2$

이때 $f(1)=f(3)=0$에서 $a=3$

$\therefore a+b=5$

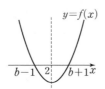

17 답 ㄱ, ㄴ, ㄷ

GUIDE

$|x|>1$, $x=-1$, $-1<x<0$, $0\le x<1$, $x=1$일 때로 구분해 함수 $f(x)$를 구한다.

$$f(x)=\begin{cases}x+2 & (|x|>1)\\ 1 & (x=-1)\\ 1 & (-1<x<0)\\ 2 & (0\le x<1)\\ 3 & (x=1)\end{cases}$$

$f(x)$는 $x=0$, 1에서 불연속이므로

보기의 함수 중 $x=0$, 1에서 함숫값이 0이면서 연속인 함수는

ㄱ, ㄴ, ㄷ

18 답 4

GUIDE

❶ $x=0$일 때 우극한과 좌극한, 함숫값을 비교한다.

❷ $\displaystyle\lim_{x\to0+}[x]=0$, $\displaystyle\lim_{x\to0-}[x]=-1$

ㄱ. $(f\circ g)(x)=[x^2]$

ㄴ. $(f\circ h)(x)=\left[\left|x-\dfrac{1}{2}\right|\right]$

ㄷ. $(g\circ f)(x)=[x]^2$

ㄹ. $(g\circ h)(x)=\left|x-\dfrac{1}{2}\right|^2$

ㅁ. $(h\circ f)(x)=\left|[x]-\dfrac{1}{2}\right|$

ㅂ. $(h\circ g)(x)=\left|x^2-\dfrac{1}{2}\right|$

ㄷ, ㅁ은 $x=0$일 때 좌극한과 우극한이 서로 다르다.

> **참고**
>
> ㄷ. $\displaystyle\lim_{x\to0+}[x]^2=0$, $\displaystyle\lim_{x\to0-}[x]^2=1$
>
> ㅁ. $\displaystyle\lim_{x\to0+}\left|[x]-\dfrac{1}{2}\right|=\dfrac{1}{2}$, $\displaystyle\lim_{x\to0-}\left|[x]-\dfrac{1}{2}\right|=\dfrac{3}{2}$

19 답 ③

GUIDE

$x=1$일 때 우극한과 좌극한, 함숫값을 비교한다.

ㄱ. $\displaystyle\lim_{x\to1-}f(x)=0<\lim_{x\to1+}f(x)=1$ (○)

ㄴ. $\dfrac{1}{t}=s$라 하면 $t\longrightarrow\infty$일 때 $s\longrightarrow0+$이므로

$\displaystyle\lim_{t\to\infty}f\left(\dfrac{1}{t}\right)=\lim_{s\to0+}f(s)=1$ (○)

ㄷ. $f(f(3))=f(2)=1$, $\displaystyle\lim_{x\to3-}f(f(x))=3$, $\displaystyle\lim_{x\to3+}f(f(x))=1$

즉 $f(f(3))=\displaystyle\lim_{x\to3+}f(f(x))\ne\lim_{x\to3-}f(f(x))$이므로

$x=3$에서 불연속이다. (×)

20 답 ②

GUIDE

$f(x)=t$라 하면 $x \to 1-$일 때 $t \to 3-$이고, 같은 방법으로
$g(x)=s$라 하면 $x \to 1+$일 때 $s \to 0+$이다.

$$f(x)=\begin{cases} -(x-1)^2+3 & (x<2) \\ (x-3)^2 & (x \geq 1) \end{cases}$$

ㄱ. $\lim\limits_{x \to 1-} g(f(x))=\lim\limits_{t \to 3-} g(t)=1,$

　$\lim\limits_{x \to 1+} f(g(x))=\lim\limits_{s \to 0+} f(s)=2$ （ × ）

ㄴ. $\lim\limits_{x \to 3-} g(f(x))=\lim\limits_{t \to 0+} g(t)=0,$

　$\lim\limits_{x \to 3+} g(f(x))=\lim\limits_{t \to 0+} g(t)=0$

　$g(f(3))=g(0)=0$이므로 성립한다. （ ○ ）

ㄷ. $\lim\limits_{x \to 1-} g(f(x))=\lim\limits_{t \to 3-} g(t)=1,$

　$\lim\limits_{x \to 1+} g(f(x))=\lim\limits_{t \to 3-} g(t)=1,$

　$g(f(1))=g(3)=0$이므로 성립하지 않는다. （ × ）

1등급 NOTE

$y=x-[x]$의 그래프에서
정수 k에 대하여
$\lim\limits_{x \to k-} g(x)=1,$
$\lim\limits_{x \to k+} g(x)=g(k)=0$

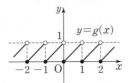

21 답 3

GUIDE

$x=0$, 4일 때 $f(g(x))$의 우극한과 좌극한, 함숫값을 비교한다.

$x=0$에서 연속이어야 하므로
$f(g(0))=\lim\limits_{x \to 0-} f(g(x))$
　　　$=\lim\limits_{x \to 0+} f(g(x))$

에서 $f(0)=f(3)$이므로
$c=27+9a+3b+c$
$\therefore 9+3a+b=0$ …… ㉠

또 $x=4$에서 연속이어야 하므로
$f(g(4))=\lim\limits_{x \to 4+} f(g(x))=\lim\limits_{x \to 4-} f(g(x))$

에서 $f(-1)=f(2)$이므로 $-1+a-b+c=8+4a+2b+c$
$\therefore 3+a+b=0$ …… ㉡

㉠, ㉡에서 $a=-3$, $b=0$이고 c는 모든 실수에 대하여 성립하므로 $|c| \geq 0$이다.

따라서 $|a|+|b|+|c| \geq 3$이므로 $|a|+|b|+|c|$의 최솟값은 3

22 답 ⑤

GUIDE

$x=1$일 때 우극한과 좌극한, 함숫값을 비교한다.

ㄱ. $\lim\limits_{x \to 0+} g(f(x))=\lim\limits_{t \to 0+} g(t)=2,$

　$\lim\limits_{x \to 0-} g(f(x))=\lim\limits_{t \to -2+} g(t)=2$이므로

　$\lim\limits_{x \to 0} g(f(x))=2$이다. （ ○ ）

ㄴ. 임의의 정수 k에 대하여

　$\lim\limits_{x \to 4k} g(f(x))=2, g(f(4k))=0$이므로

　합성함수 $g(f(x))$는 $x=4k$에서 불연속이고

　$\lim\limits_{x \to 4k+2} g(f(x))=0, g(f(4k+2))=0$이므로

　합성함수 $g(f(x))$는 $x=4k+2$에서 연속이다.

　나머지 구간에서는 $f(x)$, $g(x)$가 모두 연속이므로 합성함수

　도 연속이다. 즉 구간 $0<x<10$에서 불연속인 점은 $x=4$, 8

　로 2개다. （ × ）

ㄷ. $\lim\limits_{t \to \infty} g\left(f\left(2k+\dfrac{1}{t}\right)\right)$의 값은 $x=2k$에서 합성함수의 우극한

　이므로 정수 x에 대하여

　k가 홀수인 경우에는 $\lim\limits_{x \to 4n+2+} g(f(x))=0$이고

　k가 짝수인 경우에는 $\lim\limits_{x \to 4n+} g(f(x))=2$이다.

　따라서 $\lim\limits_{t \to \infty} \sum\limits_{k=1}^{10} g\left(f\left(2k+\dfrac{1}{t}\right)\right)=10$ （ ○ ）

23 답 ⑤

GUIDE

$xf(x)=(1-x)g(x)$을 정리한 $xf(x)+(x-1)g(x)=0$에서
$h(x)=xf(x)+(x-1)g(x)$로 놓고 방정식 $h(x)=0$을 생각한다.

$h(x)=xf(x)+(x-1)g(x)=0$이라 하면
$h(0)$, $h(1)$의 부호가 반대일 때 사잇값 정리에 따라
방정식 $h(x)=0$이 $0<x<1$에서 적어도 하나의 실근을 가진다.
즉 $h(0)h(1)=-g(0)f(1)<0$에서 $f(1)g(0)>0$

24 답 -3

GUIDE

$h(x)=f(x)-g(x)$로 놓고 $h(1) \times h(4)<0$이 되는 k값의 범위를 구한다.

$f(x)=\log_2 x+kx-1$, $g(x)=-2x+3$에서
$h(x)=f(x)-g(x)$로 놓으면
함수 $y=h(x)$는 구간 $[1, 4]$에서 연속이고
$h(1)=k+2-4=k-2$, $h(4)=2+(k+2)4-4=4k+6$
이므로 $h(1)h(4)<0$에서 $(k-2)(4k+6)<0$,

$2(k-2)(2k+3)<0$　　$\therefore -\dfrac{3}{2}<k<2$

따라서 $ab=\left(-\dfrac{3}{2}\right) \times 2=-3$

$\log_2 x = -(k+2)x+4$에서
$y=\log_2 x$와 $y=-(k+2)x+4$는
$1<x<4$에서 한 점에서 만난다.

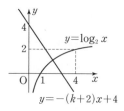

25 ⑤ 5

GUIDE

$f(-1)=0$, $f(1)=0$, $f(2)=0$을 이용해 $f(x)$의 차수가 가장 낮은 식이 되는 경우를 생각한다.

주어진 조건에서 $f(x)$는 $x+1$, $x-1$, $x-2$를 인수로 가지므로
$f(x)=(x+1)(x-1)(x-2)g(x)$로 놓자.

$$\lim_{x \to -1} \frac{f(x)}{x+1}=6g(-1)=12$$에서 $g(-1)=2$

$$\lim_{x \to 1} \frac{f(x)}{x-1}=-2g(1)=4$$에서 $g(1)=-2$

$$\lim_{x \to 2} \frac{f(x)}{x-2}=3g(2)=3$$에서 $g(2)=1$

다항함수 $g(x)$가 실수 전체에서 연속이고, $g(-1)g(1)<0$ 이므로 방정식 $g(x)=0$은 구간 $(-1, 1)$에서 적어도 하나의 실근을 가진다. 또 $g(1)g(2)<0$이므로 마찬가지로 생각하면 $g(x)=0$의 실근은 적어도 2개이다.

따라서 방정식 $(x+1)(x-1)(x-2)g(x)=0$의 실근은 적어도 5개이므로 구하려는 n값은 5

STEP 3 | 1등급 뛰어넘기
p. 27~29

01 ②	02 ⑤	03 6개	04 ㄹ, ㅁ
05 (1) −9 (2) 6 (3) $c<-6$ 또는 $c>6$			06 ④
07 1	08 11	09 ②	10 ①
11 (1) 35 (2) 9			

01 ⑤ ②

GUIDE

$f(x)$, $g(x)$가 불연속인 $x=1$, $x=2$에서 $f(x)+g(x)$, $f(x)g(x)$의 연속성을 조사한다.

① $f(x)+g(x)$는 $x=1$, 2에서 불연속이다. (×)

② $f(x)g(x)$는 $x=2$에서만 불연속이다. (○)

③ $\lim_{x \to 1-} f(g(x))=\lim_{t \to 0+} f(t)=1$, $\lim_{x \to 1+} f(g(x))=f(1)=2$,
이므로 함수 $f(g(x))$는 $x=1$에서 불연속이다. (×)

④ $\lim_{x \to 1+} g(f(x))=\lim_{t \to 0+} g(t)=1$,

$\lim_{x \to 1-} g(f(x))=\lim_{t \to 2-} g(t)=1$
이므로 우극한값과 좌극한값이 서로 같다. (×)

⑤ $f(x)$는 $x=1$일 때 불연속이므로 $x=1$에서 연속성을 확인해야 하고, $g(x)$는 $x=1$, 2일 때 불연속이므로 $f(x)=1$인 $x=0$, 3과 $f(x)=2$인 $x=1$, 5에서 연속성을 확인해야 한다. 이때 $x=1$에서는 연속이므로 불연속점은 3개이다. (×)

참고

❶ $\lim_{x \to 0+} g(f(x))=\lim_{t \to 0+} g(t)=1$, $\lim_{x \to 0-} g(f(x))=\lim_{t \to 0-} g(t)=0$이고, $g(f(0))=0$이므로 $x=0$에서 $g(f(x))$는 불연속이다.

❷ $\lim_{x \to 1+} g(f(x))=\lim_{t \to 0+} g(t)=1$, $\lim_{x \to 1-} g(f(x))=\lim_{t \to 2-} g(t)=1$이고, $g(f(1))=1$이므로 $x=1$에서 $g(f(x))$는 연속이다.

위와 같은 방법으로 $x=3$, 5일 때 $g(f(x))$가 불연속임을 확인할 수 있다.

02 ⑤ ⑤

GUIDE

$a=0$, $a>0$, $a<0$인 경우로 나누어 $f(x)$를 구해 본다.

(i) $a=0$인 경우, $f(x)=0$

(ii) $a>0$인 경우 $y=f(x)$의 그래프는 다음과 같다.

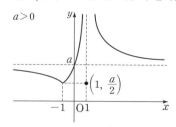

(iii) $a<0$인 경우 $y=f(x)$의 그래프는 다음 그림처럼 (ii)의 그래프를 x축에 대하여 대칭이동한 것과 같다.

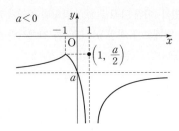

$a<0$

$\left(1, \dfrac{a}{2}\right)$

ㄱ. $a \neq 0$일 때 (ii), (iii)에서 $\lim\limits_{x \to -1} f(x) = f(-1) = \dfrac{a}{2}$이고, $a=0$

일 때 모든 실수에서 연속이므로 $x=-1$에서 연속이다. (○)

ㄴ. $a=0$일 때, $f(x)=0$이므로 모든 실수에서 연속이다. (○)

ㄷ. $a \neq 0$일 때 (ii), (iii)에서 $y=f(x)$의 그래프는 직선 $y=a$와 오직 한 점에서 만난다. (○)

03 🄰 6개

GUIDE

$f(x)=-3,\ -1,\ 1$인 $x=-2,\ -\sqrt{3},\ -1,\ 0,\ 1,\ \sqrt{3},\ 2$에서 함수 $g(f(x))$의 연속 여부를 확인한다.

$f(x)$는 실수 전체에서 연속이고, $g(x)$는 $x=-3,\ -1,\ 1$에서 불연속이므로 $f(x)=-3,\ -1,\ 1$인 $x=-2,\ -\sqrt{3},\ -1,\ 0,\ 1,$ $\sqrt{3},\ 2$에서 연속인지 확인해야 한다.

이때 $x=1$에서만 연속이므로 불연속인 점은 모두 6개

04 🄰 ㄹ, ㅁ

GUIDE

$g(x)$는 $x=0,\ 1,\ 2,\ 4$에서 불연속이고 $f(x)$는 $x=0,\ 2$에서 불연속이므로 $x=0,\ 1,\ 2,\ 4$와 $g(x)=0,\ 2$인 $x=0,\ \dfrac{3}{2},\ 5$에서 연속인지 확인한다.

(ⅰ) $x=0$에서 $\lim\limits_{x \to 0+} f(g(x)) = \lim\limits_{t \to 0+} f(t) = 1,$

$\lim\limits_{x \to 0-} f(g(x)) = \lim\limits_{t \to 1-} f(t) = 0,\ f(g(0)) = f(0) = 1$

이므로 불연속이다.

(ⅱ) $x=1$에서 $\lim\limits_{x \to 1+} f(g(x)) = \lim\limits_{t \to -1+} f(t) = 1,$

$\lim\limits_{x \to 1-} f(g(x)) = \lim\limits_{t \to 2-} f(t) = 1,\ f(g(1)) = f(-1) = 1$

이므로 연속이다.

(ⅲ) $x=\dfrac{3}{2}$에서 $\lim\limits_{x \to \frac{3}{2}+} f(g(x)) = \lim\limits_{t \to 0+} f(t) = 1,$

$\lim\limits_{x \to \frac{3}{2}-} f(g(x)) = \lim\limits_{t \to 0-} f(t) = 0,\ f\!\left(g\!\left(\dfrac{3}{2}\right)\right) = f(0) = 1$

이므로 불연속이다.

(ⅳ) $x=2$에서 $\lim\limits_{x \to 2+} f(g(x)) = \lim\limits_{t \to 0-} f(t) = 0$

$\lim\limits_{x \to 2-} f(g(x)) = \lim\limits_{t \to 1-} f(t) = 0,\ f(g(2)) = f(1) = 0$

이므로 연속이다.

(ⅴ) $x=4$에서 $\lim\limits_{x \to 4+} f(g(x)) = \lim\limits_{t \to 1-} f(t) = 0$

$\lim\limits_{x \to 4-} f(g(x)) = \lim\limits_{t \to 0-} f(t) = 0,\ f(g(4)) = f(1) = 0$

이므로 연속이다.

(ⅵ) $x=5$에서 $\lim\limits_{x \to 5+} f(g(x)) = \lim\limits_{t \to 0-} f(t) = 0,$

$\lim\limits_{x \to 5-} f(g(x)) = \lim\limits_{t \to 0+} f(t) = 1,\ f(g(5)) = f(0) = 1$

이므로 불연속이다.

따라서 연속인 것은 ㄹ, ㅁ

05 🄰 (1) -9 (2) 6 (3) $c<-6$ 또는 $c>6$

GUIDE

$f(x)=(x-a)^2$의 그래프가 꼭짓점 A, D를 지날 때의 a값을 기준으로 생각한다.

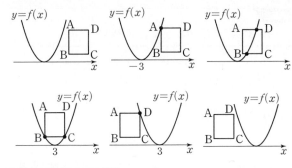

(1) 함수 $g(x)$는 그림처럼 $x=-3,$ $x=3$에서 불연속이므로

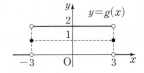

$(-3) \times 3 = -9$

(2) $\lim\limits_{x \to 3-} g(x) = 2,$

$\lim\limits_{x \to 3+} g(x) = 0,\ g(3) = 1$이고,

$\lim\limits_{x \to 3-} g(x-6) = 0,\ \lim\limits_{x \to 3+} g(x-6) = 2,\ g(-3) = 1$이므로

$\lim\limits_{x \to 3-} \{g(x) + g(x-6)\} = 2,$

$\lim\limits_{x \to 3+} \{g(x) + g(x-6)\} = 2,$

$g(3) + g(-3) = 2$

즉 함수 $g(x) + g(x-6)$이 $x=3$에서 연속이므로 $b=6$

(3) $\lim\limits_{x \to -3-} g(x)g(x-c) = \lim\limits_{x \to -3+} g(x)g(x-c)$

$\qquad\qquad = g(-3)g(-3-c)$

에서 $0 = \lim\limits_{x \to -3+} g(x-c) = g(-3-c)$여야 하고,

$\lim\limits_{x \to 3-} g(x)g(x-c) = \lim\limits_{x \to 3+} g(x)g(x-c) = g(3)g(3-c)$

에서 $\lim\limits_{x \to 3-} g(x-c) = 0 = g(3-c)$여야 하므로

$c<-6$ 또는 $c>6$

또 $g(x-c)$는 $x=c-3,\ c+3$에서 불연속인데 $c<-6,\ c>6$

에서 $g(x)=0$이므로 함수 $g(x)g(x-c)$는 연속이 된다.

$\therefore c<-6$ 또는 $c>6$

06 ④

n이 정수일 때 $n-3\left[\dfrac{n}{3}\right]$은 n을 3으로 나눈 나머지를 나타낸다.

① n이 정수일 때, 함수 $f(n)$은 -1, 4, -2, 3, 0, 2가 반복되지만 x가 정수가 아닐 때는 주기함수인지 알 수 없다. ($\times$)

② 정수가 아닌 x에 대하여 $f(x)$의 최솟값은 알 수 없다. ($\times$)

③ 정수가 아닌 x에 대하여 $f(x)$의 최댓값은 알 수 없다. ($\times$)

④ $f(1)=-1$, $f(2)=4$, $f(3)=-2$, $f(4)=3$, $f(5)=0$,
$f(6)=2$이므로 사잇값 정리에 따라 $1<x<2$, $2<x<3$, $3<x<4$, $x=5$ 각각에서 실근이 적어도 하나 있다. ($\bigcirc$)

⑤ $1<x<6$, $7<x<12$에서 각각 4개 이상의 실근을 가지고, $6<x<7$에서 실근이 적어도 하나 있으므로 $1<x<12$에서 방정식 $f(x)=0$의 실근은 적어도 9개다. ($\times$)

07 ① 1

$x=1$에서 불연속인 함수 $f(x)$, $g(x)$를 이용한다.

ㄱ. [반례] $f(x)=\begin{cases}1 & (x\le 1)\\ 0 & (x>1)\end{cases}$, $g(x)=\begin{cases}0 & (x\le 1)\\ 1 & (x>1)\end{cases}$ ($\times$)

ㄴ. [반례] $f(x)=\begin{cases}1 & (x\le 1)\\ 0 & (x>1)\end{cases}$, $g(x)=\begin{cases}0 & (x\le 1)\\ 1 & (x>1)\end{cases}$ ($\times$)

ㄷ. $f(x)$, $g(x)$가 모두 $x=1$에서 연속일 때, $f(x)$가 $x=2$에서 불연속이고 $g(1)=2$이면 $f(g(x))$는 $x=1$에서 불연속일 수 있다. ($\times$)

ㄹ. $f(x)=\begin{cases}1 & (x\le 1)\\ 0 & (x>1)\end{cases}$가 조건에 맞는 예가 된다. ($\bigcirc$)

08 ① 11

그림과 같은 꼴일 때 주어진 조건 ㈎, ㈏를 만족시킨다.

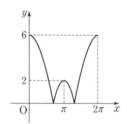

❶ $y=f(x)$의 그래프가 $y=6$과 두 점에서만 만나야 한다.

❷ ㈎ 조건에 따라 $y=f(x)$의 그래프에서 꼭짓점 또는 뾰족점의 y좌표는 0, 2, 6이다.

꼭짓점의 y좌표가 2이고 $|a|+|c|=6$이어야 하므로 다음 두 경우로 나누어 생각할 수 있다.

(i) 그림처럼 $a=4$, $c=2$인 것을 생각할 수 있다. 이때 주기가 2π이면 $y=f(x)$의 그래프가 직선 $y=6$과 두 점에서만 만나므로 조건 ㈏를 만족시킨다. 즉 $b=1$이므로 $a+b+c=4+1+2=7$

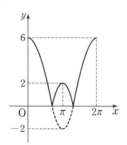

(ii) 그림처럼 $a=4$, $c=-2$인 것을

생각할 수 있다. 이때 아래 왼쪽 그림처럼 주기가 2π이면 $y=f(x)$의 그래프가 직선 $y=6$과 한 점에서만 만나므로 조건 ㈏에 어긋난다. 즉 주기가 π이므로 $b=2$

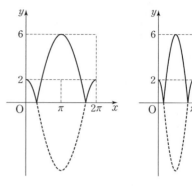

$\therefore a+b+c=4+2-2=4$

(i), (ii)에서 구하려는 값은 $7+4=11$

$a=2$, $c=4$, 즉 $y=|2\cos x+4|$와 같은 것을 생각할 수도 있지만 그래프를 그려 보면 그림과 같은 꼴이 되어 $y=g(t)$는 $t=0$에서 불연속이라는 ㈎ 조건에 어긋난다.

$a=2$, $c=-4$인 경우도 마찬가지이므로 주어진 ㈎, ㈏ 조건을 만족시키는 경우는 위 풀이에 주어진 (i), (ii)만 가능함을 알 수 있다.

09 ② ②

x값의 범위에 따라 $f(x)$를 구한다. $x=-1$일 때는 n이 홀수인 경우와 짝수인 경우를 생각한다.

$$f(x)=\begin{cases} x & (|x|>1)\\ b|x|+c & (|x|<1)\\ \dfrac{1+a+b+c}{d+2} & (x=1)\\ \dfrac{-1-a+b+c}{-d+2} & (x=-1,\ n\text{이 홀수})\\ \dfrac{-1+a+b+c}{d+2} & (x=-1,\ n\text{이 짝수}) \end{cases}$$

$f(x)$는 $x=1$에서 연속이므로

$$\lim_{x\to 1+}f(x)=1,\ \lim_{x\to 1-}f(x)=b+c,\ f(1)=\dfrac{1+a+b+c}{d+2}$$에서

$b+c=1$이고, $f(1)=\dfrac{1+a+b+c}{d+2}=\dfrac{a+2}{d+2}=1$에서 $a=d$

ㄱ. $\lim_{x\to -1-}f(x)=-1$, $\lim_{x\to -1+}f(x)=b+c=1$이므로

$\quad\lim_{x\to -1}f(x)$의 값이 존재하지 않는다. ($\times$)

ㄴ. $f(-1)$이 존재한다면 $\dfrac{-1-a+b+c}{-d+2}=\dfrac{-1+a+b+c}{d+2}$

이때 $\dfrac{-a}{-a+2}=\dfrac{a}{a+2}$ 에서 $-a^2-2a=-a^2+2a$

$\therefore 0=4a$

즉 $a=d=0$이고, $b+c=1$이므로 $a+b+c+d=1$ (○)

ㄷ. $f(2)=2$이지만 $f\left(\dfrac{1}{2}\right)=\dfrac{1}{2}b+c$의 값은 알 수 없다. (×)

10 답 ①

GUIDE

$x=0$, $x\neq0$일 때로 나누어 $g(x)$, $h(x)$를 각각 구한다.

$x=0$이면 $f(x)=1>0$, $x\neq0$이면 $f(x)\leq0$이므로
구간 $[-1, 2]$에서 두 함수 $g(x)$, $h(x)$는 다음과 같다.

$$g(x)=\begin{cases}1 & (x=0)\\0 & (x\neq0)\end{cases} \qquad h(x)=\begin{cases}0 & (x=0)\\f(x) & (x\neq0)\end{cases}$$

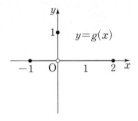 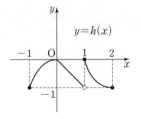

ㄱ. $\displaystyle\lim_{x\to1+}h(x)=0$, $\displaystyle\lim_{x\to1-}h(x)=-1$이므로

$x=1$에서 함수 $h(x)$의 극한값은 없다. (×)

ㄴ. 구간 $[-1, 2]$에 있는 임의의 실수 a에 대하여

$\displaystyle\lim_{x\to a}(h\circ g)(x)=0$ $(\because \displaystyle\lim_{x\to a}g(x)=0, \displaystyle\lim_{x\to0}h(x)=0)$

$(h\circ g)(a)=\begin{cases}0 & (a\neq0) (\because g(a)=0)\\0 & (a=0) (\because g(a)=1)\end{cases}$

$\therefore \displaystyle\lim_{x\to a}(h\circ g)(x)=(h\circ g)(a)$

즉 함수 $(h\circ g)(x)$는 구간 $[-1, 2]$에서 연속이다. (○)

ㄷ. $\displaystyle\lim_{x\to0}(g\circ h)(x)=0$이고, $(g\circ h)(0)=g(0)=1$이므로

$x=0$에서 불연속이다. (×)

11 답 (1) 35 (2) 9

GUIDE

세 함수 $f(x)$, $g(x)$, $h(x)$의 그래프에서 불연속점을 찾는다.

(1) 주기가 4인 $f(x)=x^2-1$ $(-2\leq x\leq2)$의 그래프는

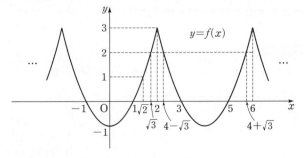

따라서 $g(x)=[f(x)]$의 그래프는

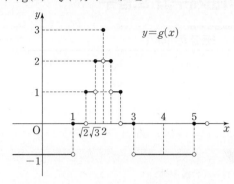

구간 $4n\leq x<4n+4$에 $g(x)$의 불연속점이 7개 있으므로 구간 $0\leq x\leq20$에 있는 불연속점은 모두 35개

(2) $h(x)=\begin{cases}1 & (\displaystyle\lim_{x\to a+}g(x)=g(a))\\0 & (\displaystyle\lim_{x\to a+}g(x)\neq g(a))\end{cases}$ 의 그래프는 다음과 같다.

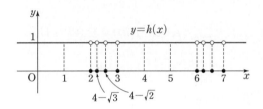

이때 $2\leq x<4$, $6\leq x<8$에서 각각 불연속점이 4개씩 있고, $x=10$일 때도 불연속이므로 모두 9개

참고

❶ $g(x)$와 $h(x)$ 둘 다 주기가 4인 함수이다.

❷ 함수 $h(x)$는 $g(x)$의 우극한값과 함숫값이 같으면 1이고, 다르면 0이다.

❸ ●—○ 꼴이면 $\displaystyle\lim_{x\to a+}g(x)=g(a)$, ○—● 꼴이면 $\displaystyle\lim_{x\to a+}g(x)\neq g(a)$

03 미분계수와 도함수

STEP 1 | 1등급 준비하기   p. 32~33

01 52	**02** 17	**03** ④	**04** ③
05 ③	**06** ⑤	**07** ③	**08** 19
09 ③			

01 답 52

GUIDE

❶ $f(k+1)-f(k)$를 구한다.

❷ $f(9)-f(1)=\sum\limits_{k=1}^{8}\{f(k+1)-f(k)\}$를 이용한다.

$\dfrac{f(k+1)-f(k)}{(k+1)-k}=2k^2+1$ $\therefore f(k+1)-f(k)=2k^2+1$

구간 $[1, 9]$에서 평균변화율은 $\dfrac{f(9)-f(1)}{9-1}$ 이고,

$f(9)-f(1)=\sum\limits_{k=1}^{8}\{f(k+1)-f(k)\}=\sum\limits_{k=1}^{8}(2k^2+1)$

$\qquad\qquad\quad =2\times\dfrac{8\times9\times17}{6}+8=416$

$\therefore \dfrac{f(9)-f(1)}{9-1}=\dfrac{416}{8}=52$

02 답 17

GUIDE

$\lim\limits_{h\to0}\dfrac{f\left(\dfrac{h}{2}-3\right)-f(-3)}{h}=\lim\limits_{h\to0}\dfrac{f\left(-3+\dfrac{h}{2}\right)-f(-3)}{\dfrac{h}{2}}\times\dfrac{1}{2}$

$\lim\limits_{h\to0}\dfrac{f\left(\dfrac{h}{2}-3\right)-f(-3)}{h}=\lim\limits_{h\to0}\dfrac{f\left(-3+\dfrac{h}{2}\right)-f(-3)}{h}$

$\qquad\qquad\qquad\qquad =\lim\limits_{h\to0}\dfrac{f\left(-3+\dfrac{h}{2}\right)-f(-3)}{\dfrac{h}{2}}\times\dfrac{1}{2}$

$\qquad\qquad\qquad\qquad =\dfrac{1}{2}f'(-3)$

이때 $f'(x)=3x^2-4x-5$에서 $f'(-3)=34$

$\therefore \dfrac{1}{2}f'(-3)=17$

03 답 ④

GUIDE

$\lim\limits_{h\to0}\dfrac{f(2+h)-f(2-h)}{h}$

$=\lim\limits_{h\to0}\dfrac{f(2+h)-f(2)}{h}+\lim\limits_{h\to0}\dfrac{f(2-h)-f(2)}{-h}$

$\lim\limits_{x\to2}\dfrac{f(x)-f(2)}{x-2}=f'(2)=3$

$\therefore \lim\limits_{h\to0}\dfrac{f(2+h)-f(2-h)}{h}$

$=\lim\limits_{h\to0}\dfrac{f(2+h)-f(2)}{h}+\lim\limits_{h\to0}\dfrac{f(2-h)-f(2)}{-h}$

$=2f'(2)=6$

다른 풀이

미분계수 공식 $\lim\limits_{h\to0}\dfrac{f(a+mh)-f(a-nh)}{h}=(m+n)f'(a)$

에서 $\lim\limits_{h\to0}\dfrac{f(2+h)-f(2-h)}{h}=2f'(2)=2\times3=6$

04 답 ③

GUIDE

실수 a에 대하여 $|a|^2=a^2$임을 이용한다.

$f'(x)=\lim\limits_{h\to0}\dfrac{f(x+h)-f(x)}{h}$

$\qquad =\lim\limits_{h\to0}\dfrac{|x+h|-|x|}{h}$

$\qquad =\lim\limits_{h\to0}\left\{\dfrac{\boxed{(x+h)^2-x^2}}{h}\times\dfrac{1}{|x+h|+|x|}\right\}$

$\qquad =\lim\limits_{h\to0}\left\{\dfrac{2xh+h^2}{h}\times\dfrac{1}{|x+h|+|x|}\right\}$

$\qquad =\lim\limits_{h\to0}\left\{(\boxed{2x}+h)\times\dfrac{1}{|x+h|+|x|}\right\}=\dfrac{x}{|x|}$

05 답 ③

GUIDE

$f'(x)=\lim\limits_{h\to0}\dfrac{f(x+h)-f(x)}{h}=\lim\limits_{h\to0}\dfrac{f(h)+5xh-2}{h}$

$f(x+y)=f(x)+f(y)+5xy-2$에 $x=0$, $y=0$을 대입하면
$f(0)=2$이고

$f'(x)=\lim\limits_{h\to0}\dfrac{f(x+h)-f(x)}{h}$

$\qquad =\lim\limits_{h\to0}\dfrac{f(h)+5xh-2}{h}$

$\qquad =\lim\limits_{h\to0}\dfrac{f(h)-f(0)}{h}+5x=5x+f'(0)$

$\therefore f'(x)=5x+3$

따라서 $f(0)+f'(2)=2+13=15$

다른 풀이

$f(x+y)=f(x)+f(y)+5xy-2$에 $y=2$을 대입하면
$f(x+2)=f(x)+f(2)+10x-2$이고
양변을 x에 대해 미분하면 $f'(x+2)=f'(x)+10$
$x=0$을 대입하면 $f'(2)=f'(0)+10=13$

06 답 ⑤

GUIDE

그래프에서 끊어진 점, 꺾인 점을 확인한다.

ㄱ. $f'(3)>0$ (○)

ㄴ. $x=2$, 4에서 불연속이다. (○)

ㄷ. $x=1$, 2, 4에서 미분가능하지 않다. (○)

07 답 ③

GUIDE

$$f'(x)=\begin{cases}-3 & (x<-1)\\ 3x^2+2bx+c & (-1<x<1)\\ -3 & (x>1)\end{cases}$$

함수 $f(x)$가 $x=-1$, $x=1$에서 연속이고 미분가능해야 하므로

$x=-1$에서 $3+a=-1+b-c$, $-3=3-2b+c$

$x=1$에서 $1+b+c=-3+d$, $3+2b+c=-3$

따라서 $a=2$, $b=0$, $c=-6$, $d=-2$이므로

$a+b+c+d=2+0-6-2=-6$

08 답 19

GUIDE

$\displaystyle\lim_{x\to 2}\frac{x^n-x^3-x-6}{x-2}$ 의 값이 존재하고,

$x\longrightarrow 2$일 때 (분모) $\longrightarrow 0$이므로 (분자) $\longrightarrow 0$이다.

$2^n-2^3-2-6=0$, 즉 $2^n=16$에서 $n=4$

이때 $f(x)=x^4-x^3-x-6$이라 하면 $f(2)=0$이므로

$\displaystyle\lim_{x\to 2}\frac{x^4-x^3-x-6}{x-2}=\lim_{x\to 2}\frac{f(x)-f(2)}{x-2}=f'(2)$

따라서 $f'(x)=4x^3-3x^2-1$에서 $f'(2)=19$

다른 풀이

$\displaystyle\lim_{x\to 2}\frac{x^4-x^3-x-6}{x-2}=\lim_{x\to 2}\frac{(x-2)(x^3+x^2+2x+3)}{x-2}$

$\displaystyle\qquad\qquad\qquad\qquad =\lim_{x\to 2}(x^3+x^2+2x+3)=19$

09 답 ③

GUIDE

❶ $x^6-x^2+3=(x-1)^2Q(x)+ax+b$

❷ ❶의 양변을 미분하면

$\quad 6x^5-2x=2(x-1)Q(x)+(x-1)^2Q'(x)+a$

$f(x)=x^6-x^2+3$이라 하고

$f(x)$를 $(x-1)^2$으로 나눈 몫을 $Q(x)$라 하면

$f(x)=(x-1)^2Q(x)+ax+b$

$f(1)=a+b=3$ ...... ㉠

또한 $f'(x)=6x^5-2x$이고

$f'(x)=2(x-1)Q(x)+(x-1)^2Q'(x)+a$

이므로 $f'(1)=a=4$ ...... ㉡

㉠, ㉡에서 $a=4$, $b=-1$

따라서 $R(x)=ax+b=4x-1$ ∴ $R(2)=7$

STEP 2 | 1등급 굳히기 p. 34~39

01 ②	02 ④	03 4	04 ⑤
05 -20	06 ②	07 ⑤	08 6
09 6	10 11	11 2	12 8
13 ⑤	14 ⑤	15 ③	16 ⑤
17 ④	18 ③	19 7	20 5
21 ③	22 ③	23 ①	

01 답 ②

GUIDE

$\displaystyle f'(x)=\lim_{h\to 0}\frac{f(x+h)-f(x)}{h}$

ㄱ. $\displaystyle\lim_{h\to 0}\frac{f(x)-f(x-h)}{h}=\lim_{h\to 0}\frac{f(x-h)-f(x)}{-h}=f'(x)$

ㄴ. $\displaystyle\lim_{t\to t}\frac{f(t)-f(x)}{t-x}=f'(t)$

ㄷ. $h^2=H$라 하면

$\quad\displaystyle\lim_{h\to 0}\frac{f(x+h^2)-f(x)}{h^2}=\lim_{H\to 0}\frac{f(x+H)-f(x)}{H}=f'(x)$

ㄹ. $t^3=h$라 하면

$\quad\displaystyle\lim_{t\to x}\frac{f(t^3)-f(x^3)}{t^3-x^3}=\lim_{h\to x^3}\frac{f(h)-f(x^3)}{h-x^3}=f'(x^3)$

따라서 $f'(x)$와 같은 것은 ㄱ, ㄷ이다.

02 답 ④

GUIDE

미분계수 공식

$\displaystyle\lim_{h\to 0}\frac{f(1+nh)-f(1-2nh)}{h}=\{n-(-2n)\}f'(1)=3nf'(1)$

을 이용할 수 있다.

$\displaystyle\lim_{h\to 0}\frac{f(1+nh)-f(1-2nh)}{h}=3nf'(1)$이므로

$\displaystyle\lim_{h\to 0}\sum_{n=1}^{5}\frac{f(1+nh)-f(1-2nh)}{h}=3f'(1)\sum_{n=1}^{5}n=45f'(1)$

이때 $f'(x)=3x^2+4x+1$이므로 $f'(1)=8$

따라서 $45f'(1)=360$

03 답 4

GUIDE

$f(1)=0$이므로

$f'(1)=\lim_{x\to 1}\dfrac{f(x)-f(1)}{x-1}=\lim_{x\to 1}\dfrac{f(x)}{x-1}$

$f(1)=0$이므로

$f'(1)=\lim_{x\to 1}\dfrac{f(x)-f(1)}{x-1}=\lim_{x\to 1}\dfrac{f(x)}{x-1}$ 에서

$\lim_{x\to 1}\dfrac{\{f(x)\}^2-3f(x)}{x^2-1}=\lim_{x\to 1}\left\{\dfrac{f(x)-3}{x+1}\times\dfrac{f(x)}{x-1}\right\}$

$\qquad\qquad\qquad\qquad\qquad =-\dfrac{3}{2}f'(1)=-6$

$\therefore f'(1)=4$

04 답 ⑤

GUIDE

❶ $f'(1)\times\left(-\dfrac{1}{3}\right)=-1$ $\quad\therefore f'(1)=3$

❷ $\dfrac{1}{n}=h$라 하면 $n\to\infty$일 때 $h\to 0$

$\lim_{n\to\infty}n\left\{f\left(1+\dfrac{1}{2n}\right)-f\left(1-\dfrac{1}{3n}\right)\right\}$

$=\lim_{h\to 0}\dfrac{f\left(1+\dfrac{h}{2}\right)-f\left(1-\dfrac{h}{3}\right)}{h}$

$=\left(\dfrac{1}{2}+\dfrac{1}{3}\right)f'(1)=\dfrac{5}{2}$

05 답 −20

GUIDE

$f(x)-4=a(x-1)(x-2)(x-3)(x-4)$로 놓는다.

$f(1)-4=f(2)-4=f(3)-4=f(4)-4=0$에서

$f(x)-4=0$의 네 근이 1, 2, 3, 4이므로

$f(x)-4=a(x-1)(x-2)(x-3)(x-4)$

즉 $f(x)=a(x-1)(x-2)(x-3)(x-4)+4$

$f(0)=24a+4=28, a=1$

$\therefore f(x)=(x-1)(x-2)(x-3)(x-4)+4$

$f'(x)=(x-2)(x-3)(x-4)+(x-1)(x-3)(x-4)$

$\qquad\quad +(x-1)(x-2)(x-4)+(x-1)(x-2)(x-3)$

$\therefore \lim_{x\to 1}\dfrac{f(x^2)-x^2f(1)}{x-1}$

$=\lim_{x\to 1}\dfrac{f(x^2)-f(1)+f(1)-x^2f(1)}{x-1}$

$=\lim_{x\to 1}\left\{\dfrac{f(x^2)-f(1)}{x^2-1}\times(x+1)-\dfrac{x^2-1}{x-1}\times f(1)\right\}$

$=2f'(1)-2f(1)=2\times(-6)-2\times 4=-20$

참고

$f'(1)=(-1)\times(-2)\times(-3)=-6$

06 답 ②

GUIDE

$f(n)=\lim_{x\to 1}\dfrac{4x^{n^2}-x-3}{x-1}$에서 $g(x)=4x^{n^2}-x-3$이라 하면

$f(n)=\lim_{x\to 1}\dfrac{g(x)-g(1)}{x-1}$

$f(n)=\lim_{x\to 1}\dfrac{4x^{n^2}-x-3}{x-1}$에서

$g(x)=4x^{n^2}-x-3$이라 하면 $g(1)=0$

따라서 $f(n)=\lim_{x\to 1}\dfrac{g(x)-g(1)}{x-1}=g'(1)$이고

$g'(x)=4n^2x^{n^2-1}$에서 $g'(1)=4n^2-1$

$\therefore \sum_{n=1}^{10}\dfrac{1}{f(n)}=\sum_{n=1}^{10}\dfrac{1}{(2n-1)(2n+1)}$

$\qquad\qquad\quad =\dfrac{1}{2}\sum_{n=1}^{10}\left(\dfrac{1}{2n-1}-\dfrac{1}{2n+1}\right)$

$\qquad\qquad\quad =\dfrac{1}{2}\left\{\left(\dfrac{1}{1}-\dfrac{1}{3}\right)+\left(\dfrac{1}{3}-\dfrac{1}{5}\right)+\cdots+\left(\dfrac{1}{19}-\dfrac{1}{21}\right)\right\}$

$\qquad\qquad\quad =\dfrac{1}{2}\left(1-\dfrac{1}{21}\right)=\dfrac{10}{21}$

참고

$g(x)=4x^{n^2}-x$라 하면 $g(1)=3$이므로

$f(n)=\lim_{x\to 1}\dfrac{g(x)-g(1)}{x-1}=g'(1)=4n^2-1$로 풀 수도 있다.

07 답 ⑤

GUIDE

$\sqrt{(a-1)^2+\{f(a)-f(1)\}^2}=a^2-1$에서

$\lim_{a\to 1}\dfrac{f(a)-f(1)}{a-1}$를 구한다.

두 점 $(1, f(1))$, $(a, f(a))$ $(a>1)$ 사이의 거리가 a^2-1이므로

$\sqrt{(a-1)^2+\{f(a)-f(1)\}^2}=a^2-1$

양변을 제곱하면 $(a-1)^2+\{f(a)-f(1)\}^2=(a^2-1)^2$

양변을 $(a-1)^2$으로 나누면

$1+\left\{\dfrac{f(a)-f(1)}{a-1}\right\}^2=\dfrac{(a^2-1)^2}{(a-1)^2}$

$\left\{\dfrac{f(a)-f(1)}{a-1}\right\}^2=(a+1)^2-1=a^2+2a$

함수 $f(x)$는 양의 실수 전체의 집합에서 증가하므로 $a>1$에서

$\dfrac{f(a)-f(1)}{a-1}=\sqrt{a^2+2a}$

또 $x=1$에서 미분가능하므로

$f'(1)=\lim_{a\to 1}\dfrac{f(a)-f(1)}{a-1}=\lim_{a\to 1}\sqrt{a^2+2a}=\sqrt{3}$

08 답 6

GUIDE

$\lim_{h\to 0+}\dfrac{f(h)}{h}=\lim_{h\to 0+}\dfrac{h^2+bh}{h}$, $\lim_{h\to 0-}\dfrac{f(h)}{h}=\lim_{h\to 0-}\dfrac{h^2+ah}{h}$

$$\lim_{h \to 0+} \frac{f(h)}{h} = \lim_{h \to 0+} \frac{h^2+bh}{h} = \lim_{h \to 0+} (h+b) = b,$$

$$\lim_{h \to 0-} \frac{f(h)}{h} = \lim_{h \to 0-} \frac{h^2+ah}{h} = \lim_{h \to 0-} (h+a) = a$$에서

$$\left| \lim_{h \to 0+} \frac{f(h)}{h} + \lim_{h \to 0-} \frac{f(h)}{h} \right| = |b+a| \leq 4$$

따라서 두 자연수 a, b에 대하여 순서쌍 (a, b)는
$(1, 1), (1, 2), (1, 3), (2, 1), (2, 2), (3, 1)$로 모두 6개

1등급 NOTE

$f'(x) = \begin{cases} 2x+a & (x<0) \\ 2x+b & (x \geq 0) \end{cases}$ 이고 $f(0) = 0$이므로

$$\lim_{h \to 0+} \frac{f(h)}{h} = \lim_{h \to 0+} \frac{f(0+h)-f(0)}{h} = b,$$

$$\lim_{h \to 0-} \frac{f(h)}{h} = \lim_{h \to 0-} \frac{f(0+h)-f(0)}{h} = a$$

09 답 6

GUIDE

$$f(x) = \frac{f(3x)+f(0)}{3}, \ f(x+h) = \frac{f(3x)+f(3h)}{3}$$

x, y에 각각 $3x$, 0을 대입하면

$$f(x) = \frac{f(3x)+f(0)}{3} \qquad \cdots\cdots \ \text{㉠}$$

x, y에 각각 $3x$, $3h$를 대입하면

$$f(x+h) = \frac{f(3x)+f(3h)}{3} \qquad \cdots\cdots \ \text{㉡}$$

㉡ $-$ ㉠에서 $f(x+h) - f(x) = \dfrac{f(\boxed{3h}) - f(0)}{3}$

양변을 h로 나누면

$$\frac{f(x+h)-f(x)}{h} = \frac{f(3h)-f(0)}{3h}$$에서

$$f'(x) = \lim_{h \to 0} \frac{f(x+h)-f(x)}{h} = \lim_{h \to 0} \frac{f(3h)-f(0)}{3h} = f'(0)$$

이때 $f'(0) = 3$이므로 $f'(x) = \boxed{3}$이다.

따라서 $g(h) = 3h$, $a = 3$이므로 $a + 2g\left(\dfrac{1}{2}\right) = 6$

10 답 11

GUIDE

함수 $f(x)$가 $x=a$에서 미분가능하면
❶ $f(x)$가 $x=a$에서 연속
❷ (좌미분계수) $=$ (우미분계수)

주기가 2인 주기함수 $g(x)$가 모든 실수 x에서 미분가능하려면
$f(1) = f(-1)$, $f'(1) = f'(-1)$이어야 한다.
$f(x) = x^3 + ax^2 + bx + c$라 하면
$f(1) = 1 + a + b + c$, $f(-1) = -1 + a - b + c$
$f(1) = f(-1)$에서 $b = -1$ $\therefore f'(x) = 3x^2 + 2ax - 1$

$f'(1) = 3 + 2a - 1, \quad f'(-1) = 3 - 2a - 1$
$f'(1) = f'(-1)$에서 $a = 0$ $\therefore f'(x) = 3x^2 - 1$
따라서 $f'(2) = 3 \times 2^2 - 1 = 11$

참고

❶ $y = g(x)$의 그래프 개형은 그림과 같다.

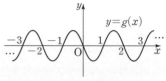

❷ $f(1) \neq f(-1)$이면
$x = \cdots, -3, -1, 1, 3,$
$\cdots$에서 $y = g(x)$의 그래프는 연속이 아니므로 이 점들은 각각 미분가능하지 않다.

11 답 2

GUIDE

함수 $f(x)$가 $x=1$에서 미분가능하면
❶ $\displaystyle\lim_{x \to 1-} f(x) = \lim_{x \to 1+} f(x) = f(1),$
❷ $\displaystyle\lim_{x \to 1-} f'(x) = \lim_{x \to 1+} f'(x)$

$0 < x < 1$일 때 $\displaystyle\lim_{n \to \infty} x^n = 0$이므로 $f(x) = ax^2 + 2x + b$

$x = 1$일 때, $f(1) = \dfrac{2+a+2+b}{2} = \dfrac{a+b}{2} + 2$

$x > 1$일 때 $f(x) = \displaystyle\lim_{n \to \infty} \dfrac{2x^2 + \dfrac{a}{x^{n-2}} + \dfrac{2}{x^{n-1}} + \dfrac{b}{x^n}}{1 + \dfrac{1}{x^n}} = 2x^2$

(i) 함수 $f(x)$가 $x=1$에서 연속이어야 하므로

$\displaystyle\lim_{x \to 1+} f(x) = f(1) = \lim_{x \to 1-} f(x)$, 즉

$\displaystyle\lim_{x \to 1+} 2x^2 = \dfrac{a+b}{2} + 2 = \lim_{x \to 1-} (ax^2 + 2x + b)$에서

$2 = \dfrac{a+b}{2} + 2 = a + 2 + b$ $\therefore a + b = 0$ $\cdots\cdots$ ㉠

(ii) 미분계수 $f'(1)$이 존재해야 하므로

$$\lim_{x \to 1+} \frac{f(x)-f(1)}{x-1} = \lim_{x \to 1+} \frac{2x^2-2}{x-1}$$

$$= \lim_{x \to 1+} \frac{2(x-1)(x+1)}{x-1}$$

$$= \lim_{x \to 1+} 2(x+1) = 4$$

$$\lim_{x \to 1-} \frac{f(x)-f(1)}{x-1} = \lim_{x \to 1-} \frac{ax^2+2x+b-a-2-b}{x-1}$$

$$= \lim_{x \to 1-} \frac{(x-1)(ax+a+2)}{x-1}$$

$$= \lim_{x \to 1-} (ax+a+2) = 2a+2$$

$\therefore 2a + 2 = 4$ $\cdots\cdots$ ㉡

㉠, ㉡에서 $a = 1$, $b = -1$이므로 $a - b = 2$

참고

'$0 < x < 1$에서 $f'(x) = 2ax + 2$이고, $x > 1$에서 $f'(x) = 4x$이므로 $x = 1$에서 미분가능하려면 $2a + 2 = 4$ $\therefore a = 1$'과 같이 푸는 경우가 많지만, $x = a$에서 미분가능하다는 조건을 이용하려면 (좌미분계수) $=$ (우미분계수)가 기본이다.

12 답 8

GUIDE

함수 $g(x)$가 모든 실수에서 미분가능하면 $x=2$에서도 미분가능해야 한다.

(i) 함수 $g(x)$가 $x=2$에서 연속이어야 하므로

$$\lim_{x \to 2+} g(x)=g(2)=\lim_{x \to 2-} g(x)$$

$$\lim_{x \to 2+} \{f(x-a)+b\}=f(2)=\lim_{x \to 2-} f(x)$$

$$\therefore f(2-a)+b=2 \quad \cdots\cdots \ \bigcirc$$

(ii) 미분계수 $g'(2)$가 존재해야 하므로

$$\lim_{x \to 2+} \frac{g(x)-g(2)}{x-2}=\lim_{x \to 2+} \frac{f(x-a)+b-2}{x-2}$$

$$=\lim_{x \to 2+} \frac{f(x-a)-f(2-a)}{x-2} \ (\because \bigcirc)$$

$$=f'(2-a)$$

$$\lim_{x \to 2-} \frac{g(x)-g(2)}{x-2}=\lim_{x \to 2-} \frac{f(x)-f(2)}{x-2}=f'(2)$$

$$\therefore f'(2)=f'(2-a) \quad \cdots\cdots \ \bigcirc\!\!\bigcirc$$

$f'(x)=3x^2-3$이고

$\bigcirc\!\!\bigcirc$에서 $f'(2)=9$, $f'(2-a)=3(2-a)^2-3$이므로

$3(2-a)^2-3=9$, $a^2-4a=a(a-4)=0$

$\therefore a=4 \ (\because a \neq 0)$

$\bigcirc$에서 $a=4$를 대입하면 $f(-2)+b=2$이고

$f(-2)=-2$이므로 $b=4$ $\quad \therefore a+b=8$

다른 풀이

점 $(2, 2)$에서 $f'(2)=9$이고, $f'(x)=9$에서 $x=2$ 또는 -2이므로 점 $(-2, -2)$에서 $f'(-2)=9$이다. 따라서 점 $(-2, -2)$를 점 $(2, 2)$로 평행이동하는 것을 생각하면 $a=4$, $b=4$

13 답 ⑤

GUIDE

$g(x)=\begin{cases} x^2+2x & (x>0, x<-2) \\ -x^2-2x & (-2 \leq x \leq 0) \end{cases}$ 에서

$g'(x)=\begin{cases} 2x+2 & (x>0, x<-2) \\ -2x-2 & (-2<x<0) \end{cases}$ 이다.

ㄱ. $\lim_{h \to 0} \dfrac{g(-1+h)-g(-1)}{h}=g'(-1)=0$ (○)

ㄴ. $\lim_{h \to 0+} \dfrac{g(-2+h)-g(-2-h)}{h}$

$$=\lim_{h \to 0+} \frac{1}{h}[-\{(-2+h)^2+2(-2+h)\}$$

$$-\{(-2-h)^2+2(-2-h)\}]$$

$$=\lim_{h \to 0+} \frac{-2h^2}{h}=0$$

$$\lim_{h \to 0-} \frac{g(-2+h)-g(-2-h)}{h}$$

$$=\lim_{h \to 0-} \frac{1}{h}\{(-2+h)^2+2(-2+h)$$

$$+(-2-h)^2+2(-2-h)\}$$

$$=\lim_{h \to 0-} \frac{2h^2}{h}=0$$

$$\therefore \lim_{h \to 0} \frac{g(-2+h)-g(-2-h)}{h}=0 \ (○)$$

ㄷ. $\lim_{h \to 0+} \dfrac{g(2h)-g(-h)}{h}$

$$=\lim_{h \to 0+} \frac{(4h^2+4h)-(-h^2+2h)}{h}$$

$$=\lim_{h \to 0+} \frac{5h^2+2h}{h}=\lim_{h \to 0+} (5h+2)=2 \ (○)$$

1등급 NOTE

ㄴ. $g(x)$는 $x=-2$인 점에서 첨점이 되기 때문에 미분은 불가능하지만 좌미분계수와 우미분계수는 각각 존재함을 이용한다.

$$\lim_{h \to 0} \frac{g(-2+h)-g(-2-h)}{h}$$

$$=\lim_{h \to 0} \left\{ \frac{g(-2+h)-g(-2)}{h}+\frac{g(-2-h)-g(-2)}{-h} \right\}$$

위 식에서

$h \longrightarrow 0+$이면 $x=-2$에서 (우미분계수)+(좌미분계수),

$h \longrightarrow 0-$이면 $x=-2$에서 (좌미분계수)+(우미분계수)

(우미분계수)$=\lim_{h \to 0+} \dfrac{g(-2+h)-g(-2)}{h}=2$

(좌미분계수)$=\lim_{h \to 0-} \dfrac{g(-2+h)-g(-2)}{h}=-2$

따라서 $\lim_{h \to 0} \dfrac{g(-2+h)-g(-2-h)}{h}=0$

※ $\lim_{h \to 0} \dfrac{g(-2+h)-g(-2-h)}{h} \neq 2g'(-2)$임을 주의한다.

14 답 ⑤

GUIDE

미분가능하면 (좌미분계수)=(우미분계수)임을 이용한다.

ㄱ. $n=1$이면

$f(x)=\begin{cases} 1 & (x>0) \\ 0 & (x=0) \\ -1 & (x<0) \end{cases}$

즉 그래프가 그림과 같으므로 $x=0$ 에서 불연속이다. (○)

ㄴ. $n=2$이면

$f(x)=\begin{cases} x & (x>0) \\ 0 & (x=0) \\ -x & (x<0) \end{cases}$

즉 그래프가 그림과 같으므로 $x=0$ 에서 연속이다. (○)

ㄷ. $n \geq 3$이면

$f(x)=\begin{cases} x^{n-1} & (x>0) \\ 0 & (x=0) \\ -x^{n-1} & (x<0) \end{cases}$

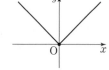

$$\lim_{h \to 0+} \frac{f(h)-f(0)}{h} = \lim_{h \to 0+} \frac{h^{n-1}}{h} = \lim_{x \to 0+} h^{n-2} = 0$$

$$\lim_{h \to 0-} \frac{f(h)-f(0)}{h} = \lim_{h \to 0-} \frac{-h^{n-1}}{h} = \lim_{x \to 0-} (-h^{n-2}) = 0$$

즉 $\lim_{h \to 0} \frac{f(h)-f(0)}{h} = 0$ 이고, $x=0$ 에서 미분가능하다. ($\bigcirc$)

참고

$n \geq 3$ 일 때 $n-2 \geq 1$ 이므로 $\lim_{h \to 0+} h^{n-2} = \lim_{h \to 0-} (-h^{n-2}) = 0$

15 답 ③

GUIDE

정수 k에 대하여

❶ $\lim_{n \to k-} [k] = k-1$ ❷ $\lim_{n \to k+} [k] = k$

$$\lim_{x \to 1+} \frac{f(x)-f(1)}{x-1}$$

$$= \lim_{x \to 1+} \frac{2x^2+2ax+b-(2+2a+b)}{x-1} = 2a+4 \quad \cdots\cdots \text{㉠}$$

$$\lim_{x \to 1-} \frac{f(x)-f(1)}{x-1} = \lim_{x \to 1-} \frac{x^2+ax-(2+2a+b)}{x-1} \quad \cdots\cdots \text{㉡}$$

㉡의 값이 존재하려면 $x \to 1$ 일 때 (분자) $\to 0$ 에서 $a+b=-1$

$$\therefore \lim_{x \to 1-} \frac{x^2+ax-a-1}{x-1} = a+2$$

㉠=㉡에서 $2a+4=a+2$ $\therefore a=-2, b=1$

따라서 $f(x)=(x^2-2x)[2x]+[x]$ 이므로

$$\lim_{x \to 3-} f(x) = \lim_{x \to 3-} \{(x^2-2x)[2x]+[x]\}$$
$$= (9-6) \times 5 + 2 = 17$$

1등급 NOTE

$x=1$ 에서의 미분가능성만 보면 되므로 $x=1$ 근처에서 함수를 구해 비교하면 된다.

$\frac{1}{2} \leq x < 1$ 에서 $f(x)=x^2+ax$

$1 \leq x < \frac{3}{2}$ 에서 $f(x)=2x^2+2ax+b$ 임을 이용한다.

16 답 ⑤

GUIDE

$g(x)=(x-2)f(x)$, $h(x)=(x-1)^2 f(x)$ 로 놓고 $g'(2)$, $h'(1)$ 값이 존재하는지 따져본다.

ㄱ. $\lim_{x \to 1+} (x-1)f(x) = 0 \times 1 = 0$

$\lim_{x \to 1-} (x-1)f(x) = 0 \times (-1) = 0$

$(1-1)f(1) = 0$

따라서 $x=1$ 에서 연속이다. ($\bigcirc$)

ㄴ. $g(x)=(x-2)f(x)$ 라 하면

$$g'(2) = \lim_{x \to 2} \frac{g(x)-g(2)}{x-2}$$

$$= \lim_{x \to 2} \frac{(x-2)f(x)}{x-2} = \lim_{x \to 2} f(x) = 0$$

즉 $(x-2)f(x)$ 는 $x=2$ 에서 미분가능하다. ($\bigcirc$)

ㄷ. $h(x)=(x-1)^2 f(x)$ 라 하자.

$$h'(1) = \lim_{x \to 1} \frac{h(x)-h(1)}{x-1} = \lim_{x \to 1} \frac{(x-1)^2 f(x)}{x-1}$$

$$= \lim_{x \to 1} (x-1)f(x) = 0 \ (\because \text{㉠})$$

즉 $(x-1)^2 f(x)$ 는 $x=1$ 에서 미분가능하다. ($\bigcirc$)

17 답 ④

GUIDE

미분가능하면 (좌미분계수)=(우미분계수)임을 이용한다.

ㄱ. [반례] $f(x)=|x|$ 이면

$$\lim_{x \to 0} \frac{f(|x|)}{|x|} = \lim_{x \to 0} \frac{||x||}{|x|} = \lim_{x \to 0} \frac{|x|}{|x|} = 1$$ 이지만

$x=0$ 에서 미분가능하지 않다. ($\times$)

ㄴ. $g(x)=xf(x)$ 라 하면

$$g'(0) = \lim_{h \to 0} \frac{g(h)-g(0)}{h}$$

$$= \lim_{h \to 0} \frac{hf(h)}{h} = \lim_{h \to 0} f(h) = f(0) = 0$$

$g'(0)=0$ 이므로 $x=0$ 에서 미분가능하다. ($\bigcirc$)

ㄷ. $i(x)=|f(x)|$ 라 하고 $|f(x)|$ 가 $x=0$ 에서 미분가능하므로 $i'(0)=a$ 라 하면

$$i'(0) = \lim_{h \to 0} \frac{i(h)-i(0)}{h} = \lim_{h \to 0} \frac{|f(h)|-|f(0)|}{h}$$

$$= \lim_{h \to 0} \frac{|f(h)|}{h} = a$$

(i) $h > 0$ 일 때

$$\lim_{h \to 0+} \frac{|f(h)|}{h} = \lim_{h \to 0+} \left| \frac{f(h)}{h} \right| = a$$ 이므로

$|(\text{우미분계수})| = a$ $\therefore a \geq 0$ $\quad \cdots\cdots \text{㉠}$

($\because \lim_{h \to 0+} \frac{f(h)}{h}$ 는 $f(x)$ 의 $x=0$ 에서 우미분계수)

(ii) $h < 0$ 일 때

$$\lim_{h \to 0-} \frac{|f(h)|}{h} = \lim_{h \to 0-} \left\{ -\left| \frac{f(h)}{h} \right| \right\} = a$$ 이므로

$-|(\text{좌미분계수})| = a$ $\therefore a \leq 0$ $\quad \cdots\cdots \text{㉡}$

($\because \lim_{h \to 0-} \frac{f(h)}{h}$ 는 $f(x)$ 의 $x=0$ 에서 좌미분계수)

㉠, ㉡에서 $a=0$

$|(\text{우미분계수})| = 0$, $|(\text{좌미분계수})| = 0$ 이므로

$f'(0)=0$ 이다. ($\bigcirc$)

ㄱ. $|x|=h \ (h\geq0)$라 하면

$$\lim_{x\to0}\frac{f(|x|)}{|x|}=\lim_{h\to0+}\frac{f(h)-f(0)}{h}$$

따라서 $\lim_{x\to0}\frac{f(|x|)}{|x|}=1$은 $x=0$에서 우미분계수가 1이라는 뜻이다.

좌미분계수와 우미분계수가 같은지는 알 수 없다.

ㄴ. $f(x)$가 $x=0$에서 연속이므로

$$\lim_{h\to0+}\frac{hf(h)}{h}=\lim_{h\to0-}\frac{hf(h)}{h}=f(0)=0$$

18 ③

GUIDE

$f'(x)$에 $x=1$을 대입하여 $f'(1)$의 값을 구한다.

$f'(1)=b$라 하면 $f(x)=x^4+bx^3+x^2+bx+a$이고
$f'(x)=4x^3+3bx^2+2x+b$이므로
$f'(1)=4+3b+2+b=b$에서 $b=-2$
즉 $f(x)=x^4-2x^3+x^2-2x+a$에서
$f(-1)=6+a=9$ $\therefore a=3$
따라서 $f(x)=x^4-2x^3+x^2-2x+3$ $\therefore f(2)=3$

19 ⑦

GUIDE

함수 $f(x)$를 n차함수라 하고 n값을 구한다.

함수 $f(x)$가 n차 다항함수이면 $f'(x)$는 $(n-1)$차 다항함수이므로 $f(x)f'(x)$는 $(2n-1)$차 다항함수이다.
$n\geq4$일 때 우변은 4차 이상인 다항함수이고
$n<4$일 때 우변은 3차 이하인 다항함수이다.
(i) $n\geq4$일 때
   $2n-1=n$에서 $n=1$이므로 조건에 맞지 않다.
(ii) $n<4$일 때 $2n-1=3$에서 $n=2$이다.
즉 $f(x)$는 최고차항의 계수가 양수인 이차함수이므로
$f(x)=ax^2+bx+c \ (a>0)$라 두면 $f'(x)=2ax+b$이고
$f(x)f'(x)=2a^2x^3+3abx^2+(b^2+2ac)x+bc,$
$3f(x)+2x^3-2=2x^3+3ax^2+3bx+3c-2$
이때 $2a^2=2$, $3ab=3a$, $b^2+2ac=3b$, $bc=3c-2$
$2a^2=2$에서 $a=1 \ (\because a>0)$, $3ab=3a$에서 $b=1$
$bc=3c-2$에서 $b=1$이므로 $c=1$ $\therefore f(x)=x^2+x+1$
따라서 $f(2)=2^2+2+1=7$

20 ⑤

GUIDE

$h(x)=f(x)-g(x)$로 놓고
$f(3)-g(3), f'(1)-g'(1)$을 이용한다.

최고차항 계수가 같은 두 사차다항식 $f(x), g(x)$에 대하여
$h(x)=f(x)-g(x)$라 하면 $h(x)$는 삼차 이하인 다항식이다.
또한 ㈎에서 두 다항식의 공통인수가
$x^2-3x+2=(x-1)(x-2)$이므로
$h(x)=f(x)-g(x)=(x-1)(x-2)(ax+b)$로 놓으면
㈏에서 $h(3)=14$이므로 $2(3a+b)=14$
$3a+b=7$ ······ ㉠
㈐에서 $h'(1)=-3$이므로 $-(a+b)=-3$
$a+b=3$ ······ ㉡
㉠, ㉡에서 $a=2, b=1$
$\therefore h(x)=(x-1)(x-2)(2x+1)$
따라서 $f'(2)-g'(2)=h'(2)=5$

21 ③

GUIDE

$\lim_{h\to0}\frac{f(1+h)g(1+h)-8}{h}=10$에서
$\lim_{h\to0}\frac{f(1+h)g(1+h)-f(1)g(1)}{h}$을 생각한다.

$\lim_{h\to0}\frac{f(1+h)g(1+h)-8}{h}=10$이므로 $f(1)g(1)=8$
이때 $f(1)=4$이므로 $g(1)=2$
$\lim_{h\to0}\frac{f(1+h)g(1+h)-f(1)g(1)}{h}$은
함수 $f(x)g(x)$의 $x=1$에서의 미분계수이므로
$\{f(x)g(x)\}'=f'(x)g(x)+f(x)g'(x)$에서
$f'(1)g(1)+f(1)g'(1)=10$
이때 $f(1)=4, f'(1)=3, g(1)=2$이므로
$3\times2+4g'(1)=10$ $\therefore g'(1)=1$
$g(x)=ax+b \ (a, b$는 상수$)$
로 놓으면
$g(1)=2, g'(1)=1$에서
$a=1, b=1$
$\therefore g(x)=x+1$

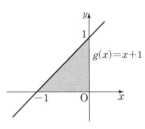

따라서 구하는 넓이는 $\frac{1}{2}$

$$\lim_{h\to0}\frac{f(1+h)g(1+h)-f(1)g(1)}{h}\neq f'(1)g'(1)$$

22 ③

GUIDE

$f(a)=0, f'(a)=0$이면 $f(x)$는 $(x-a)^2$을 인수로 갖는다.

ㄱ. $x\to1$에서 (분모) $\to0$이고 극한값이 존재하므로
   (분자) $\to0$ 이어야 한다. 즉 $\lim_{x\to1}f(x)=0$ (○)

ㄴ. [반례] $f(x)=\begin{cases}(x-1)^2 & (x\neq 1) \\ 2 & (x=1)\end{cases}$ 이면

$\displaystyle\lim_{x\to 1}\frac{f(x)}{x-1}=\lim_{x\to 1}\frac{(x-1)^2}{x-1}=0$이 성립하지만

$x=1$에서 불연속이므로 미분계수가 존재하지 않는다. (×)

ㄷ. $f(x)$가 다항함수이면 연속이므로 $f(1)=0$이고

$\displaystyle\lim_{x\to 1}\frac{f(x)}{x-1}=\lim_{x\to 1}\frac{f(x)-f(1)}{x-1}=f'(1)=0$

이때 $f(1)=0$에서 $f(x)=(x-1)Q(x)$이고

$f'(x)=Q(x)+(x-1)Q'(x)$

즉 $f'(1)=Q(1)=0$이므로 $Q(x)=(x-1)Q_1(x)$

$\therefore f(x)=(x-1)^2Q_1(x)$

따라서 $(x-1)^2$으로 나누어 떨어진다. (○)

1등급 NOTE

❶ ㄴ에서는 다항함수인 조건이 없지만, ㄷ에서는 다항함수인 조건이 있으므로 모든 x에 대하여 미분가능하다.

❷ 다항함수 $f(x)$가 $(x-a)^2$을 인수로 가지면 $f(a)=0$, $f'(a)=0$이므로 $y=f(x)$의 그래프가 $x=a$에서 x축에 접한다. 또 역도 성립한다.

23 답 ①

GUIDE

$f(x)-k=l(x-a)(x-b)(x-c)$

$f(x)-k=l(x-a)(x-b)(x-c)$ $(l<0)$로 놓으면

$f'(x)=l\{(x-b)(x-c)+(x-a)(x-c)+(x-a)(x-b)\}$

이때

$f'(a)=l(a-b)(a-c)=4l(c-a)=-24\ (\because b-a=4)$

에서 $l(c-a)=-6$이고

$f'(c)=l(c-a)(c-b)=-6(c-b)=-12$에서

$c-b=2$

$b-a=4$와 $c-b=2$를 변끼리 더하면 $c-a=6$

1등급 NOTE

43쪽 단축키 '삼차함수 그래프의 성질'을 이용하면 $c-a=6$을 바로 구할 수 있다.

STEP 3 1등급 뛰어넘기   p. 40~41

01 ⑤	**02** 1	**03** 10	**04** ①
05 ⑤	**06** ②	**07** 186	
08 (1) 0 (2) 21 (3) 12			

01 답 ⑤

GUIDE

미분가능하면 (좌미분계수)=(우미분계수)임을 이용한다.

ㄱ. $f(x)$는 $x=0$에서 연속이고

$f'(0)=\displaystyle\lim_{h\to 0}\frac{f(0+h)-f(0)}{h}=\lim_{h\to 0}\frac{h|h|}{h}$

$\displaystyle\lim_{h\to 0}|h|=0$이므로 $f(x)$는 $x=0$에서 미분가능하다. (○)

ㄴ. $g(x)=\begin{cases}-3x^2-3x-1 & (x\geq 0) \\ -2x^3-3x^2-3x-1 & (-1<x<0)\end{cases}$ 이므로

$x=0$에서 연속이고

$g'(x)=\begin{cases}-6x-3 & (x>0) \\ -6x^2-6x-3 & (-1<x<0)\end{cases}$

$\displaystyle\lim_{x\to 0+}g'(x)=\lim_{x\to 0-}g'(x)=-3$

즉 $g'(0)=-3$이고, $g(x)$는 $x=0$에서 미분가능하다.

(○)

ㄷ. $h(x)$는 $x=0$에서 연속이고

$h'(0)=\displaystyle\lim_{a\to 0}\frac{h(0+a)-h(0)}{a}=\lim_{a\to 0}\frac{|a^3+3a^2|\,[a]}{a}$

이므로

$\displaystyle\lim_{a\to 0+}\frac{(a^3+3a^2)\times 0}{a}=0$

$\displaystyle\lim_{a\to 0-}\frac{(a^3+3a^2)\times(-1)}{a}=\lim_{a\to 0-}(-a^2-3a)=0$

즉 $h'(0)=0$이고, $h(x)$는 $x=0$에서 미분가능하다. (○)

02 답 1

GUIDE

함수 $f(x)$가 $x=a$에서 미분가능하면

❶ $f(x)$가 $x=a$에서 연속

❷ (좌미분계수)=(우미분계수)

모든 실수에서 연속이므로 $\displaystyle\lim_{x\to 0}f(x)=f(0)$에서

$\displaystyle\lim_{x\to 0+}f(x)=\lim_{x\to 0-}f(x)=|ax+b|=|b|$, $f(0)=1$

즉 $|b|=1$이므로 $b=\pm 1$ ……㉠

$\displaystyle\lim_{x\to 3}f(x)=f(3)$에서

$\displaystyle\lim_{x\to 3-}f(x)=\lim_{x\to 0-}f(x)=|ax+b|=|3a+b|$, $f(3)=2$

즉 $|3a+b|=2$이므로 $3a+b=\pm 2$ ……㉡

㉠, ㉡에서 a, b의 값을 순서쌍 (a,b)로 나타내면

$\left(\dfrac{1}{3},1\right)$, $(-1,1)$, $(1,-1)$, $\left(-\dfrac{1}{3},-1\right)$

$a>0$이므로 $a=\dfrac{1}{3}$, $b=1$ 또는 $a=1$, $b=-1$이다.

또 $f'(x)=\begin{cases}-\dfrac{2}{3}x+3 & (x>3) \\ 4x-1 & (x<0)\end{cases}$ 에서

$\displaystyle\lim_{x\to 0-}f'(x)=-1$이므로

$f(x)$가 $x=0$에서 미분가능하려면 $f'(0)=-1$이어야 하고
$\lim_{x \to 3+} f'(x)=1$이므로
$f(x)$가 $x=3$에서 미분가능하려면 $f'(3)=1$이어야 한다.

(i) $a=\dfrac{1}{3}$, $b=1$일 때

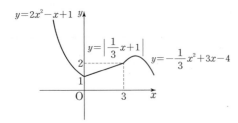

그림과 같이 $x=0$, $x=3$에서 미분가능하지 않으므로 조건에 어긋난다.

(ii) $a=1$, $b=-1$인 경우

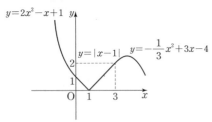

$f'(0)=-1$, $f'(3)=1$이고, $x=0$, $x=3$에서 미분가능하고 $x=1$에서만 미분가능하지 않다.
따라서 $a=1$, $b=-1$, $c=1$이므로 $a+b+c=1$

03 答 10

GUIDE

다항함수 $f(x)$를 n차로 놓고 n값을 구한다.

다항함수 $f(x)$의 최고차항을 ax^n $(a>0)$이라 하면
$(f \circ f')(x)$의 최고차항은 $a(anx^{n-1})^n=a^{n+1}n^n x^{n^2-n}$이므로 최고차수는 n^2-n이다. 또 $f'(x)$는 anx^{n-1}이므로 최고차수는 $n-1$이다.
즉 $n^2-n=n-1$, $(n-1)^2=0$이므로 $n=1$
이때 $f(x)=ax+b$라 두면 $f'(x)=a$,
$f(f'(x))=f(a)=a^2+b$이므로
$a^2+b-a=1$ ...... ㉠
㈎에서 $f(1)=a+b=-2$ ...... ㉡
㉡을 ㉠에 대입하면
$a^2-2a-3=0$, $(a+1)(a-3)=0$
따라서 $a=3$ ($\because a>0$), $b=-5$에서
$f(x)=3x-5$이므로 $f(5)=10$

04 答 ①

GUIDE

다항함수 $f(x)$의 최고차항을 ax^n으로 놓고 a, n값을 구한다.

다항함수 $f(x)$의 최고차항을 ax^n (a는 정수)이라 하면
$\{xf'(x)\}^2$의 최고차항은 $a^2n^2x^{2n}$,
$\{f'(x)\}^3$의 최고차항은 $a^3n^3x^{3n-3}$,
$9f(x^2)$의 최고차항은 $9ax^{2n}$이다.
분모의 최고 차수는 $2n$이고, 분자의 최고 차수는 $3n-3$과 $2n$ 중 작지 않은 값이다.
$x \to \infty$일 때 극한값이 -4로 존재하므로 분자의 최고 차수는 $2n$이어야 한다. 따라서 $3n-3 \le 2n$, 즉 $n \le 3$이다.
$n=1$ 또는 $n=2$인 경우($3n-3<2n$)는
$\dfrac{9a}{a^2n^2}=-4$에서 $a=-\dfrac{9}{4n^2}$
$n=1$이면 $a=-\dfrac{9}{4}$,
$n=2$이면 $a=-\dfrac{9}{16}$이므로 모순 ($\because a$는 정수)
즉 $n=3$이므로 $\dfrac{9a+a^3n^3}{a^2n^2}=\dfrac{9a+27a^3}{9a^2}=\dfrac{1+3a^2}{a}=-4$
$3a^2+4a+1=0$에서 $a=-1$ 또는 $-\dfrac{1}{3}$
a는 정수이므로 $a=-1$이다.
이때 $f(x)=-x^3+bx^2+cx+d$로 둘 수 있고
㈏ $\lim_{x \to 0} \dfrac{f(x)+f'(x)}{x}=-4$에서 (분모) $\to 0$이므로 (분자) $\to 0$이어야 한다. 즉 $f(0)+f'(0)=0$에서 $d+c=0$
㈏식에 대입하면
$\lim_{x \to 0} \dfrac{f(x)+f'(x)}{x}$
$=\lim_{x \to 0} \dfrac{-x^3+bx^2+cx-c-3x^2+2bx+c}{x}$
$=\lim_{x \to 0} \dfrac{-x^3+(b-3)x^2+(c+2b)x}{x}=2b+c$
$\therefore 2b+c=-4$
㈐에서 $f(1)=0$이므로 $b=1$ $\therefore c=-6$
따라서 $f(x)=-x^3+x^2-6x+6$이므로
$f'(x)=-3x^2+2x-6$ $\therefore f'(1)=-7$

05 答 ⑤

GUIDE

$g(x^3)$을 뺀 다음 더한다. 또 $1=f(1)$을 이용한다.

$f(1)g(1)=4$이므로
$\lim_{x \to 1} \dfrac{f(x^2)g(x^3)-f(1)g(1)}{x-1}$
$=\lim_{x \to 1} \dfrac{g(x^3)\{f(x^2)-f(1)\}+f(1)\{g(x^3)-g(1)\}}{x-1}$
$=\lim_{x \to 1} \left\{ \dfrac{f(x^2)-f(1)}{x^2-1}g(x^3)(x+1) \right.$
$\left. +\dfrac{g(x^3)-g(1)}{x^3-1}f(1)(x^2+x+1) \right\}$
$=2f'(1)g(1)+3g'(1)f(1)=2 \times 2 \times 4+3 \times 3 \times 1=25$

06 답 ②

GUIDE

$y=0$을 대입한 $f(x)=f(x)f(0)-2f(x)-2f(0)+6$에서
$f(x)f(0)-3f(x)-2f(0)+6=0$을 이용해 $f'(x)$를 구한다.

주어진 식에 $y=0$을 대입하면

$f(x)=f(x)f(0)-2f(x)-2f(0)+6$

$(f(x)-2)(f(0)-3)=0$에서 $f(x)=2$ 또는 $f(0)=3$

이때 $f(x)=2$이면 $f'(0)=0$이 되므로 모순이다.

$(\because f'(0)=-1)$ ∴ $f(0)=3$

$f'(x)=\lim_{h\to 0}\dfrac{f(x+h)-f(x)}{h}$

$=\lim_{h\to 0}\dfrac{f(x)f(h)-3f(x)-2f(h)+6}{h}$

$=\lim_{h\to 0}\dfrac{f(x)\{f(h)-3\}-2\{f(h)-3\}}{h}$

$=\lim_{h\to 0}\dfrac{f(x)\{f(h)-f(0)\}-2\{f(h)-f(0)\}}{h}$

$=\lim_{h\to 0}\dfrac{\{f(x)-2\}\{f(h)-f(0)\}}{h}=-f(x)+2$

$\left(\because f(0)=3\text{이고, } \lim_{h\to 0}\dfrac{f(h)-f(0)}{h}=f'(0)=-1\right)$

∴ $f(x)+f'(x)=2$

따라서 $x=3$을 대입하면 $f(3)+f'(3)=2$

07 답 186

GUIDE

두 점 $A(-1,-1)$, $B(1,2)$로부터 거리가 같은 점들의 자취를 구한다.

두 점 $A(-1,-1)$, $B(1,2)$로부터 거리가 같은 점들의 자취는

$y=-\dfrac{2}{3}x+\dfrac{1}{2}$

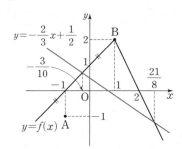

$y=-\dfrac{2}{3}x+\dfrac{1}{2}$ 과 $y=f(x)$의 교점의 x좌표는 각각

$x=-\dfrac{3}{10}$, $\dfrac{21}{8}$ 이므로 $g(x)$와 $g'(x)$는 다음과 같다.

$g(x)=\begin{cases} 2x^2+6x+5 & \left(x\le -\dfrac{3}{10}\right) \\ 2x^2-4x+2 & \left(-\dfrac{3}{10}\le x<1\right) \\ 5x^2-10x+5 & \left(1\le x<\dfrac{21}{8}\right) \\ 5x^2-18x+26 & \left(x\ge \dfrac{21}{8}\right) \end{cases}$

$g'(x)=\begin{cases} 4x+6 & \left(x<-\dfrac{3}{10}\right) \\ 4x-4 & \left(-\dfrac{3}{10}<x<1\right) \\ 10x-10 & \left(1<x<\dfrac{21}{8}\right) \\ 10x-18 & \left(x>\dfrac{21}{8}\right) \end{cases}$

따라서 $x=-\dfrac{3}{10}$, $\dfrac{21}{8}$에서 미분가능하지 않으므로

$p=-\dfrac{3}{10}+\dfrac{21}{8}=\dfrac{93}{40}$ ∴ $80p=186$

1등급 NOTE

❶ 거리는 0 이상이므로 거리의 제곱 중 크지 않은 값은 거리가 크지 않은 것을 이용한다.

❷ 두 점 A, B에서 거리가 같은 점들의 모임은 $\overline{AB}$의 수직이등분선이다.

08 답 (1) 0 (2) 21 (3) 12

GUIDE

❶ $\dfrac{f(n+1)-f(n)}{(n+1)-n}$ 를 n에 대한 식으로 나타낸다.

❷ $f(n+1)-f(n)$을 이용해 $f(11)-f(1)$을 구한다.

(1) $\dfrac{f(n+1)-f(n)}{(n+1)-n}=(-1)^{n+1}\dfrac{2n+1}{n^2+n}$ 에서

$f(n+1)-f(n)=(-1)^{n+1}\dfrac{2n+1}{n^2+n}$ 이고

$(-1)^{n+1}\dfrac{2n+1}{n(n+1)}=(-1)^{n+1}\left(\dfrac{2n+1}{n}-\dfrac{2n+1}{n+1}\right)$

$=(-1)^{n+1}\left(2+\dfrac{1}{n}-2+\dfrac{1}{n+1}\right)$

$=(-1)^{n+1}\left(\dfrac{1}{n}+\dfrac{1}{n+1}\right)$

따라서 $a=-1$, $b=1$이므로 $a+b=0$

(2) $f(11)-f(1)$

$=\sum_{n=1}^{10}\{f(n+1)-f(n)\}=\sum_{n=1}^{10}(-1)^{n+1}\left(\dfrac{1}{n}+\dfrac{1}{n+1}\right)$

$=\left(1+\dfrac{1}{2}\right)-\left(\dfrac{1}{2}+\dfrac{1}{3}\right)+\left(\dfrac{1}{3}+\dfrac{1}{4}\right)-\cdots-\left(\dfrac{1}{10}+\dfrac{1}{11}\right)$

$=1-\dfrac{1}{11}=\dfrac{10}{11}$

따라서 $c=11$, $d=10$이므로 $c+d=21$

(3) $\dfrac{f(11)-f(1)}{11-1}=\dfrac{1}{11}$

따라서 $p=11$, $q=1$이므로 $p+q=12$

채점 기준	배점
(1) $a+b$의 값 구하기	40%
(2) $c+d$의 값 구하기	40%
(3) $p+q$의 값 구하기	20%

04 도함수의 활용(1)

STEP 1 | 1등급 준비하기   p. 44~45

01 ④	**02** 3	**03** 9	**04** -18
05 ④	**06** ②	**07** 46	**08** ㄱ, ㄷ
09 16	**10** ③		

01 ⓐ ④

GUIDE

$y=f(x)$의 그래프와 접선은 모두 접점을 지난다.

점 $(2, c)$가 $y=17x-24$ 위의 점이므로 $c=10$

함수 $y=f(x)$의 그래프가 $(2, 10)$을 지나므로

$f(2)=16-12+2a+b=2a+b+4=10$

$\therefore 2a+b=6$ ...... ㉠

$(2, 10)$에서 접선의 기울기는 17이므로

$f'(x)=6x^2-6x+a$에서

$f'(2)=24-12+a=a+12=17$ ...... ㉡

㉠, ㉡을 풀면 $a=5, b=-4$

$\therefore a+b+c=5+(-4)+10=11$

02 ⓐ 3

GUIDE

$|x|>1, x=1, |x|<1$일 때로 나누어 함수 $f(x)$를 구하여 a값을 구한다.

$$f(x)=\lim_{n\to\infty}\frac{x^{2n+1}-x^2+ax}{x^{2n}+1}=\begin{cases} x & (|x|>1) \\ \dfrac{a}{2} & (x=1) \\ -x^2+ax & (|x|<1) \end{cases}$$

$x=1$에서 연속이므로

$\displaystyle\lim_{x\to 1+}x=\lim_{x\to 1-}(-x^2+ax)=\frac{a}{2}$ $\quad\therefore a=2$

즉 $f(x)=\begin{cases} x & (|x|>1) \\ 1 & (x=1) \\ -x^2+2x & (|x|<1) \end{cases}$ $\quad\therefore f\left(\dfrac{2}{3}\right)=\dfrac{8}{9}$

$|x|<1$일 때 $f'(x)=-2x+2$이므로 $f'\left(\dfrac{2}{3}\right)=\dfrac{2}{3}$

이때 접선의 방정식은 $y=\dfrac{2}{3}\left(x-\dfrac{2}{3}\right)+\dfrac{8}{9}=\dfrac{2}{3}x+\dfrac{4}{9}$

$\therefore \dfrac{2p}{q}=2\times\dfrac{2}{3}\times\dfrac{9}{4}=3$

03 ⓐ 9

GUIDE

접선 $y=-2x+7$의 기울기가 -2이므로
접선의 기울기가 -2가 되는 곡선 위의 점을 찾는다.

함수 $f(x)$를 $f(x)=x^4-x^2+a$라 하자.

곡선 $y=f(x)$ 위의 점 $(t, f(t))$에서

접선의 기울기는 $f'(t)=4t^3-2t$이므로

$4t^3-2t=-2$에서

$2(t+1)(2t^2-2t+1)=0$ $\quad\therefore t=-1$

즉 접점의 좌표가 $(-1, 9)$이므로 $f(-1)=9$에서

$1-1+a=9$ $\quad\therefore a=9$

04 ⓐ -18

GUIDE

두 곡선 $y=f(x)$와 $y=g(x)$가 점 $(-1, 2)$에서 공통접선을 가지면
$f(-1)=g(-1)=2, f'(-1)=g'(-1)$

$f(-1)=-1-a+b=2$에서 $-a+b=3$ ...... ㉠

$g(-1)=-2-c+2=2$에서 $c=-2$ ...... ㉡

$f'(-1)=g'(-1)$에서 $3+a=6+c$ ...... ㉢

㉠, ㉡, ㉢에서 $a=1, b=4, c=-2$이므로

$f(x)=x^3+x+4, g(x)=2x^3-2x+2$

$f'(-1)=4$이므로 $y=h(x)$는 기울기가 4이고

점 $(-1, 2)$를 지나는 직선이다. 즉

$y=h(x)=4(x+1)+2=4x+6$

따라서 $f(c)=f(-2)=-6$이므로

$(h\circ f)(c)=h(-6)=-18$

05 ⓐ ④

GUIDE

$\dfrac{f(a_{n+2})-f(a_n)}{a_{n+2}-a_n}=f'(a_{n+1})$

구간 $[a_n, a_{n+2}]$에서 함수 $f(x)=x^2+2x+3$의 평균변화율은

$\dfrac{f(a_{n+2})-f(a_n)}{a_{n+2}-a_n}=\dfrac{(a_{n+2}^2+2a_{n+2}+3)-(a_n^2+2a_n+3)}{a_{n+2}-a_n}$

$\qquad\qquad =a_{n+2}+a_n+2$ ...... ㉠

$x=a_{n+1}$에서 함수 $f(x)$의 미분계수는 $f'(x)=2x+2$에서

$f'(a_{n+1})=2a_{n+1}+2$ ...... ㉡

㉠, ㉡에서 $2a_{n+1}=a_{n+2}+a_n$이므로

수열 $\{a_n\}$은 $a_1=1, a_2=4$인 등차수열이다.

즉 $a_n=1+(n-1)(4-1)=3n-2$이므로

$\displaystyle\sum_{n=1}^{20}a_n=\sum_{n=1}^{20}(3n-2)=3\times\frac{20\times 21}{2}-40=590$

1등급 NOTE

구간 $[a, b]$에서 이차함수의 평균변화율은 항상 $x=\dfrac{a+b}{2}$에서 순간변화

율과 같으므로 $\dfrac{f(b)-f(a)}{b-a}=f'\left(\dfrac{a+b}{2}\right)$

$\therefore a_{n+1}=\dfrac{a_{n+2}+a_n}{2}$

06 답 ②

GUIDE

평균값 정리에서

$\dfrac{f(x_2)-f(x_1)}{x_2-x_1}=f'(x)\ (x_1<x<x_2)$인 x가 존재한다.

삼차함수 $f(x)$는 닫힌구간 $[x_1,\ x_2]$에서 연속이고, 열린구간 $(x_1,\ x_2)$에서 미분가능하므로 평균값의 정리에 따라

$\dfrac{f(x_2)-f(x_1)}{x_2-x_1}=f'(x)\ (x_1<x<x_2)$인 x가 존재한다.

$f(x_2)-f(x_1)\geq x_2-x_1$에서

$\dfrac{f(x_2)-f(x_1)}{x_2-x_1}\geq 1$이므로 $f'(x)\geq 1$

즉 $f'(x)=ax^2-2(b-1)x-\left(a-\dfrac{4}{a}-1\right)\geq 1$

모든 실수 x에 대하여

$ax^2-2(b-1)x-a+\dfrac{4}{a}\geq 0$이려면

$a>0$이고 판별식 $D\leq 0$이어야 하므로

$\dfrac{D}{4}=(b-1)^2+a\left(a-\dfrac{4}{a}\right)\leq 0$

$(b-1)^2+a^2-4\leq 0,\ a^2+(b-1)^2\leq 4$

따라서 이 부등식을 만족시키는 자연수 $a,\ b$의 순서쌍 $(a,\ b)$는 $(1,\ 1),\ (1,\ 2),\ (2,\ 1)$로 모두 3개

참고

그림처럼 생각할 수 있다. 색칠한 부분은 $a^2+(b-1)^2\leq 4$인 영역이고, 점은 x좌표와 y좌표가 모두 자연수인 것을 나타낸다.

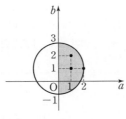

07 답 46

GUIDE

함수 $f(x)$의 증감표를 이용해 $m,\ n$의 값을 구한다.

$f'(x)=4x^3-8x=4x(x^2-2)=0$ 에서 $f(x)$의 증감표는 다음과 같다.

x	$\cdots$	$-\sqrt{2}$	$\cdots$	0	$\cdots$	$\sqrt{2}$	$\cdots$
$f'(x)$	$-$	0	$+$	0	$-$	0	$+$
$f(x)$	$\searrow$	$m-4$	$\nearrow$	m	$\searrow$	$m-4$	$\nearrow$

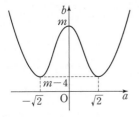

극댓값이 10이므로 $m=10$이고 극솟값은 $m-4=6$

따라서 $m+n^2=10+6^2=46$

08 답 ㄱ, ㄷ

GUIDE

ㄷ. 함수 $f(x)$의 증감표를 만들어 파악한다.

ㄱ. $F(x)=(x-1)f(x)$라 하면 $F(1)=0$이므로

$F'(x)=\lim\limits_{x\to 1}\dfrac{F(x)-F(1)}{x-1}=\lim\limits_{x\to 1}\dfrac{(x-1)f(x)}{x-1}$

$=\lim\limits_{x\to 1}f(x)$

함수 $y=f(x)$는 구간 $(-2,\ 3)$에서 연속이므로 $\lim\limits_{x\to 1}f(x)$가 존재한다. 따라서 함수 $(x-1)f(x)$는 $x=1$에서 미분가능하다. (○)

ㄴ. $g(x)=xf(x)$라 하면 $g'(x)=f(x)+xf'(x)$

$g'\left(\dfrac{1}{2}\right)=f\left(\dfrac{1}{2}\right)+\dfrac{1}{2}f'\left(\dfrac{1}{2}\right)$에서

$\dfrac{1}{2}f'\left(\dfrac{1}{2}\right)>0$이지만 $f\left(\dfrac{1}{2}\right)$의 값을 알 수 없다. (×)

ㄷ.

x	-2	$\cdots$	0	$\cdots$	1	$\cdots$	2	$\cdots$	3
$f'(x)$		$+$	0	$+$		$-$	0	$+$	
$f(x)$		$\nearrow$	0	$\nearrow$	극대	$\searrow$	극소	$\nearrow$	

함수 $f(x)$는 $x=1$에서 극댓값을 가지고 $x=2$에서 극솟값을 가진다. (○)

09 답 16

GUIDE

$g(x)$가 $x=1$에서 극솟값 24를 가지므로 $g(1)=24,\ g'(1)=0$

$g'(x)=3x^2f(x)+(x^3+2)f'(x)$

$g(x)$가 $x=1$에서 극솟값 24를 가지므로 $g(1)=24,\ g'(1)=0$

$g(1)=3f(1)=24$에서 $f(1)=8$이고

$g'(1)=3f(1)+3f'(1)=0$에서 $f'(1)=-8$

따라서 $f(1)-f'(1)=16$

10 답 ③

GUIDE

$h(x)=f(x)-g(x)$는 삼차함수이다.

$h'(x)=f'(x)-g'(x)$에서 함수 $f(x)$의 증감표는 다음과 같다.

x	$\cdots$	0	$\cdots$	2	$\cdots$
$h'(x)$	$+$	0	$-$	0	$+$
$h(x)$	$\nearrow$	극대	$\searrow$	극소	$\nearrow$

ㄱ. 구간 $(0,\ 2)$에서 $y=h(x)$는 감소한다. (○)

ㄴ. $x=0$에서 극댓값, $x=2$에서 극솟값을 갖는다. (○)

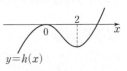

ㄷ. $f(0)=g(0)$이므로 $h(0)=0$이고

$h(x)=f(x)-g(x)$의 그래프는 그림과 같다.

따라서 $h(x)=0$은 서로 다른 두 실근을 갖는다. (×)

---

01 답 ①

GUIDE

$f(1)$, $f'(1)$의 값과 곡선 $y=f(x)$의 대칭성을 이용해 $f(-1)$, $f'(-1)$의 값을 구한다.

$\lim\limits_{x\to1}\dfrac{f(x^2)-3}{x-1}=6$에서 $x\longrightarrow1$일 때,

(분모) $\longrightarrow0$이고 극한값이 존재하므로 (분자) $\longrightarrow0$이다.

즉, $\lim\limits_{x\to1}\{f(x^2)-3\}=0$에서 $f(1)=3$

$$\lim_{x\to1}\frac{f(x^2)-3}{x-1}=\lim_{x\to1}\frac{f(x^2)-f(1)}{x-1}$$
$$=\lim_{x\to1}\left\{\frac{f(x^2)-f(1)}{x^2-1}\times(x+1)\right\}$$
$$=2f'(1)=6$$

$\therefore f'(1)=3$

다항함수 $y=f(x)$의 그래프가 y축에 대하여 대칭이므로

$f(-1)=f(1)=3$

또 $y=f'(x)$는 원점에 대하여 대칭이므로

$f'(-1)=-f'(1)=-3$

따라서 $x=-1$에서 곡선 $y=f(x)$의 접선의 방정식은

$y=f'(-1)(x+1)+f(-1)$에서 $y=-3x$

1등급 NOTE

미분가능한 함수 $f(x)$가 우함수이면 $f'(x)$는 기함수, $f(x)$가 기함수이면 $f'(x)$는 우함수이다.

---

02 답 97

GUIDE

❶ 조건 (나)에서 $f(2)$와 $g(2)$의 관계, $f'(2)$와 $g'(2)$의 관계를 찾는다.
❷ 조건 (가)와 ❶을 이용해 $g(2)$, $g'(2)$의 값을 찾는다.

조건 (나)에서 $x\longrightarrow2$일 때, (분모) $\longrightarrow0$이므로 (분자) $\longrightarrow0$이어야 한다. $\therefore f(2)=g(2)$

조건 (가)에서 $x=2$를 대입하면

$g(2)=8f(2)-7=8g(2)-7$ $\therefore g(2)=1$

또 조건 (나)에서

$$\lim_{x\to2}\frac{\{f(x)-f(2)\}-\{g(x)-g(2)\}}{x-2}=f'(2)-g'(2)=2$$

조건 (가)의 양변을 x에 대하여 미분하고 $x=2$를 대입하여 정리하면 $g'(2)=-4$

따라서 접선의 방정식은

$y=-4(x-2)+1$, 즉 $y=-4x+9$이므로

$a^2+b^2=(-4)^2+9^2=97$

---

03 답 ④

GUIDE

원 C_n의 중심을 Q_n이라 하면 직선 P_nQ_n은 점 $P_n(n, n^2)$에서 곡선 $y=x^2$에 접하는 접선에 수직이다. 그러므로 점 $P_n(n, n^2)$에서의 법선(접선에 수직인 직선)이 x축과 만나는 점이 원 C_n의 중심임을 이용한다.

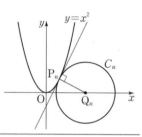

점 $P_n(n, n^2)$을 지나는 법선의 방정식은

$y=-\dfrac{1}{2n}(x-n)+n^2$이고, x절편이 $2n^3+n$이므로

원 C_n의 넓이 S_n은

$$S_n=\pi\times\overline{P_nQ_n}^2=\pi\{(-2n^3)^2+(n^2)^2\}=\pi(4n^6+n^4)$$

$$\therefore \lim_{n\to\infty}\frac{S(n)}{n^6}=\lim_{n\to\infty}\pi\times\left(4+\frac{1}{n^2}\right)=4\pi$$

다른 풀이

원 C_n의 중심을 $Q_n(a_n, 0)$이라 하면 직선 P_nQ_n은 점 $P_n(n, n^2)$에서 곡선 $y=x^2$에 접하는 접선에 수직이고, 점 P_n에서 접선의 기울기는 $2n$이므로

$$2n\times\frac{n^2-0}{n-a_n}=-1 \qquad \therefore a_n=2n^3+n$$

---

04 답 13

GUIDE

곡선 $y=x^3-ax^2+ax+3$, 즉 $(x-x^2)a+x^3+3-y=0$이 실수 a값에 관계없이 지나는 두 점을 구한다.

$(x-x^2)a+x^3+3-y=0$에서 $x-x^2=0$ $\cdots\cdots$ ㉠

$x^3+3-y=0$ $\cdots\cdots$ ㉡

㉠에서 $x=0$ 또는 1

㉡에서 $x=0$이면 $y=3$, $x=1$이면 $y=4$

따라서 $y=f(x)$의 그래프는 항상 두 점 $(0, 3)$, $(1, 4)$를 지난다.

$f'(x)=3x^2-2ax+a$에서 $f'(0)=a$, $f'(1)=3-a$이므로

점 $(0, 3)$을 지나는 법선의 방정식은 $y=-\dfrac{1}{a}(x-0)+3$

이때 x절편은 $3a$이고,

점 $(1, 4)$를 지나는 법선의 방정식은 $y=-\dfrac{1}{3-a}(x-1)+4$

이때 x절편은 $-4a+13$이다.

두 직선 l_1, l_2의 x절편이 서로 같으므로

$3a=-4a+13$에서 $7a=13$

05 답 ③

❶ 법선의 방정식 $y=g(x)$를 구한다.

❷ 방정식 $f(x)=g(x)$가 서로 다른 세 실근을 가질 조건을 구한다.

$f(x)=ax^3+(1-a)x^2-x$에서 $f'(x)=3ax^2+2(1-a)x-1$

$f'(1)=a+1$이므로 $P(1, 0)$에서 법선의 방정식은

$y=-\dfrac{1}{a+1}(x-1)$ $(a\neq-1)$

이 직선과 $y=f(x)$가 서로 다른 세 점에서 만나므로

방정식 $x(x-1)(ax+1)=-\dfrac{1}{a+1}(x-1)$이

서로 다른 세 실근을 갖는다.

$(x-1)\left\{x(ax+1)+\dfrac{1}{a+1}\right\}=0$

이때 이차방정식 $ax^2+x+\dfrac{1}{a+1}=0$ $(a\neq0)$이 $x\neq1$인 서로

다른 두 실근을 가지면 된다.

$a(a+1)x^2+(a+1)x+1=0$

$D=(a+1)^2-4a(a+1)>0$

$(a+1)(3a-1)<0$ $\therefore$ $-1<a<\dfrac{1}{3}$

이때 $a\neq0$이므로 $-1<a<0$ 또는 $0<a<\dfrac{1}{3}$

참고

$x=1$은 이차방정식 $ax^2+x+\dfrac{1}{a+1}=0$의 근이 아니다.

$a+1+\dfrac{1}{a+1}=0$, 즉 $a^2+2a+2=0$이 되는 실수 a는 없음을 알 수 있다.

06 답 6

아랫변의 길이가 일정한 삼각형은 높이가 최대일 때 넓이도 최대이다.

$f'(x)=3x^2-5$, $f'(1)=3-5=-2$

이므로 점 $A(1, -4)$에서 접선의 방정식은

$y=-2(x-1)-4=-2x-2$

$x^3-5x=-2x-2$에서 $(x-1)^2(x+2)=0$이므로 $B(-2, 2)$

이때 선분 AB의 길이는

$\sqrt{(1+2)^2+(-4-2)^2}=\sqrt{45}=3\sqrt{5}$

곡선 위의 점 $P(a, f(a))$에서
직선 AB에 내린 수선의 발을
H라 하면 삼각형 ABP의
넓이 S는

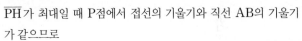

$S=\dfrac{1}{2}\times\overline{AB}\times\overline{PH}$이고

$\overline{AB}$의 길이는 $3\sqrt{5}$로 일정하
므로 $\overline{PH}$가 최대일 때 S도
최대이다.

$\overline{PH}$가 최대일 때 P점에서 접선의 기울기와 직선 AB의 기울기
가 같으므로

$f'(a)=3a^2-5=-2$에서 $a=-1$ $(\because a\neq1)$

즉 $\overline{PH}$가 최대일 때 P의 좌표는 $(-1, 4)$이므로

$\overline{PH}$의 최댓값은 $(-1, 4)$와 직선 $y=-2x-2$ 사이의 거리이다.

$\dfrac{|2\times(-1)+4+2|}{\sqrt{4+1}}=\dfrac{4}{\sqrt{5}}$

따라서 삼각형의 최대 넓이는 $\dfrac{1}{2}\times3\sqrt{5}\times\dfrac{4}{\sqrt{5}}=6$

07 답 ④

삼차함수 $y=f(x)$의 그래프와 직선 $y=2x$가 만나는 세 점의 x좌표를
각각 α, β, γ라 하면 $f(x)-2x=(x-\alpha)(x-\beta)(x-\gamma)$

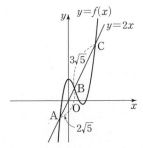

세 점 A, B, C의 x좌표를 각각 α, β, γ라 하면

$f(x)-2x=(x-\alpha)(x-\beta)(x-\gamma)$

양변을 x에 대하여 미분하면

$f'(x)-2$

$=(x-\beta)(x-\gamma)+(x-\alpha)(x-\gamma)+(x-\alpha)(x-\beta)$

$f'(\alpha)=(\alpha-\beta)(\alpha-\gamma)+2$

$f'(\beta)=(\beta-\alpha)(\beta-\gamma)+2$

$f'(\gamma)=(\gamma-\alpha)(\gamma-\beta)+2$

이때, $A(\alpha, 2\alpha)$, $B(\beta, 2\beta)$, $C(\gamma, 2\gamma)$이고

$\overline{AB}=\sqrt{5(\beta-\alpha)^2}=2\sqrt{5}$에서 $\beta-\alpha=2$ ······ ㉠

$\overline{BC}=\sqrt{5(\gamma-\beta)^2}=3\sqrt{5}$에서 $\gamma-\beta=3$ ······ ㉡

㉠+㉡에서 $\gamma-\alpha=5$이므로

$f'(\alpha)=(\alpha-\beta)(\alpha-\gamma)+2=(-2)\times(-5)+2=12$

$f'(\beta)=(\beta-\alpha)(\beta-\gamma)+2=2\times(-3)+2=-4$

$f'(\gamma)=(\gamma-\alpha)(\gamma-\beta)+2=5\times3+2=17$

따라서 $f'(\alpha)+f'(\beta)+f'(\gamma)=12+(-4)+17=25$

1등급 NOTE

$y=2x$의 기울기가 2이므로

$\overline{AB}=2\sqrt{5}$에서 $\beta-\alpha=2$, 마찬가지로 생각
하면 $\overline{BC}=3\sqrt{5}$에서 $\gamma-\beta=3$
이때 $y=f(x)-2x$의 그래프를 평행이동하
여 $g(x)=x(x-2)(x-5)$에서 $x=0, 2, 5$
일 때 기울기를 생각하여 풀어도 된다.

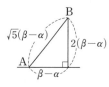

08 답 23

GUIDE

삼차함수 $y=f(x)$의 그래프가 원점에 대하여 대칭이면 서로 평행한 두
접선도 원점에 대하여 대칭이다.

삼차함수 $f(x)=x^3-5x$의 그래프는 원점에 대칭이므로 서로
평행한 두 접선도 원점에 대칭이다.

이때 두 접선의 x절편, y절편도 원점에 대칭이며 두 접선 중 하나
는 두 점 $(-a, 0)$, $(0, 7a)$를 지난다.

두 점 $(-a, 0)$, $(0, 7a)$를 지나는 직선의 기울기가 7이므로 두
접선의 기울기는 7이다.

접점의 x좌표를 t라 하면

$y'=3t^2-5=7$에서 $t=\pm2$이므
로 각 접선의 접점은 $(2, -2)$,
$(-2, 2)$이고 접선의 방정식은
$y=7(x-2)-2$,
$y=7(x+2)+2$
즉 $y=7x-16$, $y=7x+16$

따라서 $a=\dfrac{16}{7}$이므로 $7+16=23$

09 답 ④

GUIDE

$\dfrac{t^4-t^2+2}{t}=\dfrac{(t^4-t^2+2)-0}{t-0}$이므로 두 점 $(0, 0)$과 (t, t^4-t^2+2)
를 지나는 직선의 기울기와 같음을 이용한다.

함수 $f(t)=t^4-t^2+2$에 대하여

$\dfrac{t^4-t^2+2}{t}=\dfrac{f(t)}{t}$이므로

$\dfrac{t^4-t^2+2}{t}$의 최솟값은 그림과

같이 원점에서 곡선 $y=f(t)$에 그
은 접선의 기울기와 같다.

원점에서 곡선 $y=t^4-t^2+2$에
그은 접선의 접점을 (a, a^4-a^2+2)라 놓으면

$y'=4t^3-2t$에서 $4a^3-2a=\dfrac{a^4-a^2+2}{a}$

$3a^4-a^2-2=(a^2-1)(3a^2+2)=0$, $a^2=1$ ∴ $a=1$

따라서 접점은 $(1, 2)$이고 이때 기울기는 2이므로

$\dfrac{t^4-t^2+2}{t}$의 최솟값은 2

10 답 ④

GUIDE

삼차함수 $y=f(x)$의 그래프의 접선 $y=g(x)$가 접점 이외에 삼차함수
그래프와 만나지 않으면 방정식 $f(x)=g(x)$는 삼중근을 가진다.

$y'=3x^2-6x$이므로 접점 (t, t^3-3t^2+2)에서 접선의 방정식
은 $y=(3t^2-6t)(x-t)+t^3-3t^2+2$

즉 $y=(3t^2-6t)x-2t^3+3t^2+2$이고, 점 $(0, a)$를 지나므로

$a=-2t^3+3t^2+2$ ······ ㉠

접선 $y=(3t^2-6t)x-2t^3+3t^2+2$와

곡선 $y=x^3-3x^2+2$의 교점을 생각하면

$x^3-3x^2+2=(3t^2-6t)x-2t^3+3t^2+2$에서

$(x-t)^2(x+2t-3)=0$

위 방정식은 t 이외의 근을 갖지 않아야 하므로

$x=-2t+3=t$에서 $t=1$, ㉠에 대입하면 $a=3$

∴ $a+t=4$

다른 풀이 1

점 $(0, a)$에서 그은 접선이 $f(x)=x^3-3x^2+2$과 접점 이외의
공유점을 갖지 않으려면 접점 $x=t$에서 삼중근을 가져야 한다.

$x=t$에서 접선을 $y=mx+n$이라 하면

$x^3-3x^2+2=mx+n$에서

$x^3-3x^2-mx+(2-n)=0$이고, $x=t$가 삼중근이므로

근과 계수의 관계에서 $t+t+t=3t=3$ ∴ $t=1$

다른 풀이 2

삼차함수의 특징 중 변곡점에서 그은 접선은 접점이 하나뿐임을
이용한다. ($\Rightarrow$ '미적분' 과정)

$f(x)=x^3-3x^2+2$의 변곡점을 구하면

$f'(x)=3x^2-6x$, $f''(x)=6x-6=0$에서 $x=1$

따라서 접점은 $(1, -1)$이다.

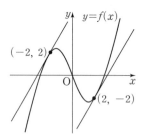

11 ❸ 28

GUIDE

$y=x^3-1$, $y=x^3+3$은 교점을 가지지 않으므로 두 접점은 각 곡선에 따로 존재한다.

접점의 좌표를 각각 $P(\alpha, \alpha^3-1)$, $Q(\beta, \beta^3+3)$이라 하고
각 접점에서 접선을 구하면 같은 접선이므로

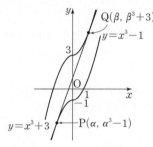

$P(\alpha, \alpha^3-1)$에서 접선은 $y=3\alpha^2(x-\alpha)+\alpha^3-1$
즉 $y=3\alpha^2 x-2\alpha^3-1$ ······ ㉠
$Q(\beta, \beta^3+3)$에서 접선은 $y=3\beta^2(x-\beta)+\beta^3+3$
즉 $y=3\beta^2 x-2\beta^3+3$ ······ ㉡
㉠, ㉡은 같은 직선이고, $\alpha\neq\beta$이므로
$\beta=-\alpha$ ······ ㉢
$-2\alpha^3-1=-2\beta^3+3$ ······ ㉣
㉢, ㉣에서 $\alpha^3=-1$, $\beta^3=1$, 즉 $\alpha=-1$, $\beta=1$이므로
공통 접선의 방정식은 $y=3x+1$
따라서 $g(x)=3x+1$에서 $g(9)=28$

12 ❸ 5

GUIDE

곡선과 원 사이 거리의 최솟값을 구할 때 오른쪽 그림처럼 원과 중심이 같고 반지름의 길이가 커진 원(점선으로 표시한 원)과 곡선이 점 P에서 접하는 것을 생각한다. 이때 점 P에서 공통접선 l은 $l\perp\overline{PQ}$이므로 구하고자 하는 최솟값은 $\overline{PQ}=\overline{CP}-r$이다.

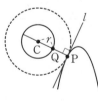

$f(x)=x^2-2$,
$P(\alpha, \alpha^2-2)$라 하면
$f'(\alpha)=2\alpha$이고, 직선 l에
수직인 직선 PQ의 기울기
는 $-\dfrac{1}{2\alpha}$이다.

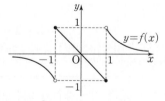

따라서 직선 PQ의 방정식은
$y=-\dfrac{1}{2\alpha}(x-\alpha)+\alpha^2-2$
이 직선이 원의 중심 $C(-5, -3)$을 지나므로

$-3=-\dfrac{1}{2\alpha}(-5-\alpha)+\alpha^2-2$

즉 $2\alpha^3+3\alpha+5=0$에서 $(\alpha+1)(2\alpha^2-2\alpha+5)=0$이고,
$2\alpha^2-2\alpha+5=2\left(\alpha-\dfrac{1}{2}\right)^2+\dfrac{9}{2}>0$이므로 $\alpha=-1$

따라서 점 $P(-1, -1)$이므로 구하는 거리의 최솟값은
$\overline{PQ}=\overline{PC}-\overline{CQ}=\sqrt{(-1+5)^2+(-1+3)^2}-1=2\sqrt{5}-1$
$\therefore m^2+n^2=2^2+(-1)^2=5$

13 ❸ 13

GUIDE

함수 $g(x)$가 주어진 구간에서 증가하면 함수 $g'(x)$가 주어진 구간에서 항상 양이다.

$f'(x)=3x^2-2(a+2)x+a$이므로
점 $(t, f(t))$에서 접선의 방정식은
$y=\{3t^2-2(a+2)t+a\}(x-t)+\{t^3-(a+2)t^2+at\}$
$x=0$일 때 $y=g(t)$이므로
$g(t)=-2t^3+(a+2)t^2$
$g'(t)=-6t^2+2(a+2)t$ 가 $0<t<5$에서 $g'(t)>0$이려면
$g'(0)\geq 0$, $g'(5)\geq 0$이어야 한다.
$g'(0)=0$이고 $g'(5)=-150+10(a+2)\geq 0$이므로 $a\geq 13$
따라서 구하는 a의 최솟값은 13이다.

14 ❸ ④

GUIDE

❶ 주어진 조건에서 함수 $f(x)$의 그래프는 원점에 대하여 대칭이고 원점을 지난다.
❷ 함수 $f(x)$는 $x\neq-1$, $x\neq1$인 모든 x에서 연속이고, 구간 $(-\infty, -1)$, $(-1, 1)$, $(1, \infty)$에서 각각 감소한다.

ㄱ. 함수 $f(x)$의 그래프는 직선 $y=x$와 원점에서만 만난다.
(○)

ㄴ. [반례] 함수 $f(x)=\begin{cases}-x & (|x|\leq 1)\\ \dfrac{1}{x} & (|x|>1)\end{cases}$ 은 주어진 조건을

만족시키지만 x축과 원점에서만 만난다. (×)

ㄷ. 함수 $f(x)$는 닫힌구간 $[0, 1]$에서 연속이고, 열린구간 $(0, 1)$에서 미분가능하므로 평균값 정리에 따라
$f'(c_1)=\dfrac{-1-0}{1-0}=-1$을 만족시키는 실수 c_1이 열린구간 $(0, 1)$에 적어도 하나 존재한다.

마찬가지로 함수 $f(x)$는 닫힌구간 $[-1, 0]$에서 연속이고, 열린 구간 $(-1, 0)$에서 미분가능하므로

$$f'(c_2)=\frac{1-0}{-1-0}=-1$$

을 만족시키는 실수 c_2가 열린구간 $(-1, 0)$에 적어도 하나 존재한다. 따라서 $f'(\alpha)=-1$을 만족시키는 실수 α가 적어도 두 개 존재한다. (◯)

15 ⓐ 96

GUIDE

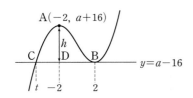

$f(x)=x^3-12x+a$에서 $f'(x)=3x^2-12=3(x+2)(x-2)$
$f(\alpha)=f(-2)=a+16$, $f(\beta)=f(2)=a-16$이므로
$f(x)=x^3-12x+a=a-16$에서
$x^3-12x+16=0$, $(x-2)^2(x+4)=0$
즉 점 C의 x좌표는 -4
따라서 $\overline{BC}=6$이고 $\overline{AD}=(a+16)-(a-16)=32$이므로
삼각형 ABC의 넓이는 $\dfrac{1}{2}\times6\times32=96$

다른 풀이

$\overline{CD}:\overline{BD}=1:2$, $\overline{BD}=4$에서 $\overline{CD}=2$이므로 $\overline{BC}=6$

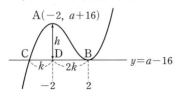

또한 $\overline{AD}=\dfrac{1}{2}\{2-(-2)\}^3=32$

16 ⓐ 20

GUIDE

$f'(x)=(x+1)^k x^l (x-1)^m$이므로 k, l, m의 값이 홀수인지 짝수인지에 따라 증감표가 바뀐다. 그 중에서 $x=0$에서 $f(x)$가 극댓값을 갖도록 하는 k, l, m의 조건을 구한다.

$x=0$에서 $f(x)$가 극댓값을 가질 경우 $f(x)$의 증감표는 다음과 같다.

x	$\cdots$	-1	$\cdots$	0	$\cdots$	1	$\cdots$
$f'(x)$	?	0	$+$	0	$-$	0	$+$
$f(x)$	?		↗	극대	↘	극소	↗

$x=0$의 좌우에서 $f'(x)$의 부호가 바뀌려면 l은 홀수이고,
$f'(0+)$ ⇨ $(+)(+)(-)^m<0$
$f'(0-)$ ⇨ $(+)(-)(-)^m>0$
에서 k는 상관없고 m은 반드시 홀수여야 한다.
즉 $1\le k<l<m\le 10$에서 l, m이 홀수인 순서쌍을 구한다.

(i) $l=3$일 때, $k=1, 2$, $m=5, 7, 9$가 가능하므로
　　$2\times3=6$(개)
(ii) $l=5$일 때, $k=1, 2, 3, 4$, $m=7, 9$가 가능하므로
　　$4\times2=8$(개)
(iii) $l=7$일 때, $k=1, 2, 3, 4, 5, 6$, $m=9$가 가능하므로
　　$6\times1=6$(개)
따라서 순서쌍 (k, l, m)의 개수는 $6+8+6=20$

1등급 NOTE

$x>1$이면 $f'(x)>0$이므로 $f(x)$가 0에서 극댓값을 갖기 위한 $f'(x)$의 그래프 개형은 다음과 같은 꼴이어야 한다.

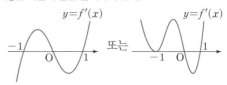

즉 $x=-1$에서 $f'(x)$의 부호가 바뀌어도 되고 아니어도 되지만 $x=1$에서는 반드시 부호가 바뀌어야 한다.
따라서 l은 홀수, m은 홀수라는 것을 알 수 있다.

17 ⓐ 18

GUIDE

$f(x)=-3x^3+px^2+qx+r$로 놓고 이차방정식 $f'(x)=0$의 두 근 a, b에 대한 근과 계수의 관계를 찾는다.

$f(x)=-3x^3+px^2+qx+r$ (p, q, r는 상수)라 하면
$f'(x)=-9x^2+2px+q$이고
함수 $f(x)$가 $x=a$, $x=b$에서 극값을 가지므로
a, b는 이차방정식 $-9x^2+2px+q=0$의 두 근이다.

근과 계수의 관계에서 $a+b=\dfrac{2p}{9}$, $ab=-\dfrac{q}{9}$

즉 $p=\dfrac{9}{2}(a+b)$, $q=-9ab$ ……㉠

최고차항의 계수가 음수이므로 극댓값은 $f(b)$, 극솟값은 $f(a)$이고 극댓값과 극솟값의 차는

$f(b)-f(a)$
$=(-3b^3+pb^2+qb+r)-(-3a^3+pa^2+qa+r)$
$=-3(b^3-a^3)+p(b^2-a^2)+q(b-a)$
$=(b-a)\{-3(a^2+ab+b^2)+p(a+b)+q\}$
$=(b-a)\left\{-3(a^2+ab+b^2)+\dfrac{9}{2}(a+b)(a+b)-9ab\right\}$ ($\because$ ㉠)
$=\dfrac{3}{2}(b-a)^3$

따라서 $\dfrac{3}{2}(b-a)^3=36\sqrt{3}$, 즉 $(b-a)^3=24\sqrt{3}=(2\sqrt{3})^3$에서

$b-a=2\sqrt{3}$이므로 두 극점을 연결하는 직선의 기울기는

$$\dfrac{f(b)-f(a)}{b-a}=\dfrac{36\sqrt{3}}{2\sqrt{3}}=18$$

1등급 NOTE ▶

단축키 ①에서 $f(b)-f(a)=\dfrac{|-3|}{2}(b-a)^3=36\sqrt{3}$임을 이용하면 편리하다.

---

18 답 27

GUIDE

삼차함수 $f(x)$가 모든 실수 x에 대하여 $f(-x)=-f(x)$이므로 $f(x)=ax^3+bx$로 놓을 수 있다.

$f(x)=ax^3+bx$로 놓으면 $f'(x)=3ax^2+b$ (단, a, b는 정수)

(나)에서 $f'\left(\dfrac{3}{2}\right)=\dfrac{27}{4}a+b=0$ $\quad\therefore b=-\dfrac{27}{4}a$

이때 $f'(1)=3a+b=3a-\dfrac{27}{4}a=-\dfrac{15}{4}a$이고,

이 값이 가장 작은 자연수일 때는 $a=-4$일 때이다.

따라서 $f(x)=-4x^3+27x$이므로 극댓값은

$$f\left(\dfrac{3}{2}\right)=-4\left(\dfrac{3}{2}\right)^3+27\left(\dfrac{3}{2}\right)=-\dfrac{27}{2}+\dfrac{81}{2}=\dfrac{54}{2}=27$$

---

19 답 ④

GUIDE

모든 실수 x에 대하여 $f(-x)=-f(x)$, 즉 원점에 대하여 대칭인 삼차함수 $f(x)$의 그래프 개형을 생각한다.

최고차항의 계수가 1이고 모든 실수 x에 대하여 $f(-x)=-f(x)$를 만족시키는 삼차함수 $f(x)$의 그래프는 다음 두 가지 유형이 있다.

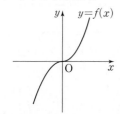 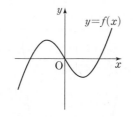

두 가지 유형 중 아래 그림과 같이 $|f(x)|=2$의 서로 다른 실근이 4개가 가능한 것은 두 번째 유형이다.

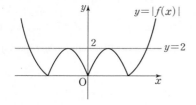

따라서 $f(x)$의 극솟값은 -2, 극댓값은 2이다.

$f(x)=x^3-bx$로 놓으면

$f'(x)=3x^2-b=0$에서 $x=\pm\sqrt{\dfrac{b}{3}}$

$f\left(\sqrt{\dfrac{b}{3}}\right)=-2$이므로 $\left(\sqrt{\dfrac{b}{3}}\right)^3-b\times\left(\sqrt{\dfrac{b}{3}}\right)=-2$

즉 $b=3$이므로 $f(3)=3^3-3\times3=18$

---

20 답 196

GUIDE

함수 $f(x)$가 $x=a$에서 극댓값 또는 극솟값 0을 가지면 $f(x)$는 $(x-a)^2$을 인수로 갖는다.

주어진 조건에 의하여 함수 $f(x)$의 극댓값은 0, 극솟값은 -4이고, 함수 $y=f(x)$의 그래프가 x축과 만나는 점의 x좌표를 a, b ($a<b$)라 하면

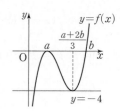

$f(x)=(x-a)^2(x-b)$,

$f'(x)=2(x-a)(x-b)+(x-a)^2$

$\qquad=(x-a)(3x-a-2b)$

$f\left(\dfrac{a+2b}{3}\right)=\dfrac{4}{27}(a-b)^3=-4$

이므로 $b=a+3$

$f(0)=-a^2b=-a^2(a+3)=-20$, $a=2$, $b=5$

$\therefore f(x)=(x-2)^2(x-5)$

따라서 $f(9)=196$

---

21 답 ⑤

GUIDE

삼차함수 $f(x)$에 대하여 함수 $|f(x)|$가 실수 전체에서 미분가능하려면 $f(x)=a(x-p)^3$ 꼴이어야 한다.

$f(x)-x^2=(x-\alpha)^3$이므로 $f(x)=(x-\alpha)^3+x^2$

(나)에서 $x>1$일 때 $f(x)\geq0$이고, $x<1$일 때 $f(x)\leq0$이므로 $x=1$일 때 $f(x)=0$이다.

즉 $f(1)=(1-\alpha)^3+1=0$ $\quad\therefore \alpha=2$

따라서 $f(x)=(x-2)^3+x^2$이므로

$f(5)=3^3+5^2=52$

---

22 답 10

GUIDE

$g(x)$가 $x-2$를 인수로 가지는 경우와 가지지 않는 경우로 나누어 생각한다.

$g(x)$가 $x=2$에서 극댓값을 가지므로 $g'(2)=0$이다.

(i) $g(x)$가 $x-2$를 인수로 갖지 않을 때

$g(x)=3(x-1)^2(x-3)$이면

$g'(x)=3\{2(x-1)(x-3)+(x-1)^2\}$에서 $g'(2)=-3$

$g(x)=3(x-1)(x-3)^2$이면

$g'(x)=3\{(x-3)^2+2(x-1)(x-3)\}$에서 $g'(2)=-3$

즉 $g(x)$가 $x=2$에서 극댓값을 가지는 조건에 모순된다.

(ii) $g(x)$가 $x-2$를 인수로 가질 때

$g'(2)=0$이므로 $g(x)$는 $(x-2)^2$을 인수로 갖고,

$g(x)$의 최고차항의 계수가 양의 실수이므로 삼차함수의 개형을 통해 $(x-3)$을 인수로 가짐을 알 수 있다.

$g(x)$의 최고차항의 계수가 3이므로

$g(x)=3(x-2)^2(x-3)$

$f(x)g(x)=(x-1)^2(x-2)^2(x-3)^2$에서

$f(x)=\dfrac{1}{3}(x-1)^2(x-3)$

이때 $f'(x)=\dfrac{2}{3}(x-1)(x-3)+\dfrac{1}{3}(x-1)^2$이므로

$f'(0)=\dfrac{2}{3}(-1)(-3)+\dfrac{1}{3}(-1)^2=\dfrac{7}{3}$

따라서 $f'(0)=\dfrac{7}{3}$이고 $p+q=3+7=10$

23 ⓐ ②

GUIDE

❶ 역함수가 존재하는 함수는 극값이 없다.

❷ 삼차함수는 두 극값의 부호가 달라야 그래프가 x축과 서로 다른 세 점에서 만난다.

ㄱ. 함수 $f(x)$가 역함수를 가지려면 $f'(x)\geq0$ 또는 $f'(x)\leq0$이어야 하므로 $f'(x)=3ax^2+2bx+c=0$의 판별식

$\dfrac{D}{4}=b^2-3ac\leq0$이어야 한다. (×)

ㄴ. $f'(x)=0$이 서로 다른 두 실근을 가지면 $f(x)$가 극댓값과 극솟값을 가지지만 극댓값과 극솟값의 부호가 서로 다른 경우만 방정식 $f(x)=0$이 서로 다른 세 실근을 가진다. (×)

[반례] $f(x)=x^3-3x+5$에서

$f'(x)=3(x+1)(x-1)$은 서로 다른 두 실근을 가지지만 방정식 $f(x)=0$은 서로 다른 세 실근을 가지지 않는다.

ㄷ. 이차방정식 $f'(x)=0$이 허근을 가지면 $f(x)$는 증가함수 또는 감소함수이므로 $f(x)=0$은 한 실근과 서로 다른 두 허근을 가진다. (○)

참고

❶ 극값이 있다면 역함수가 존재하기 위한 일대일대응 조건에 어긋난다. 일대일대응이려면 증가함수이거나 감소함수이어야 한다.

❷ $f(x)=ax^3+bx^2+cx+d$에서 $a>0$인 경우(증가함수) $f'(x)\geq0$이고 $a<0$인 경우(감소함수) $f'(x)\leq0$이다.

두 경우 모두 $D=b^2-3ac\leq0$

24 ⓐ ②

GUIDE

최고차항의 계수가 양수인 사차함수가 극댓값을 갖는 경우를 찾아 그 여집합을 구한다.

$f(x)=x^4-4x^3+ax^2$이 극댓값을 가지려면 극댓값과 극솟값을 모두 가져야 하므로 $f'(x)=2x(2x^2-6x+a)=0$이 서로 다른 세 실근을 가져야 한다.

$g(x)=2x^2-6x+a$라 하면 $g(x)=0$은 0이 아닌 서로 다른 두 실근을 가져야 하므로

$g(0)\neq0$이고 $g(x)=0$의 판별식 $\dfrac{D}{4}=9-2a>0$

$\therefore a\neq0, a<\dfrac{9}{2}$ ...... ㉠

따라서 $f(x)$가 극댓값을 갖지 않을 조건은 ㉠의 부정인

$a=0$ 또는 $a\geq\dfrac{9}{2}$

문제의 조건에서 $a\leq10$이므로 가능한 정수 a는

0, 5, 6, 7, 8, 9, 10으로 7개

참고

최고차항의 계수가 양수인 사차함수 $f(x)$가 극댓값을 갖는 경우를 그림으로 나타내면 다음과 같다.

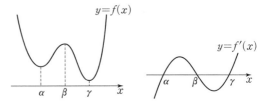

25 ⓐ ④

GUIDE

최고차항의 계수가 양수인 사차함수 $y=f(x)$의 그래프의 개형을 조건에 맞게 생각해 본다.

ㄱ. $n(B)=1$인 경우 극값은 하나뿐이므로 $n(C)=1$ (○)

ㄴ. $n(A)=4$인 경우

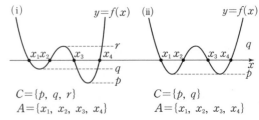

$C=\{p, q, r\}$ $C=\{p, q\}$

$A=\{x_1, x_2, x_3, x_4\}$ $A=\{x_1, x_2, x_3, x_4\}$

(i)의 경우 $n(C)=3$이지만 (ii)의 경우 $n(C)=2$ (×)

ㄷ.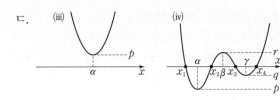

$A=\varnothing$ $\qquad$ $A=\{x_1,\ x_2,\ x_3,\ x_4\}$
$B=\{\alpha\}$ $\qquad$ $B=\{\alpha,\ \beta,\ \gamma\}$
$C=\{p\}$ $\qquad$ $C=\{p,\ q,\ r\}$

(iii)의 경우 $n(A)+n(B)+n(C)=2$

(iv)의 경우 $n(A)+n(B)+n(C)=10$ (○)

26 답 ①

GUIDE
$y=f(x)$의 그래프 개형을 그려 놓고 생각한다.

$f'(x)=12x(x+1)(x-2)$이므로 함수 $y=f(x)$의 증감표와 그래프는 다음과 같다.

x	$\cdots$	-1	$\cdots$	0	$\cdots$	2	$\cdots$
$f'(x)$	$-$	0	$+$	0	$-$	0	$+$
$f(x)$	$\searrow$	-5	$\nearrow$	0	$\searrow$	-32	$\nearrow$

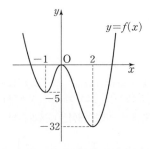

ㄱ. $x=-1,\ 2$일 때 극소, $x=0$일 때 극대이다. (○)

ㄴ. 가장 큰 극값은 0이고, 가장 작은 극값은 -32이므로 차는 32이다. (×)

ㄷ. $y=f(x)+n$의 그래프는 $y=f(x)$를 y축 방향으로 n만큼 평행이동한 것이므로 다음과 같다.

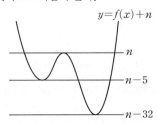

$y=|f(x)+n|$의 그래프가 극댓점 3개를 가질 때는 다음과 같다.

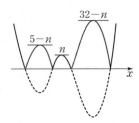

$n-5<0$, 즉 $n=1,\ 2,\ 3,\ 4$일 때 3개의 극댓점을 가진다. 따라서 $y=f(x)+n$가 3개의 극댓점을 가질 때 가능한 자연수 n의 합은 10이다. (×)

27 답 9

GUIDE
$g(x)=\begin{cases} f(x) & (x\geq0) \\ f(-x) & (x<0) \end{cases}$는 $x\geq0$에서 함수 $y=f(x)$의 그래프와 같고, $x<0$에서 함수 $y=f(x)$의 그래프의 $x>0$인 부분을 y축에 대하여 대칭이동한 것과 같다. 따라서 $g(x)$는 y축에 대하여 대칭인 함수이다.

㈎에서 y축에 대하여 대칭인 함수 $y=g(x)$가 실수 전체에서 미분가능하므로 $x=0$에서 극값을 갖는다.

$\therefore g'(0)=f'(0)=0$ $\qquad$ ······ ㉠

㈏에서 함수 $g(x)$는 $x=-2$에서 극값을 가지므로 $x=2$에서 극값을 갖는다. $\quad\therefore f'(2)=0$ $\qquad$ ······ ㉡

㉠, ㉡에서 다음과 같이 생각할 수 있다.

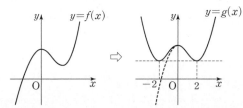

함수 $g(x)$의 최솟값이 5이므로 $f(2)=5$ $\qquad$ ······ ㉢

㉠, ㉡, ㉢에서

$f(x)=x^3+ax^2+bx+c$라 두면 $f'(x)=3x^2+2ax+b$

$f'(0)=b=0,\ f'(2)=12+4a+b=0$,

$f(2)=8+4a+2b+c=5$

연립해서 풀면 $a=-3,\ b=0,\ c=9$이므로

$f(x)=x^3-3x^2+9$

따라서 $g(x)$의 극댓값은 $f(0)=9$

다른 풀이

조건에 맞게 $f(x)$를 그리면 그림과 같다.

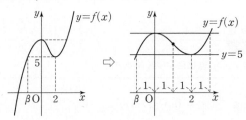

$(-\beta):2=1:2$이므로 $\beta=-1$이고,

최고차항의 계수가 1인 삼차함수 $f(x)$는

$f(x)=(x-2)^2(x+1)+5$

28 답 351

GUIDE

$g(t)=\dfrac{|h(t)|}{\sqrt{2}}$ 에서 $|h(t)|$를 분석한다.

$P(t,\ t^4-4t^3+17t+a)$와 직선 $x-y+3=0$ 사이의 거리가 $g(t)$이므로

$$g(t)=\dfrac{|t-(t^4-4t^3+17t+a)+3|}{\sqrt{1^2+(-1)^2}}$$

$$=\dfrac{|t^4-4t^3+16t+(a-3)|}{\sqrt{2}}$$

$h(x)=x^4-4x^3+16x+(a-3)$이라 하면

$h'(x)=4x^3-12x^2+16=4(x+1)(x-2)^2$에서

함수 $h(x)$의 증감표와 그래프는 다음과 같다.

x	$\cdots$	-1	$\cdots$	2	$\cdots$
$h'(x)$	$-$	0	$+$	0	$+$
$h(x)$	$\searrow$	극소 $a-14$	$\nearrow$	$a+13$	$\nearrow$

$|h(x)|$가 오직 한 점에서만 미분불가능이려면 그림처럼

$h(2)=a+13=0$

즉 $a=-13$이고

이때 $h(b)=0$이므로

$h(x)$
$=x^4-4x^3+16x-16$
$=(x-2)^3(x+2)$ $\therefore\ b=-2$

또 $|h(x)|$의 극댓값은 $|h(-1)|=-(-13-14)=27$이므로

$g(t)$의 극댓값 $c=\dfrac{27}{\sqrt{2}}$

따라서 $\dfrac{abc^2}{27}=\dfrac{(-13)\times(-2)\times\dfrac{27^2}{2}}{27}=351$

참고

$g(t)=\dfrac{|-t^4+4t^3-16t-a+3|}{\sqrt{2}}$ 과 $g(t)=\dfrac{|t^4-4t^3+16t+a-3|}{\sqrt{2}}$

은 서로 같으므로 t^4의 계수가 양수인 것을 $h(t)$로 정했다.

29 답 ②

GUIDE

ㄷ. $x<1$, $x>1$일 때로 나누어 생각한다.

ㄱ. $\lim\limits_{x\to1-}\dfrac{g(x)}{x-1}=\lim\limits_{x\to1-}(x-1)f(x)=0\ (\ \bigcirc\ )$

ㄴ. $n=1$이면 $f(x)=x^2+1$이므로

$g(x)=\begin{cases}(x-1)(x^2+1) & (x\geq1)\\(x-1)^2(x^2+1) & (x<1)\end{cases}$

이때 $g(x)\geq0$이고, $g(1)=0$이다.

따라서 함수 $g(x)$는 $x=1$에서 극솟값을 갖는다. ($\bigcirc$)

ㄷ. 함수 $g(x)$는 n값에 관계없이 $x=1$에서 이미 극솟값을 가지므로 다른 극값을 가지면 안 된다.

(i) $x>1$일 때

$$g(x)=(x-1)\left(x^2+\dfrac{1}{n}\right)=x^3-x^2+\dfrac{1}{n}x-\dfrac{1}{n}$$

$$g'(x)=3x^2-2x+\dfrac{1}{n}=3\left(x-\dfrac{1}{3}\right)^2+\dfrac{1}{n}-\dfrac{1}{3}$$

$g'(1)=1+\dfrac{1}{n}>0$이므로 $x>1$일 때 $g'(x)>g'(1)>0$

즉 $g(x)$는 증가함수이므로 더 이상 극값은 없다.

(ii) $x<1$일 때

$$g(x)=(x-1)^2\left(x^2+\dfrac{1}{n}\right)$$

$$g'(x)=2(x-1)\left(2x^2-x+\dfrac{1}{n}\right)$$

$x<1$인 모든 x에 대하여 $2x^2-x+\dfrac{1}{n}\geq0$이면 더 이상 극값은 없다.

이때 $2x^2-x+\dfrac{1}{n}=2\left(x-\dfrac{1}{4}\right)^2+\dfrac{1}{n}-\dfrac{1}{8}\geq0$이 되려면

$n\leq8$이다. 즉 자연수 n의 개수는 8이다. ($\times$)

참고

❶ $n=1$이면 $f(x)=x^2+1$이므로

$g'(x)=\begin{cases}(x^2+1)+2x(x-1) & (x\geq1)\\2(x-1)(x^2+1)+2x(x-1)^2 & (x<1)\end{cases}$

에서 $g'(x)$의 증감표와 그래프 개형은 다음과 같다.

x	$\cdots$	1	$\cdots$	
$g'(x)$	$-$	미분 불가	$+$	
$g(x)$	$\searrow$	극소	$\nearrow$	
$g(x)$		0		

따라서 함수 $g(x)$는 $x=1$에서 극솟값을 갖는다.※

※ $\lim\limits_{x\to1-}g'(x)=\lim\limits_{x\to1-}\dfrac{g(x)}{x-1}=\lim\limits_{x\to1-}(x-1)f(x)=0$

$\lim\limits_{x\to1+}g'(x)=\lim\limits_{x\to1+}\dfrac{g(x)}{x-1}=\lim\limits_{x\to1+}f(x)=2$

이므로 $g'(1)$은 존재하지 않지만 $x=1$에서 극소이다.

❷ ㄷ에서

$x<1$일 때 $g'(x)\leq0$인 경우는 생각할 수 없다.

01 ②	**02** 1	**03** ③	**04** -1
05 8	**06** ②	**07** 4	**08** 32
09 147	**10** (1) 8 (2) 해설 참조		

01 답 ②

GUIDE

$B_n(x_n, f(x_n))$에서 그은 접선이 x축과 만나는 점을 $A_{n+1}(x_{n+1}, 0)$이라 하고, $x_n, f(x_n), f'(x_n)$을 이용해 x_{n+1}을 구한다.

ㄱ. $B_n(x_n, f(x_n))$이라 하면 $B_n(x_n, f(x_n))$에서 접선의 방정식은 $y=f'(x_n)(x-x_n)+f(x_n)$이고, 이 접선이 x축과 만나는 점은 $A_{n+1}(x_{n+1}, 0)$이다.

즉 $0=f'(x_n)(x_{n+1}-x_n)+f(x_n)$이므로

$$x_{n+1}=x_n-\frac{f(x_n)}{f'(x_n)} \quad\cdots\cdots \text{㉠} \ (\times)$$

ㄴ. ㉠에 $f(x)=x^2$를 대입하면, $x_{n+1}=x_n-\dfrac{x_n^2}{2x_n}$

$x_{n+1}=x_n-\dfrac{1}{2}x_n=\dfrac{1}{2}x_n$에서 x_n은 $x_1=1$이고 공비가 $\dfrac{1}{2}$인

등비수열이다. 즉 A_n의 x좌표는 $\left(\dfrac{1}{2}\right)^{n-1}$

$\triangle A_n B_n A_{n+1}$의 넓이를 S_n이라 하면

$$S_n=\frac{1}{2}\left\{\left(\frac{1}{2}\right)^{n-1}-\left(\frac{1}{2}\right)^n\right\}\times\left\{\left(\frac{1}{2}\right)^{n-1}\right\}^2=\left(\frac{1}{2}\right)^{3n-1}$$

$\therefore S_n\times 8^n=2^{-3n+1}\times 2^{3n}=2$

ㄷ. ㉠에 $f(x)=x^3$을 대입하면,

$x_{n+1}=x_n-\dfrac{x_n^3}{3x_n^2}=\dfrac{2}{3}x_n$에서 x_n은 $x_1=1$이고 공비가 $\dfrac{2}{3}$인

등비수열이다. $\therefore x_4=\left(\dfrac{2}{3}\right)^{4-1}=\dfrac{8}{27} \ (\times)$

02 답 1

GUIDE

그림과 같이 주어진 규칙에 따라 접선을 그을 수 있다. 접선1은 접점 A_1에서 그은 접선이 곡선 위의 점 A_0를 지난다고 생각할 수 있고, 접선2는 접점 A_2에서 그은 접선이 곡선 위의 점 A_1을 지난다고 생각할 수 있다.

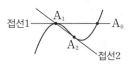

$A_{n-1}(x_{n-1}, f(x_{n-1}))$에서 $A_n(x_n, f(x_n))$을 접점으로 하는 접선 n을 긋는 것은 $A_n(x_n, f(x_n))$을 접점으로 하는 접선이 이 곡선과 만나는 다른 한 점이 $A_{n-1}(x_{n-1}, f(x_{n-1}))$인 것과 같다.

접선 n의 식을 구하면

$y=(27x_n^2-a)(x-x_n)+9x_n^3-ax_n$에서

$y=(27x_n^2-a)x-18x_n^3$

이 접선이 곡선 $y=f(x)$와 만나는 점을 구하면

$9x^3-ax=(27x_n^2-a)x-18x_n^3$

$9x^3-27x_n^2x+18x_n^3=0$

$(x+2x_n)(x-x_n)^2=0$

$x\neq x_n$이므로 구하는 교점의 x좌표는 $-2x_n$이다.

즉 $x_{n-1}=-2x_n$에서 $x_n=-\dfrac{1}{2}x_{n-1}(n\geq 1)$

$x_0=1$이므로 $x_n=\left(-\dfrac{1}{2}\right)^n \ (n\geq 0)$

$f(x_n)=9\left(-\dfrac{1}{2}\right)^{3n}-a\left(-\dfrac{1}{2}\right)^n$

$f(x_3)=9\left(-\dfrac{1}{2}\right)^9-a\left(-\dfrac{1}{2}\right)^3=\dfrac{-9+64a}{2^9}=\dfrac{55}{512}$에서

$64a-9=55 \quad \therefore a=1$

1등급 NOTE

$A_n(x_n, f(x_n))$을 접점으로 하는 접선을 $y=mx+n$이라 하고, 곡선 $f(x)=9x^3-ax$과 접선 $y=mx+n$의 교점을 구하면

$9x^3-ax=mx+n, \ 9x^3-(m+a)x-n=0$

이 삼차방정식의 근은 x_n, x_n, x_{n-1}이다.

($\because$ 곡선과 접선은 $x=x_n$에서 접하고 $x=x_{n-1}$에서 만난다)

위 방정식에 이차항이 존재하지 않으므로 근과 계수의 관계에서

$x_n+x_n+x_{n-1}=0 \quad \therefore x_n=-\dfrac{1}{2}x_{n-1}$

03 답 ③

GUIDE

사차함수 $f(x)$의 증감에 맞는 $y=f'(x)$그래프의 개형을 그려서 생각해야 한다.

$f'(x)=(x+1)(x^2+ax+b)$에서

함수 $y=f(x)$가 구간 $(-\infty, 0)$에서 감소하므로

$x\leq 0$일 때 $f'(x)\leq 0$이고, 주어진 식에서 $f'(-1)=0$

또 구간 $(2, \infty)$에서 증가하므로 $x\geq 2$일 때 $f'(x)\geq 0$

즉 $y=f'(x)$ 그래프의 개형은 다음과 같다.

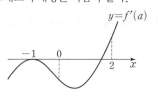

$f'(x)$는 $x=-1$에서 접하고 $f'(0)\leq 0, f'(2)\geq 0$이므로

$(-1)^2-a+b=0, b=a-1 \quad\cdots\cdots\text{㉠}$

$f'(0)=b\leq 0 \quad\cdots\cdots\text{㉡}$

$f'(2)=3(4+2a+b)\geq 0, b\geq -2a-4 \quad\cdots\cdots\text{㉢}$

따라서 ㉠, ㉡, ㉢을 만족시키는 실수 a, b의 순서쌍을 좌표평면 위에 나타내면 그림에서 색칠한 선분이다.

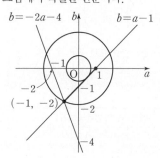

$a^2 + b^2 = r^2$ ...... ㉣

㉣이 직선 $b = a - 1$에 접할 때 r^2은 최소가 되고,

㉣이 점 $(-1, -2)$를 지날 때, r^2은 최대가 된다.

$M = (-1)^2 + (-2)^2 = 5$

$m = \left(\dfrac{|-1|}{\sqrt{2}} \right)^2 = \dfrac{1}{2}$ 　∴ $M + m = \dfrac{11}{2}$

---

04 답 -1

GUIDE

두 함수 $y = 6x^3 - x$와 $y = |x - a|$의 그래프가 만나는 점의 개수가 $f(a)$이다.

$y = 6x^3 - x$의 그래프를 그리고 $y = |x - a|$의 그래프를 a값에 따라 이동하며 교점의 개수를 찾아보면

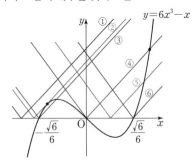

②에서 직선 $y = x - a$가 곡선 $f(x) = 6x^3 - x$에 접하므로

$f'(x) = 1$에서 $18x^2 - 1 = 1$, $x^2 = \dfrac{1}{9}$ 　∴ $x = -\dfrac{1}{3}$ $(x < 0)$

이때 접점의 좌표는 $\left(-\dfrac{1}{3}, \dfrac{1}{9} \right)$이므로

$\dfrac{1}{9} = -\dfrac{1}{3} - a$ 　∴ $a = -\dfrac{4}{9}$

④는 직선 $y = -x + a$가 곡선 $f(x) = 6x^3 - x$에 접할 때이므로

$f'(x) = -1$에서 $18x^2 - 1 = -1$, $18x^2 = 0$ 　∴ $x = 0$

이때 접점의 좌표는 $(0, 0)$이므로 $0 = 0 + a$ 　∴ $a = 0$

$$f(a) = \begin{cases} 1 & \left(a < -\dfrac{4}{9} \right) \\ 2 & \left(a = -\dfrac{4}{9} \right) \\ 3 & \left(-\dfrac{4}{9} < a < 0 \right) \\ 2 & (a = 0) \\ 1 & (a > 0) \end{cases}$$

위 그림에서 $y = f(a)$의 그래프와 직선 $y = ma + 2$의 교점이 2개인 m값의 범위는 $-\dfrac{9}{4} < m < \dfrac{9}{4}$

따라서 $p = -\dfrac{9}{4}$, $q = \dfrac{9}{4}$이므로 $\dfrac{q}{p} = -1$

채점 기준	배점
① 함수 $f(a)$ 구하기	60%
② $y = f(a)$의 그래프에서 m값의 범위 구하기	30%
③ 답 구하기	10%

---

05 답 8

GUIDE

함수 $f(x) = \begin{cases} \dfrac{1}{4}x^2 + 3 & (x > -2) \\ -x + 2 & (x \le -2) \end{cases}$ 의 그래프를 그려 생각한다.

(나)에서 $x_1 = 0$이면 $x_2 = 0$ $(∵ y_1 \ne 0)$

즉 $A(0, 3)$이면 $B(0, 2)$ 또는 $B(0, -2)$이다.

$x_1 \ne 0$이면 $\dfrac{y_1}{x_1} = \dfrac{y_2}{x_2}$이므로

점 $A(x_1, y_1)$과 점 $B(x_2, y_2)$에 대하여 선분 OA의 기울기와 선분 OB의 기울기가 같다. (단, O는 원점이다.)

즉 아래 그림과 같이 점 $A(x_1, y_1)$가 정해지면 점 B는 $B(x_2, y_2)$와 $B'(x'_2, y'_2)$이 모두 가능하다.

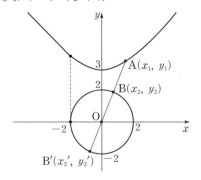

점 $A(x_1, y_1)$가 $y = f(x)$ 위에서 움직이므로 가능한 OA의 기울기를 m을 구해보자.

(i) $x_1 \ge 0$일 때

직선 OA가 접선일 때 m이 최솟값을 가진다.

접점을 $(t, f(t))$라 하면, 접선의 방정식은

$y = \dfrac{1}{2}t(x - t) + \dfrac{1}{4}t^2 + 3 = \dfrac{1}{2}tx - \dfrac{1}{4}t^2 + 3$

원점을 지나므로 $0 = -\dfrac{1}{4}t^2 + 3$이고 $t = 2\sqrt{3}$

따라서 접점은 $(2\sqrt{3}, 6)$이고 직선 OA의 기울기는 $\sqrt{3}$

(ii) $x_1 < 0$일 때

점 $A(x_1, y_1)$가 직선 $y = -x + 2$을 따라 왼쪽 위로 갈수록 직선 OA의 기울기는 -1에 가까워지므로 아래 그림처럼 점 $B(x_2, y_2)$는 점 Q, Q'으로 가까워진다.

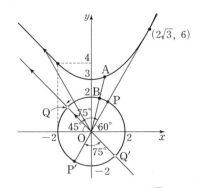

(i), (ii)에서 점 B가 나타내는 도형은 $\overset{\frown}{PQ}$, $\overset{\frown}{P'Q'}$이므로 그 길이는

$4\pi \times \dfrac{150}{360} = \dfrac{5}{3}\pi$ 　∴ $3 + 5 = 8$

---

06 답 ②

$y=x^3+6x^2-15x+5a$의 그래프는 극댓값과 극솟값을 가지는 곡선이며, $y=x^3+6x^2+15x-5a$의 그래프는 실수 전체에서 증가하는 곡선이다. $x=\dfrac{a}{3}$를 기준으로 정의되는 두 함수의 그래프는 $x=\dfrac{a}{3}$에서 만나고, a값과 $x=\dfrac{a}{3}$의 위치에 따라 $y=f(x)$가 정해진다.

(i) $x\geq\dfrac{a}{3}$일 때 $f(x)=x^3+6x^2-15x+5a$에서

$\quad f'(x)=3(x+5)(x-1)$

(ii) $x<\dfrac{a}{3}$일 때 $f(x)=x^3+6x^2+15x-5a$에서

$\quad f'(x)=3x^2+12x+15=3(x+2)^2+3>0$

ㄱ. $y=f(x)$가 역함수를 가지려면 계속 증가하거나 계속 감소해야 한다. $x<\dfrac{a}{3}$일 때 함수 $f(x)$는 증가하므로

$x\geq\dfrac{a}{3}$일 때도 함수 $f(x)$는 증가해야 한다.

즉 $3(x+5)(x-1)\geq0$이 되는 x는

$x\leq-5$ 또는 $x\geq1$이므로 $\dfrac{a}{3}\geq1$이어야 한다.

따라서 $a\geq3$에서 a의 최솟값은 3이다. (×)

ㄴ. $y=f(x)$가 극솟값을 가지려면 $\dfrac{a}{3}<1$일 때이고, 아래의 증감표에서 $x=1$일 때이다.

x	$\cdots$	-5	$\cdots$	1	$\cdots$
$f'(x)$	$+$	0	$-$	0	$+$
$f(x)$	↗	$5a+100$	↘	$5a-8$	↗

$5a-8=-23$에서 $a=-3$ (○)

ㄷ. $x=\dfrac{a}{3}$의 위치에 따라 $y=f(x)$의 모양이 아래와 같다.

(i) $\dfrac{a}{3}\geq1$일 때, 즉 $a\geq3$일 때는 ㄱ에서 확인한 것처럼 극값이 존재하지 않는다. [그림 1]

(ii) $-5<\dfrac{a}{3}<1$일 때, 즉 $-15<a<3$일 때는 $x=\dfrac{a}{3}$에서 극댓값을 가지고, $x=1$에서 극솟값을 가진다. [그림 2]

(iii) $\dfrac{a}{3}\leq-5$일 때, 즉 $a\leq-15$일 때 $x=-5$에서 극댓값 $5a+100$을 가지고, $x=1$에서 극솟값 $5a-8$을 가진다. 이때 극댓값과 극솟값의 차는 항상 108이다. [그림 3]

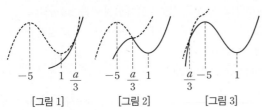

[그림 1]   [그림 2]   [그림 3]

따라서 $a\leq-15$일 때, 극댓값과 극솟값의 차가 108이다.

(×)

07 답 4

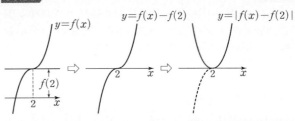

(가), (나)에서 $f(x)-f(2)=(x-2)^3$

(다)에서 점 $(3, 6)$을 지나므로

$f(x)=(x-2)^3+5$ $\quad\cdots\cdots$ ㉠

(가), (다)에서 직선 $y=g(x)$는 기울기가 3인 삼차함수 $f(x)$의 접선이다.

㉠에서 $f'(x)=3(x-2)^2$이고 접점을 $(t, f(t))$라 하면

$f'(t)=3(t-2)^2=3$, 이때 $t=1$ 또는 $t=3$

(i) $t=1$일 때

접점은 $(1, 4)$이고 $g(x)=3(x-1)+4=3x+1$이다.

$\therefore g(x)=3x+1$ $\quad\cdots\cdots$ ㉡

또 (다), (라)에서

$f(x)-g(x)=(x-1)^2(x-k)$ $\quad\cdots\cdots$ ㉢

㉠, ㉡, ㉢에서 $f(2)-g(2)=5-7=2-k$ $\therefore k=4$

(ii) $t=3$일 때

접점은 $(3, 6)$이고 $g(x)=3(x-3)+6=3x-3$이다.

$\therefore g(x)=3x-3$ $\quad\cdots\cdots$ ㉣

또 (다), (라)에서

$f(x)-g(x)=(x-3)^2(x-k)$ $\quad\cdots\cdots$ ㉤

㉠, ㉣, ㉤에서 $f(2)-g(2)=5-3=2-k$ $\therefore k=0$

따라서 k는 4 또는 0이므로 $4+0=4$

참고

❶ 삼차함수의 그래프와 직선의 교점은 1개, 2개, 3개가 가능하다. 교점이 2개이면 곡선과 직선이 접할 때이다. 삼차함수 $f(x)$와 직선 $y=g(x)$를 그리면 오른쪽 그림과 같다.

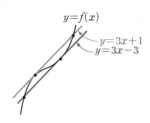

❷ 예를 들어 $t=3$일 경우 $y=f(x)$와 $y=g(x)$의 그래프가 $x=k$, 3에서 만나므로 $y=f(x)-g(x)$의 그래프는 [그림 1]과 같고, 이때 $y=|f(x)-g(x)|$의 그래프는 [그림 2]와 같다.

따라서 $f(x)-g(x)=(x-k)(x-3)^2$이라 할 수 있다.

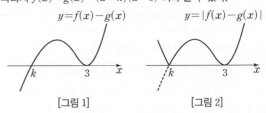

[그림 1]   [그림 2]

08 답 32

GUIDE

$y=f'(t)(x-t)+f(t)$는 곡선 $y=f(t)$ 위의 점 $(t, f(t))$에서의 접선이다. 따라서 $f(x)\le f'(t)(x-t)+f(t)$이려면 그래프에서 접선이 곡선보다 위쪽에 놓이도록 하는 접점의 범위를 구한다.

직선 $y=f'(t)(x-t)+f(t)$는
곡선 위의 점 $P(t, f(t))$에서의
접선이므로 접선이 곡선의 위쪽
에 놓이려면 접점은 곡선이 위로
볼록한 부분에 있어야 한다.

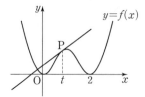

위로 볼록한 부분에 있는 점에서의 접선 중에는 구간 $[0, 2]$에서 $y=f(x)$의 그래프 아래쪽을 지나는 직선이 생길 수 있다.
그러므로 원점에서 그은 접선의 접점과 점 $(2, 0)$에서 그은 접선의 접점의 x좌표를 조사하면 된다.
$f(x)=x^2(x-2)^2$에서 $f'(x)=4x(x-1)(x-2)$
점 $(a, f(a))$에서 접선의 방정식은
$y=4a(a-1)(a-2)(x-a)+a^2(a-2)^2$
$x=0, y=0$을 대입하면
$4a^2(a-1)(a-2)=a^2(a-2)^2$ $\therefore a=\dfrac{2}{3}$

한편 곡선 $y=x^2(x-2)^2$은 직선 $x=1$에 대하여 대칭이므로 점 $(2, 0)$에서 그은 접선의 접점의 x좌표를 b라 하면
$\dfrac{2}{3}+b=2$에서 $b=\dfrac{4}{3}$

따라서 주어진 부등식을 만족시키는 실수 t의 값의 범위는
$\dfrac{2}{3}\le t\le\dfrac{4}{3}$이므로 $36pq=36\times\dfrac{2}{3}\times\dfrac{4}{3}=32$

참고

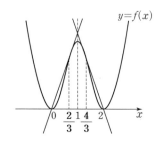

09 답 147

GUIDE

사차함수 $y=f(x)$에서 극솟값은 3이고, 극댓값은 19임을 생각한다. 문제의 내용을 확인해서 정리해 보자.

ⓐ 최고차항의 계수가 1이고, 사차함수 $f(x)$
ⓑ 실수 t에 대하여 집합 S를 $S=\{a|$함수$|f(x)-t|$가 $x=a$에서 미분가능하지 않다.$\}$라 하고 집합 S의 원소의 개수를 $g(t)$라 할 때, 함수 $g(t)$가 $t=3$과 $t=19$에서만 불연속
ⓒ $f(0)=3$ ⓓ $f'(3)<0$

(i) $f'(x)=0$의 세 실근 중 중근이 있는 경우, 그래프는 그림처럼 $g(t)$가 두 번 불연속이므로 조건 ⓑ에 맞다.

$t=3$과 $t=19$에서만 불연속이므로 극솟점의 x좌표가 0이다. 이때 $x>0$이면 $f(x)$가 증가하므로 조건 $f'(3)<0$에 맞지 않는다.

(ii) $f'(x)=0$이 서로 다른 세 실근인 것 중 두 극솟값이 같은 경우, 그림처럼 $g(t)$가 두 번 불연속이므로 조건 ⓓ에 맞다.

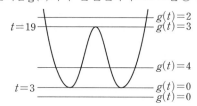

조건 ⓑ, ⓒ에서 다음 두 가지 경우가 있고,
조건 ⓓ $f'(3)<0$이 되는 경우는 [그림 2]

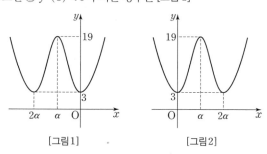

[그림1]   [그림2]

즉 사차함수 $f(x)$는 최고차항의 계수가 1이고,
$x=0, 2\alpha$에서 극솟값 3을 가진다고 하면
$f(x)=x^2(x-2\alpha)^2+3$
(극댓값)$=f(\alpha)=\alpha^4+3=19$ $\therefore \alpha=2\ (\because \alpha>0)$
$\therefore f(x)=x^2(x-4)^2+3$
따라서 $f(-2)=4\times36+3=147$

10 답 (1) 8 (2) 해설 참조

GUIDE

(1) $\dfrac{f(3)-f(1)}{3-1}=f'(c)\ (0<c<1)$을 만족시키는 c가 적어도 하나 존재한다.

(1) 함수 $f(x)$는 모든 실수 x에 대하여 미분가능하므로
함수 $f(x)$가 닫힌구간 $[1, 3]$에서 연속이고 열린구간 $(1, 3)$에서 미분가능하다.
따라서 평균값 정리에 의하여
$\dfrac{f(3)-f(1)}{3-1}=f'(c)\ (0<c<1)$을 만족시키는 c가 적어도
하나 존재한다.

$|f'(c)| \leq \dfrac{7}{2}$이므로 $\left| \dfrac{f(3)-f(1)}{3-1} \right| \leq \dfrac{7}{2}$

$|f(3)-1| \leq 7$에서 $-6 \leq f(3) \leq 8$

따라서 $f(1)$의 최댓값은 8이다.

(2) 함수 $f(x)$는 모든 실수 x에 대하여 미분가능하므로

$g(x)=(f \circ f)(x)$도 미분가능하다.

$g(1)=(f \circ f)(1)=f(f(1))=f(1)=1$

$g(4)=(f \circ f)(4)=f(f(4))=f(4)=4$

함수 $g(x)$가 닫힌구간 $[1,\ 4]$에서 연속이고 열린구간 $(1,\ 4)$

에서 미분가능하다.

이때 평균값 정리에 따라

$\dfrac{g(4)-g(1)}{4-1}=\dfrac{4-1}{4-1}=1=g'(x)\ (1<x<4)$

를 만족시키는 x가 적어도 하나 존재한다.

따라서 $g'(x)=1$인 x가 구간 $(0,\ 4)$에 적어도 하나 존재한다.

다른 풀이

(1) $1<x<3$에서 $f'(x)$의 최댓값이 $\dfrac{7}{2}$이므로

$1<x<3$에서 $f'(x)=\dfrac{7}{2}$이라 하면

$\dfrac{f(3)-f(1)}{3-1}=\dfrac{7}{2}$ $\therefore f(3)=8$

05 도함수의 활용(2)

STEP 1 | 1등급 준비하기   p. 58~59

01 ③	**02** ①	**03** 2	**04** 5
05 ⑤	**06** ③	**07** 2	**08** 3
09 3	**10** ④	**11** ①	**12** 8
13 2			

01 답 ③

GUIDE

$h'(x)=0$이 되는 x값을 기준으로 $h(x)$의 증감표를 작성한다.

$h'(x)=f'(x)-g'(x)=0$에서 $x=-1,\ 1,\ 3$이므로 닫힌구간 $[-1,\ 3]$에서 함수 $h(x)$의 증감표는 다음과 같다.

x	-1	$\cdots$	1	$\cdots$	3
$h'(x)$	0	$+$	0	$-$	0
$h(x)$		↗	극대	↘	

따라서 최댓값은 $h(1)$이다.

02 답 ①

GUIDE

$P(t,\ t(t-3)(t-5))$라 하면 $\overline{OH}=t,\ \overline{HP}=t(t-3)(t-5)$

$\triangle OPH$의 넓이를 $S(t)$라 하면

$S(t)=\dfrac{1}{2} \times \overline{OH} \times \overline{HP}=\dfrac{1}{2} \times t \times t(t-3)(t-5)$

$\qquad =\dfrac{1}{2}(t^4-8t^3+15t^2)$

$S'(t)=\dfrac{1}{2}(4t^3-24t^2+30t)=t(2t^2-12t+15)=0$에서

$t=0$ 또는 $t=3 \pm \dfrac{\sqrt{6}}{2}$

$0<t<3$에서 함수 $S(t)$의 증가와 감소를 표로 나타내면 다음과 같다.

t	(0)	$\cdots$	$3-\dfrac{\sqrt{6}}{2}$	$\cdots$	(3)
$S'(t)$	(0)	$+$	0	$-$	$-$
$S(t)$	(0)	↗	극대	↘	(0)

따라서 $t=3-\dfrac{\sqrt{6}}{2}$일 때 $S(t)$는 최댓값을 가진다.

03 답 2

GUIDE

삼차방정식이 서로 다른 두 실근을 가지는 경우이므로 (극댓값)$\times$(극솟값)$=0$임을 이용한다.

삼차함수 $f(x)$의 극솟값과 극댓값이 각각 1, 5이고, k는 상수이

므로 $g(x)=f(x)-k-2$라 하면

$g(x)$의 극솟값은 $1-k-2$, 즉 $-k-1$이고

$g(x)$의 극댓값은 $5-k-2$, 즉 $-k+3$이다.

이때 방정식 $f(x)-2=k$, 즉 $g(x)=0$이 서로 다른 두 실근을

가지려면 (극댓값)×(극솟값)$=0$에서 $(k+1)(k-3)=0$

∴ $k=-1, 3$

따라서 구하려는 값은 $-1+3=2$

다른 풀이

삼차함수 $f(x)$의 극솟값과 극댓값이

각각 1, 5이므로 최고차항의 계수가

양수라 가정하면 $y=f(x)$의 그래

프의 개형을 오른쪽 그림과 같이 그

릴 수 있다. 이때 방정식

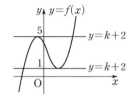

$f(x)=k+2$가 서로 다른 두 실근을 가지려면 함수 $y=f(x)$의

그래프와 직선 $y=k+2$의 교점이 두 개 존재해야 하므로

$k+2=1$ 또는 $k+2=5$이어야 한다. ∴ $k=-1$ 또는 $k=3$

04 답 5

GUIDE

삼차방정식이 서로 다른 세 실근을 가지는

경우를 생각하면 그림과 같을 때이다.

즉 (극댓값)×(극솟값)<0임을 이용한다.

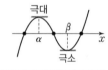

$\lim\limits_{x \to 1} \dfrac{f(x)+9-2n}{x-1}=0$에서 $x \longrightarrow 1$일 때 (분모)$\longrightarrow 0$이므로

$x \longrightarrow 1$일 때 (분자)$\longrightarrow 0$에서 $f(1)=2n-9$이고

$\lim\limits_{x \to 1} \dfrac{f(x)-f(1)}{x-1}=0$이므로 $f'(1)=0$

마찬가지로 $\lim\limits_{x \to 5} \dfrac{f(x)+10-n}{x-5}=0$에서 $f(5)=n-10$이고

$\lim\limits_{x \to 5} \dfrac{f(x)-f(5)}{x-5}=0$이므로 $f'(5)=0$

함수 $f(x)$는 $x=1, 5$에서 극값을 가지므로

삼차방정식 $f(x)=0$이 서로 다른 세 실근을 가지려면

$f(1) \times f(5)<0$, 즉 $(2n-9)(n-10)<0$

따라서 이 범위에 있는 자연수 n은 5, 6, 7, 8, 9로 모두 5개

05 답 ⑤

GUIDE

함수 $y=|f(x)|$의 그래프를 그려 직선 $y=a$와 네 점에서 만나도록 하

는 a값의 범위를 구한다.

$f(x)=x^3-3x^2$에서 $f'(x)=3x^2-6x=3x(x-2)$

$f'(x)=0$에서 $x=0$ 또는 $x=2$

x	$\cdots$	0	$\cdots$	2	$\cdots$
$f'(x)$	+	0	−	0	+
$f(x)$	↗	0	↘	−4	↗

즉, 함수 $y=f(x)$의 그래프의 개형은 오

른쪽 그림과 같고, 이 그래프에서 x축 아

랫 부분을 x축에 대하여 대칭이동시키면

함수 $y=|f(x)|$의 그래프가 된다.

이때 방정식 $|f(x)|=a$가 서로 다른 네

실근을 가지려면 함수 그래프와 직선

$y=a$가 서로 다른 네 점에서 만나야 하므

로 $y=|f(x)|$의 $0<a<4$

따라서 모든 정수 a값의 합은

$1+2+3=6$

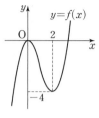

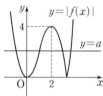

06 답 ③

GUIDE

$x^4+x^3-2x^2+x-3=x^3-4x^2+x+k$에서 $x^4+2x^2-3=k$로 놓고

$y=x^4+2x^2-3$의 그래프를 이용한다.

$f(x)=g(x)$, 즉 $x^4+x^3-2x^2+x-3=x^3-4x^2+x+k$에서

$x^4+2x^2-3=k$라 생각하고, $h(x)=x^4+2x^2-3$으로 놓자.

$h'(x)=4x^3+4x=4x(x^2+1)=0$에서 $x=0$이고, 함수 $h(x)$

의 증감표는 다음과 같다.

x	$\cdots$	0	$\cdots$
$h'(x)$	−	0	+
$h(x)$	↘	−3	↗

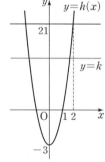

즉 $x>0$에서 $h(x)$는 계속 증가하고

$h(1)=0, h(2)=21$이므로

그림처럼 $0<k<21$이면 방정식

$h(x)=k$는 구간 $(1, 2)$에서 적어도

하나의 실근을 가진다.

따라서 자연수 k는 1, 2, 3, $\cdots$, 20으로 모두 20개

07 답 2

GUIDE

증감표를 이용해 함수 $y=f(x)$ 그래프의 개형을 그려본다.

$f'(x)=(x-a)(x-b)(x-c) \, (a<b<c)$이므로

$f'(x)=0$에서 $x=a$ 또는 $x=b$ 또는 $x=c$

x	$\cdots$	a	$\cdots$	b	$\cdots$	c	$\cdots$
$f'(x)$	−	0	+	0	−	0	+
$f(x)$	↘	극소	↗	극대	↘	극소	↗

위의 표에서 함수 $f(x)$는 $x=a$ 또는 $x=c$일 때 극소이고 $x=b$

일 때 극대이다.

그런데 주어진 조건에서 $f(b)<0$이
므로 함수 $y=f(x)$의 그래프의 개
형은 오른쪽과 같다.

따라서 사차방정식 $f(x)=0$의 실근
의 개수는 2이다.

참고 $f(x)=(x-1)(x+1)(x-a)$의 그래프 개형

❶ $a>1$일 때　❷ $a=1$일 때

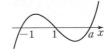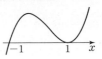

❸ $-1<a<1$일 때　❹ $a=-1$일 때

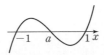

❺ $a<-1$일 때

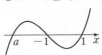

---

08 답 3

GUIDE

함수 $f(x)=x^n-nx+n(n-2)+1$의 최솟값을 m이라 할 때, $m>0$이 되는 자연수 n의 범위를 구한다.

$x^n+n(n-2)>nx-1$에서

$x^n-nx+n(n-2)+1>0$

$f(x)=x^n-nx+n(n-2)+1$이라 하면

$f'(x)=nx^{n-1}-n$

$\quad\quad=n(x-1)(x^{n-2}+x^{n-3}+\cdots+x+1)$

$f'(x)=0$에서

$x=1$ ($\because$ $x>0$일 때 $x^{n-2}+\cdots+x+1>0$)이고

$x>0$, $n>0$이므로 증감표는 다음과 같다.

x	(0)	$\cdots$	1	$\cdots$
$f'(x)$	$-$	$-$	0	$+$
$f(x)$		$\searrow$	$(n-1)(n-2)$	$\nearrow$

함수 $f(x)$는 $x=1$일 때 극소이면서 최소이다.

따라서 $x>0$일 때 $f(x)>0$이 성립하려면

$f(1)=(n-1)(n-2)>0$이어야 한다. $\quad\therefore$ $n<1$ 또는 $n>2$

n은 자연수이므로 n의 최솟값은 3

---

09 답 3

GUIDE

$f(x)=(x-p)(x-q)^2$ 꼴이면 $x\geq p$일 때 $f(x)\geq0$임을 이용한다.

$f(1)=1-a-1+b=0$에서 $a=b$ $\quad\cdots\cdots$ ㉠

이때 $f(x)=x^3-ax^2-x+a=(x-1)(x+1)(x-a)$에서

$x\geq-1$인 모든 실수 x에 대하여 $f(x)\geq0$이려면

$a=1$이어야 하므로 ㉠에서 $b=1$이다.

$\therefore$ $f(x)=(x-1)^2(x+1)$

이때 모든 실수 x에 대하여 $(x-c)f(x)\geq0$,

즉 $(x-1)^2(x+1)(x-c)\geq0$이기 위해서 $c=-1$이어야 한다.

$\therefore$ $a+b-c=1+1-(-1)=3$

---

10 답 ④

GUIDE

$h=0$일 때 시각 t를 구해 높이와 속도를 각각 미분한 식에 대입한다.

지면에 떨어지는 순간은 $h=0$일 때이므로

$h=25+20t-5t^2=-5(t+1)(t-5)=0$에서 $t=5$ ($\because$ $t>0$)

공의 속도를 v라 하면 $v=\dfrac{dh}{dt}=20-10t$이므로

$t=5$일 때 속도 a는 $a=-30$ (m/초)

또 지면에 떨어질 때 공의 가속도 b는 $b=\dfrac{dv}{dt}=-10$ (m/초^2)

$\therefore$ $b-a=-10-(-30)=20$

---

11 답 ①

GUIDE

두 점 P, Q의 속도가 서로 다른 부호일 때 반대방향으로 움직인다.

시각 t일 때 두 점 P, Q의 위치가

$f(t)=2t^2-2t$, $g(t)=t^2-8t$이므로

속도는 각각 $f'(t)=4t-2$, $g'(t)=2t-8$이다.

두 점 P, Q가 서로 반대 방향으로 움직이는 경우는

속도의 부호가 반대일 때이므로

$(4t-2)(2t-8)<0$ $\quad\therefore$ $\dfrac{1}{2}<t<4$

---

12 답 8

GUIDE

위치를 미분하면 속도, 속도를 미분하면 가속도이다.

$x=f(t)$에서 $f(0)=0$, $f(1)=0$, $f(4)=0$이고

$f(t)$는 t에 대한 삼차식이므로

$f(t)=kt(t-1)(t-4)=kt^3-5kt^2+4kt$ ($k>0$)

로 놓을 수 있다.

이때 점 P의 속도와 가속도는 각각

$v=f'(t)=3kt^2-10kt+4k$, $a=\{f'(t)\}'=6kt-10k$

$a=0$에서 $6kt-10k=0$ $\qquad \therefore t=\dfrac{5}{3}$

따라서 $p=3$, $q=5$이므로 $p+q=8$

13 답 2

GUIDE
처음 원의 반지름 길이가 a이면 t초 후 원의 반지름 길이는 $a+\dfrac{1}{2}t$가 된다.

원의 반지름 길이가 매초 $\dfrac{1}{2}$씩 커지므로 t초 후 원의 반지름 길이

는 $\sqrt{3}+\dfrac{1}{2}t$, 이때 t초 후 원 넓이를 $S(t)$라 하면

$S(t)=\pi\left(\sqrt{3}+\dfrac{1}{2}t\right)^2$이므로

$S'(t)=2\pi\left(\sqrt{3}+\dfrac{1}{2}t\right)\times\dfrac{1}{2}=\pi\left(\sqrt{3}+\dfrac{1}{2}t\right)$

따라서 2초 후 원 넓이의 증가율은 $S'(2)=(\sqrt{3}+1)\pi$

$\therefore a=1$, $b=1$, $a+b=2$

STEP 2 | 1등급 굳히기 p. 60~67

01 54	02 ③	03 ④	04 34
05 5	06 ⑤	07 ⑤	08 32
09 17	10 ⑤	11 ⑤	12 ③
13 ⑤	14 ③	15 ④	16 ③
17 3	18 −25	19 (1) −6 (2) 1	
20 ⑤	21 ④	22 51	23 19
24 9	25 ②	26 ②	27 18

01 답 54

GUIDE
$f(x)=t$로 놓고 t값과 함수 $f(t)$의 범위를 구한다.

$f'(x)=3x^2-3=3(x+1)(x-1)$
에서 $x=-1$ 또는 $x=1$
닫힌구간 $[-1, 1]$에서 함수 $f(x)$의
증감은 표와 같으므로

x	-1	$\cdots$	1
$f'(x)$	0	$-$	0
$f(x)$	4	$\searrow$	0

$-1\le x\le1$에서 $0\le f(x)\le4$이다.

$f(x)=t$로 놓으면 $y=f(f(x))=f(t)$ $(0\le t\le4)$이고,
$f'(t)=3(t+1)(t-1)$이므로

$0\le t\le4$에서 함수 $f(t)$의 증감표는 다음과 같다.

x	0	$\cdots$	1	$\cdots$	4
$f'(x)$	$-$	$-$	0	$+$	$+$
$f(x)$	2	$\searrow$	0	$\nearrow$	54

즉 함수 $f(t)$는 $t=1$일 때 $m=0$, $t=4$일 때 $M=54$
$\therefore M-m=54-0=54$

---

02 답 ③

GUIDE
$x+\dfrac{1}{x}=t$로 치환하는 것을 생각한다. 이때 $t\ge2$이다.

$f(x)=x^3+2x^2+4x+\dfrac{4}{x}+\dfrac{2}{x^2}+\dfrac{2}{x^3}$

$\qquad=\left(x^3+\dfrac{1}{x^3}\right)+2\left(x^2+\dfrac{1}{x^2}\right)+4\left(x+\dfrac{1}{x}\right)$

에서 $x+\dfrac{1}{x}=t$라 하면 $x>0$이므로 (산술평균)$\ge$(기하평균)에서

$x+\dfrac{1}{x}\ge2\sqrt{x\times\dfrac{1}{x}}=2$ $\qquad\therefore t\ge2$

이때 $x^3+\dfrac{1}{x^3}=t^3-3t$, $x^2+\dfrac{1}{x^2}=t^2-2$

즉 주어진 식은 $(t^3-3t)+2(t^2-2)+4t=t^3+2t^2+t-4$
$g(t)=t^3+2t^2+t-4$ $(t\ge2)$라 하면
$g'(t)=3t^2+4t+1=(3t+1)(t+1)$
$t\ge2$일 때 $g'(t)>0$이므로 $g(t)$는 증가한다.
따라서 $t=2$일 때 최솟값 14를 가진다.

---

03 답 ④

GUIDE
y, z를 x로 나타내고, x의 범위를 구한다.

(내)에서 $z=3-x-y$이고, (대)에서 $y=2-2x$이므로
$z=3-x-(2-2x)$에서 $z=x+1$
또 (개)에서 $x\le y\le z$이므로 $x\le2-2x\le x+1$
$\therefore \dfrac{1}{3}\le x\le\dfrac{2}{3}$

이때 $xyz=x(2-2x)(x+1)=-2x^3+2x$이고
$f(x)=-2x^3+2x$라 하면

$\dfrac{1}{3}\le x\le\dfrac{2}{3}$에서 함수 $f(x)$의 증감표는 다음과 같다.

x	$\dfrac{1}{3}$	$\cdots$	$\dfrac{\sqrt{3}}{3}$	$\cdots$	$\dfrac{2}{3}$
$f'(x)$	$+$	$+$	0	$-$	$-$
$f(x)$		$\nearrow$	극대	$\searrow$	

따라서 함수 $f(x)$의 최댓값은 $f\left(\dfrac{\sqrt{3}}{3}\right)=\dfrac{4\sqrt{3}}{9}$

---

04 답 34

GUIDE
$y=f(x)$ 그래프의 개형을 그려 구간 $[-2, 0]$, $[-2, 1]$, $\cdots$, $[-2, 5]$ 각각에서 최솟값을 구한다.

$f'(x)=12x^3-12x^2-24x=12x(x+1)(x-2)$이므로
$x\ge-2$에서 함수 $f(x)$의 증감표는 다음과 같다.

x	-2	$\cdots$	-1	$\cdots$	0	$\cdots$	2	$\cdots$
$f'(x)$	$-$	$-$	0	$+$	0	$-$	0	$+$
$f(x)$	62	$\searrow$	25	$\nearrow$	30	$\searrow$	-2	$\nearrow$

이때 $y=f(x)$ 그래프의 개형은
그림과 같으므로 구간 $[-2, 0]$
에서 최솟값은

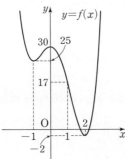

$f(-1)=25 \qquad \therefore g(0)=25$
구간 $[-2, 1]$에서 최솟값은
$f(1)=17 \qquad \therefore g(1)=17$
$k \geq 2$일 때 구간 $[-2, k]$에서
최솟값 $g(k)=g(2)=-2$이므로

$\sum_{k=0}^{5} g(k) = 25+17-2-2-2-2$
$\qquad\qquad = 34$

05 ⑤ 5

GUIDE

$y=f(x)$의 그래프에서 $g(t)+h(t)<6$, $g(t)+h(t)>6$이 되는 t의 범위를 버린다.

$f'(x)=3x^2-6x=3x(x-2)=0$에서 함수 $f(x)$의 증감표는
다음과 같다.

x	$\cdots$	0	$\cdots$	2	$\cdots$
$f'(x)$	$+$	0	$-$	0	$+$
$f(x)$	$\nearrow$	5	$\searrow$	1	$\nearrow$

또 $f(2)=f(-1)=1$,
$f(0)=f(3)=5$이므로 $y=f(x)$의
그래프는 그림과 같다.
이때 $t<2$이면 $[t-3, t]$에서
$g(t) \leq 5$, $h(t)<1$이므로
$g(t)+h(t)<6$
또 $t>3$이면 $[t-3, t]$에서
$g(t)>5$, $h(t) \geq 1$이므로
$g(t)+h(t)>6$
즉 $2 \leq t \leq 3$일 때 $g(t)=5$, $h(t)=1$, $g(t)+h(t)=6$이 된다.
따라서 정수 t는 2, 3이므로 $2+3=5$

1등급 NOTE

조건에 맞는 정수를 구하면 되는 문제이므로 적당한 정수 t를
$[t-3, t]$에 대입해 $g(t)+h(t)=6$인지 확인하면 된다.
예를 들어 $t=1$일 때, 구간 $[-2, 1]$에서 $h(t)=f(-2)<1$이고,
$g(t)=f(0)=5$이다. 즉 $g(t)+h(t)<6$이다.
$t<1$일 때, $h(t)<1$이므로 $t \leq 1$을 제외한 범위에서 생각한다.

06 ⑤

GUIDE

두 점 B, C가 원 $x^2+y^2=4$ 위의 점이고, x축에 대하여 대칭이므로
$B(a, \sqrt{4-a^2})$, $C(a, -\sqrt{4-a^2})$라 놓을 수 있다.

$B(a, \sqrt{4-a^2})$이라 하면 $C(a, -\sqrt{4-a^2})$이다.

$\triangle ABC = \frac{1}{2} \times (1+a) \times 2\sqrt{4-a^2} = \sqrt{(1+a)^2(4-a^2)}$

이때 $f(a)=(1+a)^2(4-a^2)$이라 하면

$f'(a)=0$이 되는 $a=\dfrac{-1+\sqrt{33}}{4}$ ($\because 0<a<2$)

$0<a<2$에서 함수 $f(a)$의 증감표는 다음과 같다.

x	(0)	$\cdots$	$\dfrac{-1+\sqrt{33}}{4}$	$\cdots$	(2)
$f'(x)$	$+$	$+$	0	$-$	$-$
$f(x)$		$\nearrow$	극대	$\searrow$	

따라서 $0<a<2$에서 $\triangle ABC$의 넓이는 $a=\dfrac{-1+\sqrt{33}}{4}$일 때 최대이다.

참고

$f(a)=(1+a)^2(4-a^2)$에서
$f'(a)=2(1+a)(4-a^2)+(1+a)^2(-2a)=-2(1+a)(2a^2+a-4)$

07 ⑤

GUIDE

밑변이 $\overline{BC}$인 $\triangle OBC$와 $\triangle ACB$의 넓이를 더하면 $\square OBAC$의 넓이임을 이용한다.

두 곡선 $y=x^3$, $y=-x^3+2x$의 교점의 x좌표는 방정식
$x^3=-x^3+2x$의 해와 같으므로 $x^3-x=0$에서 $x=-1, 0, 1$
즉 $A(1, 1)$이다. 또 $B(k, k^3)$, $C(k, -k^3+2k)$에서
$\overline{BC}=(-k^3+2k)-k^3=-2k^3+2k$이므로
$\square OBAC = \triangle OBC + \triangle ACB$

$\qquad = \dfrac{1}{2}(-2k^3+2k)(k-0)+\dfrac{1}{2}(-2k^3+2k)(1-k)$
$\qquad = -k^3+k$

$f(k)=-k^3+k$ $(0<k<1)$라 하면 $f'(k)=0$에서 $k=\dfrac{\sqrt{3}}{3}$이므로
함수 $f(k)$의 증감표와 그래프 개형은 다음과 같다.

k	(0)	$\cdots$	$\dfrac{\sqrt{3}}{3}$	$\cdots$
$f'(k)$	$+$	$+$	0	$-$
$f(k)$		$\nearrow$	극대	$\searrow$

따라서 $0<k<1$에서 사각형 OBAC의 넓이는
$k=\dfrac{\sqrt{3}}{3}$일 때 최대이다.

08 답 32

GUIDE

모서리 길이, 겉넓이를 구해 삼차방정식의 근과 계수의 관계를 이용한다.

모서리 길이의 합에서 $x+y+z=12$ ······ ㉠

겉넓이에서 $xy+yz+zx=36$ ······ ㉡

부피를 V라 하면 $V=xyz$ ······ ㉢

㉠, ㉡, ㉢과 삼차방정식의 근과 계수의 관계에서 x, y, z는 삼차방정식 $t^3-12t^2+36t-V=0$의 세 양의 실근이다.

즉 방정식 $t^3-12t^2+36t=V$가 양수인 세 실근을 가져야 하므로 $f(t)=t^3-12t^2+36t$라 하면

$f'(t)=0$인 t는 $t=2, 6$

함수 $f(t)$의 증감표는 다음과 같다.

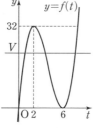

t	$\cdots$	2	$\cdots$	6	$\cdots$
$f'(t)$	$+$	0	$-$	0	$+$
$f(t)$	↗	32	↘	0	↗

그림처럼 $0<V\le32$일 때 방정식 $t^3-12t^2+36t=V$는 양수인 세 실근을 가진다. 따라서 직육면체 부피 V의 최댓값은 32

참고

$V=32$일 때 중근(서로 같은 실근)을 가지므로 양수인 실근은 모두 세 개다. 실제로 근을 구해 보면 $t^3-12t^2+36t-32=0$, 즉 $(t-2)^2(t-8)=0$에서 세 모서리의 길이는 2, 2, 8이다.

---

09 답 17

GUIDE

직선 $y=2x$와 곡선 $y=x^3-x+k$가 $-1\le x\le3$에서 오직 한 점에서 만난다는 것은 방정식 $x^3-x+k=2x$가 $-1\le x\le3$에서 오직 하나의 실근을 가진다는 것이다. (중근 포함)

두 점 $A(-1, -2)$, $B(3, 6)$를 지나는 직선의 방정식은 $y=2x$이고, 곡선 $y=x^3-x+k$와 선분 AB가 오직 한 점에서 만나려면 방정식 $x^3-x+k=2x$가 $-1\le x\le3$에서 중근을 포함해 오직 하나의 실근을 가져야 한다.

$x^3-x+k=2x$, 즉 $-x^3+3x=k$에서 $f(x)=-x^3+3x$라 하면 함수 $f(x)$의 증감표는 다음과 같다.

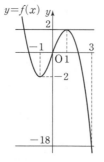

x	$\cdots$	-1	$\cdots$	1	$\cdots$
$f'(x)$	$-$	0	$+$	0	$-$
$f(x)$	↘	-2	↗	2	↘

이때 그림처럼 $-1\le x\le3$에서 오직 한 점에서 만나야 하므로

$k=2$ 또는 $-18\le k<-2$이다.

정수 k는 $-18, -17, \cdots, -3, 2$로 모두 17개

---

10 답 ⑤

GUIDE

❶ $y=x^3+3x^2$의 그래프를 그린 다음, 직선 $y=k$를 아래 위로 움직이면서 보기의 내용을 확인한다.

❷ $0<k<4$에서 음의 정수인 실근은 -1뿐이다.

$f(x)=x^3+3x^2$이라 하면 주어진 방정식은 $f(x)=k$와 같다.

$f'(x)=3x^2+6x=3x(x+2)$에서

$f'(x)=0$이 되는 값은 $x=0$ 또는 $x=-2$이므로

함수 $f(x)$의 증감표는 다음과 같다.

x	$\cdots$	-2	$\cdots$	0	$\cdots$
$f'(x)$	$+$	0	$-$	0	$+$
$f(x)$	↗	4	↘	0	↗

ㄱ. $k=0$이면 $f(x)=x^2(x+3)=0$이므로

$\alpha=-3$, $\beta=\gamma=0$ (○)

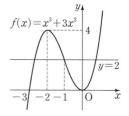

ㄴ. $\alpha<\beta<\gamma$이려면 서로 다른 세 실근을 가져야 하므로 $0<k<4$이다. (○)

ㄷ. $0<k<4$에서 적어도 한 실근이 음의 정수가 되려면 음의 정수인 실근이 -1이어야 하므로 $k=2$이다. (○)

---

11 답 ⑤

GUIDE

$h(x)=f(x)-g(x)$에서

$f'(x)=g'(x)$의 해가 $x=a$, b이고,

$h'(0)=f'(0)-g'(0)=5$이므로

함수 $y=h'(x)$의 그래프는 그림과 같다.

즉 구간 $(0, b)$에서 $h'(x)<5$이다.

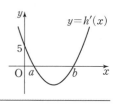

ㄱ. 함수 $h(x)$는 $x=a$에서 극댓값을 가진다. (○)

ㄴ. $h(b)=0$일 때, 함수 $y=h(x)$의 그래프는 그림과 같다.

그러므로 방정식 $h(x)=0$의 서로 다른 실근은 2개이다. (○)

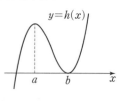

ㄷ. 함수 $h(x)$는 닫힌구간 $[\alpha, \beta]$에서 연속이고 열린구간 (α, β)에서 미분가능하므로 평균값 정리에 따라 $\dfrac{h(\beta)-h(\alpha)}{\beta-\alpha}=h'(\gamma)$인 γ가 구간 (α, β)에 존재한다.

구간 $(0, b)$에 있는 모든 실수 x에 대하여 $h'(x)<5$이므로

$\dfrac{h(\beta)-h(\alpha)}{\beta-\alpha}=h'(\gamma)<5$

$\therefore h(\beta)-h(\alpha)<5(\beta-\alpha)$ (○)

12 답 ③

함수 $g(t)$가 상수함수이면 방정식 $ax^3+bx^2+cx+d=-x+t$의 실근이 1개 존재해야 한다. 즉 $ax^3+bx^2+(c+1)x+d=t$에서 함수 $y=ax^3+bx^2+(c+1)x+d$의 극값이 존재하지 않아야 이 곡선과 직선 $y=t$는 한 점에서 만난다.

ㄱ. 곡선 $f(x)=x^3$과 직선 $y=-x+t$는 항상 한 점에서 만나므로 $g(t)=1$이다. 즉 함수 $g(t)$는 상수함수이다. (○)

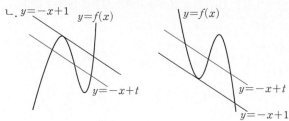

위 그림처럼 삼차함수 $y=f(x)$의 그래프와 직선 $y=-x+t$가 세 점에서 만나도록 하는 실수 t가 존재한다. (○)

ㄷ. [반례] $f(x)=x^3-\dfrac{1}{2}x$이면 $g(t)=1$이지만 $f'(x)=0$이 서로 다른 두 실근을 가지므로 함수 $f(x)$의 극값은 존재한다.

$f(x)=x^3-\dfrac{1}{2}x$, $f(x)=x^3-x$, $f(x)=\dfrac{1}{3}x^3-x+1$처럼 삼차함수 $f(x)$의 삼차항의 계수가 양수이면서 $f'(x)=0$이 서로 다른 두 실근을 가지고 $f'(x)$의 최솟값이 -1 이상이면 항상 $g(t)=1$이다.

13 답 ⑤

$x=-2$일 때 극댓값을 가지는 삼차함수의 그래프는 다음 두 가지 경우로 생각할 수 있다. 이때 조건 ㈏가 성립하는 것은 [그림 1]이다.

[그림 1] 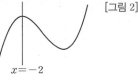　　[그림 2]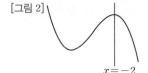

즉 $f(x)=ax^3+bx^2+cx+d$라 하면 $a>0$이다.

ㄱ. $f(x)=ax^3+bx^2+cx+d$ $(a\neq0)$라 하면 $f'(x)=3ax^2+2bx+c$이고 $f'(-3)=f'(3)$에서 $b=0$
또 $x=-2$일 때 극댓값을 가지므로 $f'(-2)=12a+c=0$
즉 $f'(x)=3ax^2+2bx+c=3ax^2-12a$이고, $a>0$이므로 $f'(x)$는 $x=0$일 때 최솟값을 갖는다. (○)

ㄴ. $f'(x)=3ax^2-12a=3a(x+2)(x-2)$이고, 조건 ㈎에 따라 삼차함수 $f(x)$는 $x=2$에서 극솟값을 가진다.
그림과 같이 방정식 $f(x)=f(2)$는 서로 다른 두 실근을 갖는다. (○)

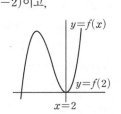

ㄷ. ㄱ, ㄴ에서 $f(x)=ax^3-12ax+d$ $(a>0)$이고 $f'(x)=3ax^2-12a$이므로 점 $(-1, f(-1))$에서 접선의 방정식은 $y=-9a(x+1)+11a+d$, 즉 $y=-9ax+2a+d$ ……㉠
위 식에 점 $(2, f(2))$, 즉 $(2, -16a+d)$를 대입하면 등식이 성립하므로 점 $(-1, f(-1))$에서의 접선은 점 $(2, f(2))$를 지난다. (○)

14 답 ③

$f'(x)=0$은 최고차항의 계수가 양수인 삼차방정식이고, 서로 다른 세 실근을 가지므로 $y=f'(x)$의 그래프의 개형은 그림과 같다.

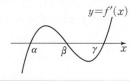

ㄱ. $x=\beta$의 좌우에서 $f'(x)$의 부호가 '$+$'에서 '$-$'로 바뀌므로 $f(x)$는 $x=\beta$에서 극댓값을 가진다. (○)

ㄴ. $x=\beta$일 때 극댓값을 가지므로 $f(\alpha)f(\beta)f(\gamma)<0$인 경우를 다음과 같이 생각할 수 있다.

(i) $f(\alpha)<0$, $f(\beta)<0$, $f(\gamma)<0$

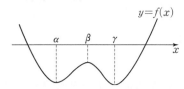

(ii) $f(\alpha)<0$, $f(\beta)>0$, $f(\gamma)>0$

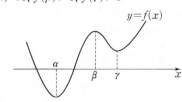

(iii) $f(\alpha)>0$, $f(\beta)>0$, $f(\gamma)<0$

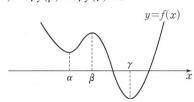

세 경우 모두 방정식 $f(x)=0$은 서로 다른 두 실근을 가진다. (○)

ㄷ. ㄴ의 (iii)에서 방정식 $f(x)=0$의 두 실근은 모두 β보다 크다. (×)

15 답 ④

$y=g(x)$는 $y=f(x)$의 도함수이다. ㄷ에서는 주어진 조건에 맞는 $y=g(x)$의 그래프로부터 $y=f(x)$의 그래프를 그려 본다.

ㄱ. $f(x)=-f(-x)$에서

$ax^3+bx^2+cx+d=ax^3-bx^2+cx-d$

즉 $2bx^2+2d=0$이 모든 실수 x에 대하여 성립하므로

$b=d=0$ $\therefore f(x)=ax^3+cx, g(x)=3ax^2+c$

이때 $g'(x)=6ax$이므로 $g'(0)=0$이다. (○)

ㄴ. 삼차함수 $y=f(x)$가 극값을 갖지 않으려면 이차방정식

$f'(x)=0$이 허근 또는 중근을 가져야 한다.

$f'(x)=g(x)$이므로 $g(x)=0$이 중근을 가지는 경우는 실근

이 존재한다. (×)

ㄷ. $f'(x)=g(x)$이므로 $g(x)$는 $f(x)$의 도함수이다.

$g(0)<0, g(2)>0, f(0)=0$인 경우는 그림과 같고, 이때 방

정식 $f(x)=0$은 서로 다른 세 실근을 갖는다. (○)

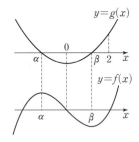

16 ③

GUIDE

❶ $y=f'(x)$ 그래프를 이용해 $y=f(x)$ 그래프 개형을 그린다.

❷ $g(x)=t$로 치환해서 생각한다.

함수 $f(x)$의 증감표는 다음과 같다.

x	$\cdots$	-2	$\cdots$	0	$\cdots$	1	$\cdots$
$f'(x)$	$+$	0	$+$	0	$-$	0	$+$
$f(x)$	↗		↗	극대	↘	극소	↗

이때 $y=f(x)$ 그래프 개형은 다음과 같다.

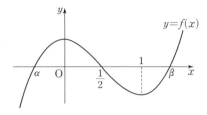

$g(x)=t$라 하면 $(f \circ g)(x)=f(t)$이므로

$f(t)=0$에서 $t=\alpha, \frac{1}{2}, \beta \ (\alpha<0, \beta>1)$이고

(ⅰ) $x^2+\frac{1}{2}=\alpha$에서는 실근이 없다. $\left(\because x^2+\frac{1}{2} \geq \frac{1}{2} \right)$

(ⅱ) $x^2+\frac{1}{2}=\frac{1}{2}$에서 $x=0 \Rightarrow$ 실근 1개

(ⅲ) $x^2+\frac{1}{2}=\beta$에서 $x=\pm\sqrt{\beta-\frac{1}{2}} \Rightarrow$ 실근 2개

따라서 방정식 $(f \circ g)(x)=0$은 서로 다른 실근 3개를 가진다.

17 ③

GUIDE

$y=3n-x$를 $x^2y \geq 9n^2$에 대입하여 $f(x) \leq 0$ 꼴로 정리한다.

$y=3n-x$에서 $x>0, y>0$이므로 $0<x<3n$

$x^2y=x^2(3n-x) \geq 9n^2, x^3-3nx^2+9n^2 \leq 0$

$f(x)=x^3-3nx^2+9n^2$이라 하면

$f'(x)=3x^2-6nx=3x(x-2n)$

$x>0$에서 함수 $f(x)$의 증감표와 그래프 개형은 다음과 같다.

x	(0)	$\cdots$	$2n$	$\cdots$	$(3n)$
$f'(x)$	(0)	$-$	0	$+$	$+$
$f(x)$	$(9n^2)$	↘	극소	↗	$(9n^2)$

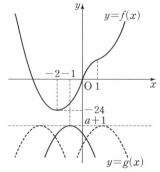

그런데 $f(0)=f(3n)=9n^2>0$

(n은 자연수)이므로

$f(x) \leq 0$가 되는 양수 x가 존재하려면 $f(2n) \leq 0$

즉 $n^2(4n-9) \geq 0$에서 $n \geq \frac{9}{4}$

따라서 자연수 n의 최솟값은 3

18 -25

GUIDE

함수 $y=g(x)$의 그래프를 x축 방향으로 $-k$만큼 평행이동한 곡선과
함수 $y=f(x)$의 그래프가 만나지 않는 경우를 생각한다.

함수 $f(x)=x^4-6x^2+8x$는 최고차항의 계수가 양수인 사차함
수이므로 최솟값을 가지고, 함수 $g(x)=-x^2-2x+a$는 최고차
항의 계수가 음수인 이차함수이므로 최댓값을 가진다.

함수 $y=g(x+k)$의 그래프는 함수 $y=g(x)$의 그래프를 x축
방향으로 $-k$만큼 평행이동시킨 곡선이므로 임의의 실수 k에 대
하여 $y=f(x)$의 그래프와 만나지 않으려면 그림과 같이 $f(x)$의
최솟값이 $g(x)$의 최댓값보다 커야 한다.

이때 $f(x)=x^4-6x^2+8x$에서

$f'(x)=4x^3-12x+8=4(x-1)^2(x+2)$

함수 $f(x)$는 $x=-2$에서 극소이고 최소이므로

$f(x)$의 최솟값은 $f(-2)=-24$

한편 $g(x)=-(x+1)^2+a+1$이므로

$g(x)$의 최댓값은 $x=-1$일 때 $a+1$

따라서 $-24>a+1$이므로 $a<-25$

19 답 (1) -6 (2) 1

GUIDE

(1) $xy=f(x)$로 놓고 $y=\dfrac{1}{4}x^3-\dfrac{3}{2}x-2$를 대입해 $f(x)$를 x에 대한 식으로 나타낸다. 이때 a의 최댓값은 xy의 최솟값이다.

(2) 양변을 y^4으로 나누고, $\dfrac{x}{y}=t$로 치환한다.

(1) $xy=f(x)$로 놓고 $y=\dfrac{1}{4}x^3-\dfrac{3}{2}x-2$를 대입하면

$$f(x)=xy=x\left(\dfrac{1}{4}x^3-\dfrac{3}{2}x-2\right)=\dfrac{1}{4}x^4-\dfrac{3}{2}x^2-2x$$

이때 실수 a의 최댓값은 xy, 즉 $f(x)$의 최솟값이다.

$f'(x)=x^3-3x-2=(x+1)^2(x-2)$

즉 $x=2$일 때 $f(x)$는 극소이면서 최소이다.

$f(2)=-6$이므로 a의 최댓값은 -6

(2) 양변을 y^4으로 나누어 정리하면 $3\left(\dfrac{x}{y}\right)^4-4a\left(\dfrac{x}{y}\right)^3+1\geq0$

$\dfrac{x}{y}=t$로 놓으면 $3t^4-4at^3+1\geq0$

$f(t)=3t^4-4at^3+1$로 놓으면

$f'(t)=12t^3-12at^2=12t^2(t-a)$

즉 함수 $f(t)$는 $t=a$일 때 극소이면서 최소이므로

부등식이 성립하려면 최솟값 $f(a)=1-a^4\geq0$

즉 $-1\leq a\leq1$에서 a의 최댓값은 1

20 답 ⑤

GUIDE

$f(x)=x^3+ax^2+bx+c$, $f'(x)=3x^2+2ax+b$에서 $g(x)=f(x)-f'(x)$로 놓고 ㈐, ㈑를 이용한다.

㈎에 따라 $f(x)=x^3+ax^2+bx+c$(a, b, c는 상수)라 하면

$f(0)=c$이므로 ㈏에 따라 $f'(0)=b=c$

$\therefore f(x)=x^3+ax^2+bx+b$

㈐에서 $x\geq-1$일 때 $f(x)-f'(x)\geq0$이므로

$f(x)-f'(x)=x^3+(a-3)x^2+(b-2a)x\geq0$

$f(x)-f'(x)=g(x)$라 하면

$g(x)=x^3+(a-3)x^2+(b-2a)x$,

$g(0)=f(0)-f'(0)=0$

$x\geq-1$에서 $g(x)\geq0$이므로

최고차항이 x^3인 함수 $y=g(x)$의

그래프가 그림과 같은 꼴이다.

즉 $x=0$일 때 극솟값을 가진다.

$g'(0)=0$, $g(-1)\geq0$

$g'(x)=3x^2+2(a-3)x+(b-2a)$이므로

$g'(0)=b-2a=0$ $\quad\therefore b=2a$ $\quad\cdots\cdots$ ㉠

$g(-1)=-1+(a-3)-(b-2a)$

$\qquad=-1+(a-3)=a-4\geq0$

$\therefore a\geq4$ $\quad\cdots\cdots$ ㉡

따라서 $f(x)=x^3+ax^2+bx+b$에서

$f(2)=8+4a+2b+b=8+10a\geq8+10\times4=48$

이므로 $f(2)$의 최솟값은 48

21 답 ④

GUIDE

두 도함수 $y=f'(t)$, $y=g'(t)$의 그래프는 두 점 A, B의 속도를 나타낸다. 두 그래프가 각각 x축과 만날 때와 두 그래프의 교점을 주목한다.

ㄱ. $f'(3)=g'(3)$, 즉 $t=3$일 때 두 점 A, B의 속도는 같다. (○)

ㄴ. $t=2$일 때 점 A는 음의 방향에서 양의 방향으로 방향을 바꾼다. 즉 출발 후 7초 동안 방향을 한 번 바꾸었다. (×)

ㄷ. $2<t<4$에서 두 점 A, B는 모두 양의 방향으로 움직이므로 같은 방향으로 움직인 시간은 2초이다. (○)

22 답 51

GUIDE

두 점 M, N의 위치가 같을 때 서로 만난다.

점 M의 시각 t에서 위치를 x_M이라 하면

$$x_M=\dfrac{1}{2}\{(4t^3+2t^2-5t)+(-2t^3+2t^2-t)\}$$
$$=t^3+2t^2-3t$$

점 N의 시각 t에서 위치를 x_N이라 하면

$$x_N=\dfrac{1}{3}(4t^3+2t^2-5t)=\dfrac{4}{3}t^3+\dfrac{2}{3}t^2-\dfrac{5}{3}t$$

두 점 M, N이 만날 때는 위치가 같을 때이므로 $x_M=x_N$에서

$$t^3+2t^2-3t=\dfrac{4}{3}t^3+\dfrac{2}{3}t^2-\dfrac{5}{3}t$$

$$\dfrac{1}{3}t(t-2)^2=0 \qquad \therefore t=2\,(\because t>0)$$

점 P의 시각 t에서 속도를 v_P라 하면

$v_P=\dfrac{P(t)}{dt}=12t^2+4t-5$이므로 $t=2$일 때 점 P의 속도는

$12\times2^2+4\times2-5=51$

23 답 19

GUIDE

방정식 $f'(t)=g'(t)$에서 서로 다른 양수인 세 실근이 존재하도록 하는 자연수 k를 구한다.

두 점 A, B의 출발한 지 t분 후 속도는 각각

$f'(t)=t^4-12t^2+20t$, $g'(t)=2t^2-4t+k$이고

출발 후 속도가 같은 순간이 3번 존재하려면 $f'(t)=g'(t)$

즉 방정식 $t^4-12t^2+20t=2t^2-4t+k$ ...... ㉠

가 양수인 서로 다른 세 실근을 가져야 한다. ($\because$ $t>0$)

㉠에서 $t^4-14t^2+24t=k$이므로 $h(t)=t^4-14t^2+24t$ 로

놓으면 $h'(t)=4t^3-28t+24=4(t+3)(t-1)(t-2)$이고

$t>0$에서 함수 $h(t)$의 증감표와 그래프 개형은 다음과 같다.

t	0	$\cdots$	1	$\cdots$	2	$\cdots$
$h'(t)$		$+$	0	$-$	0	$+$
$h(t)$	0	$\nearrow$	11	$\searrow$	8	$\nearrow$

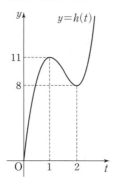

$y=h(t)$와 직선 $y=k$가 서로 다른 세

양의 실근을 가지기 위한 k값의 범위

는 $8<k<11$이다.

따라서 자연수 k는 9 또는 10이므로

합은 $9+10=19$

24 답 9

GUIDE

두 점 P, Q의 위치가 같을 때 서로 만난다. 즉 방정식 $P(t)=Q(t)$의 해

가 적어도 하나 존재하는 경우, 즉 접할 때를 생각한다.

두 점 P, Q가 만나는 것은 위치가 같을 때이므로

방정식 $P(t)=Q(t)$, 즉 $t^3-3t+16=at$ 가 적어도 하나의 양의

실근을 가져야 두 점은 한 번 이상 만난다.

$P'(t)=3t^2-3=0$에서 $t=1$

$t>0$에서 $P(t)$의 증감표는 다음과 같다.

t	(0)	$\cdots$	1	$\cdots$
$P'(t)$	$-$	$-$	0	$+$
$P(t)$	16	$\searrow$	극소	$\nearrow$

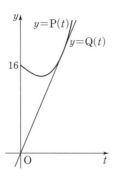

즉 그림과 같이 접할 때 a가 최소이다.

곡선 위의 점 $(k, P(k))$에서의 접선

의 방정식은

$y=(3k^2-3)(x-k)+k^3-3k+16$

이 직선이 원점을 지날 때

$0=(3k^2-3)(0-k)+k^3-3k+16$,

$k^3=8$ $\therefore k=2$

$a \geq P'(2)=3 \times 2^2-3=9$

따라서 a의 최솟값은 9

25 답 ②

GUIDE

두 점 P, Q는 같은 방향으로 움직이므로 두 점이 움직인 거리의 차가

둘레 길이의 정수배가 될 때 두 점이 만나게 된다.

두 점 P, Q가 움직인 거리의 차가 6의 배수일 때 두 점이 만나므

로 $t^3-(4t^2+16t)=t^3-4t^2-16t=6k$ (k는 정수, $0<t\leq8$)

에서 $f(t)=t^3-4t^2-16t$ 라 하면 $f'(t)=0$에서 $t=4$

이때 $f(t)$의 증감표는 다음과 같다.

t	0	$\cdots$	4	$\cdots$	8
$f'(t)$	0	$-$	0	$+$	0
$f(t)$		$\searrow$	-64	$\nearrow$	128

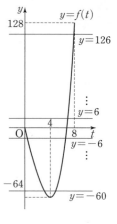

그림에서 $f(t)=6k$ (k는 정수)는

$k=-1, -2, \cdots, -10$일 때 각각 2

번, $k=0, 1, 2, \cdots, 21$일 때 각각 1

번 만난다.

$\therefore 10 \times 2+22=42$

1등급 NOTE

두 점이 반대 방향으로 움직일 때는 두 점이 움직인 거리의 합이 둘레 길

이의 정수배가 되면 두 점이 만난다.

26 답 ②

GUIDE

t초 후 두 선분 AP, AQ의 길이에서 $\triangle$APQ의 넓이를 구한다.

두 점 P, Q가 출발하고 나서 t초 후 두 선분 AP, AQ의 길이는

$\overline{AP}=1+t$ (cm), $\overline{AQ}=1+t$ (cm)

삼각형 APQ의 넓이를 $f(t)$ cm²라 하면

삼각형 APQ는 정삼각형이므로

$f(t)=\dfrac{\sqrt{3}}{4}(1+t)^2=\dfrac{\sqrt{3}}{4}(t^2+2t+1)$

$f'(t)=\dfrac{\sqrt{3}}{4}(2t+2)$

따라서 $t=3$일 때 $\triangle$APQ 넓이의 시간(초)에 대한 변화율은

$f'(3)=\dfrac{\sqrt{3}}{4}(2 \times 3+2)=2\sqrt{3}$ (cm²/초)

27 답 18

GUIDE

출발 후 t초 지났을 때 $\overline{AP}=2t$이므로 $\triangle$APD$=20t$

또 $\overline{CQ}=20-3t$ 이므로 $\triangle$DQC$=200-30t$

두 점 P, Q가 출발 후 t초일 때 사각형 DPBQ의 넓이는

$\square$DPBQ$=\square$ABCD$-(\triangle$APD$+\triangle$DQC$)$

$\qquad =400-(20t+200-30t)=200+10t$

$\square$DPBQ$=\dfrac{11}{20} \times \square$ABCD에서 $200+10t=220$

$\therefore t=2$

이때 $\triangle$PBQ$=\dfrac{1}{2}(20-2t)3t=30t-3t^2=f(t)$라 하면

$t=2$일 때 $\triangle$PBQ 넓이의 시간(초)에 대한 순간변화율은

$f'(2)=30-6 \times 2=18$

01 ⑤	02 ③	03 ①	04 33
05 ⑤	06 ③	07 9	08 65
09 30	10 ②	11 ③	

01 답 ⑤

GUIDE

$y=f(x)$ 그래프 개형에서 t값의 범위에 따라 $g(t)$를 구한다. 이때 경계가 되는 t값으로 $0, 1, a(2<a<3)$를 생각한다.

$f(x)=x^3-3x^2+4$에서 $f'(x)=3x^2-6x=3x(x-2)$

이때 함수 $f(x)$의 증감표와 그래프 개형은 그림과 같고, $2<a<3$에서 $f(a)=f(a-1)$인 a를 생각해 보자.

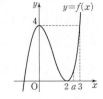

x	$\cdots$	0	$\cdots$	2	$\cdots$
$f'(x)$	$+$	0	$-$	0	$+$
$f(x)$	↗	4	↘	0	↗

(i) $t<0$일 때, 구간 $[t-1, t]$에서

함수 $f(x)$의 최댓값은 $f(t)$이므로 $g(t)=f(t)$

(ii) $0 \le t \le 1$일 때, 구간 $[t-1, t]$에서

함수 $f(x)$의 최댓값은 4이므로 $g(t)=4$

(iii) $1<t<a$일 때, 구간 $[t-1, t]$에서

함수 $f(x)$의 최댓값은 $f(t-1)$이므로 $g(t)=f(t-1)$

(iv) $t \ge a$일 때, 구간 $[t-1, t]$에서

함수 $f(x)$의 최댓값은 $f(t)$이므로 $g(t)=f(t)$

(i)~(iv)에서 $g(t)$는

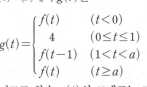

$$g(t)=\begin{cases} f(t) & (t<0) \\ 4 & (0 \le t \le 1) \\ f(t-1) & (1<t<a) \\ f(t) & (t \ge a) \end{cases}$$

이므로 함수 $g(t)$의 그래프는 그림과 같다.

$t=1$에서는 좌, 우 미분계수가 모두 0으로 미분가능하므로 $t=a$에서만 미분가능하지 않다.

따라서 $k=a$이고 a는 $f(a)=f(a-1)$인 2보다 크고 3보다 작은 실수이므로 $a^3-3a^2+4=(a-1)^3-3(a-1)^2+4$에서

$$a=\frac{9+\sqrt{33}}{6}$$

02 답 ③

GUIDE

$f(x)=\dfrac{1}{3}x^3+\dfrac{1}{2}tx^2-\dfrac{1}{6}t$의 그래프에서 t값의 범위에 따라 최솟값 $g(t)$를 구한다. 이때 $f'(x)=0$인 x가 $0, -t$임을 주의한다.

$f'(x)=x^2+tx=x(x+t)$

$f'(x)=0$에서 $x=0$ 또는 $x=-t$

(i) $-t<0$ $(t>0)$이면

x	0	$\cdots$	1
$f'(x)$	0	$+$	$+$
$f(x)$	$-\dfrac{1}{6}t$	↗	$f(1)$

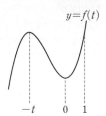

이때 최솟값 $g(t)=f(0)=-\dfrac{1}{6}t$

(ii) $0 \le -t < 1$ $(-1 < t \le 0)$이면

x	0	$\cdots$	$-t$	$\cdots$	1
$f'(x)$	0	$-$	0	$+$	$+$
$f(x)$		↘	극소	↗	$f(1)$

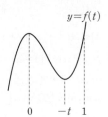

이때 최솟값

$$g(t)=f(-t)=\frac{1}{6}t^3-\frac{1}{6}t$$

(iii) $-t \ge 1$ $(t \le -1)$이면

x	0	$\cdots$	1
$f'(x)$	0	$-$	$-$
$f(x)$		↘	$f(1)$

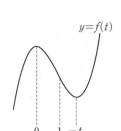

이때 최솟값

$$g(t)=f(1)=\frac{1}{3}t+\frac{1}{3}$$

$$g(t)=\begin{cases} -\dfrac{1}{6}t & (t>0) \\ \dfrac{1}{6}t^3-\dfrac{1}{6}t & (-1<t \le 0) \\ \dfrac{1}{3}t+\dfrac{1}{3} & (t \le -1) \end{cases} \quad \cdots\cdots ㉠$$

ㄱ. ㉠에서 $g(0)=0$ (○)

ㄴ. $g(t)$는 연속함수이고

$$g'(t)=\begin{cases} -\dfrac{1}{6} & (t>0) \\ \dfrac{1}{2}t^2-\dfrac{1}{6} & (-1<t<0) \\ \dfrac{1}{3} & (t<-1) \end{cases}$$ 이므로

$\displaystyle\lim_{t \to 0+} g'(t)=\lim_{t \to 0-} g'(t)=-\frac{1}{6}$

$\displaystyle\lim_{t \to -1+} g'(t)=\lim_{t \to -1-} g'(t)=\frac{1}{3}$

즉 $g(t)$는 모든 실수 t에서 미분가능하다. (○)

ㄷ. $g(t)$의 그래프는 다음과 같다.

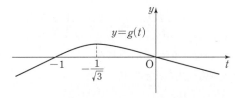

따라서 $g(t)$의 최댓값은 $g\left(-\dfrac{1}{\sqrt{3}}\right)=\dfrac{\sqrt{3}}{27}$ (×)

03 답 ①

GUIDE

a값의 범위에 따라 $f(x)=-3x^4+4(a-1)x^3+6ax^2\,(a>0)$의 그래프를 따로 그려 보고 최댓값이 되는 $g(t)$를 구한다.

$f'(x)=-12x^3+12(a-1)x^2+12ax=-12x(x+1)(x-a)$

함수 $f(x)$의 증감표는 다음과 같다.

x	$\cdots$	-1	$\cdots$	0	$\cdots$	a	$\cdots$
$f'(x)$	$+$	0	$-$	0	$+$	0	$-$
$f(x)$	↗	극대	↘	극소	↗	극대	↘

이때 $f(-1)=2a+1$, $f(a)=a^4+2a^3$이고,

$f(a)-f(-1)=a^4+2a^3-2a-1=(a+1)^3(a-1)$이므로

$0<a<1$이면 $f(a)-f(-1)<0$　∴ $f(a)<f(-1)$

$a\geq1$이면 $f(a)-f(-1)\geq0$　∴ $f(a)\geq f(-1)$

즉 a값의 범위에 따라 함수 $f(x)$의 그래프 개형은 다음과 같다.

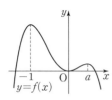　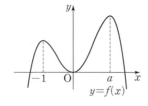

　　0<a<1인 경우　　　　　　a≥1인 경우

(i) $0<a<1$인 경우

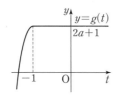

$t<-1$이면 $g(t)=f(t)=-3t^4+4(a-1)t^3+6at^2$

$t\geq-1$이면 $g(t)=f(-1)=2a+1$

이때 $g'(t)=\begin{cases} -12t^3+12(a-1)t^2+12at & (t<-1) \\ 0 & (t\geq-1) \end{cases}$

이고, $\displaystyle\lim_{t\to-1-}g'(t)=\lim_{t\to-1+}g'(t)=0$

이므로 $g(t)$는 $t=-1$에서 미분가능하다.

즉 $0<a<1$인 경우 $g(t)$는 실수 전체에서 미분가능하다.

(ii) $a\geq1$인 경우

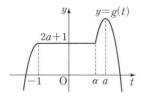

$f(-1)=f(\alpha)\,(0<\alpha\leq a)$라 하자.

실수 전체에서 미분가능하려면

$\displaystyle\lim_{t\to a-}g'(t)=\lim_{t\to a+}g'(t)$이어야 하므로 $\alpha=a$

이때 $f(-1)=f(a)$에서 $a\geq1$인 a는 $a=1$

(i), (ii)에서 함수 $g(t)$가 실수 전체에서 미분가능하기 위한 a값의 범위는 $0<a\leq1$이므로 a의 최댓값은 1

04 답 33

GUIDE

$f(x)=2x^3-18x^2+48x$라 하고 방정식 $f(x)=k$에서 생각한다.

$f(x)=2x^3-18x^2+48x$라 하면 주어진 방정식은 $f(x)=k$

$f'(x)=6(x-2)(x-4)$에서 함수 $f(x)$의 증감표는

x	$\cdots$	2	$\cdots$	4	$\cdots$
$f'(x)$	$+$	0	$-$	0	$+$
$f(x)$	↗	40	↘	32	↗

$\triangle ABC$의 세 변의 길이를 α, β, $\gamma\,(0<\alpha<\beta<\gamma)$라 하면 $\alpha+\beta+\gamma=9$이고, 삼각형의 성질에서 $\alpha+\beta>\gamma$이므로

$9-\gamma>\gamma$　∴ $\gamma<\dfrac{9}{2}$

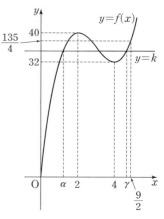

$\gamma<\dfrac{9}{2}$에서 방정식

$f(x)=k$는 서로 다른 세 양의 실근을 가져야 하므로

그림과 같이 $32<k<\dfrac{135}{4}$이어야 한다.

따라서 자연수 $k=33$

05 답 ⑤

GUIDE

점 $(1, a)$를 지나고 곡선 $y=x^3-x$에 접하는 직선의 개수는 접점을 t라 할 때, (t, t^3-t)에서의 접선이 $(1, a)$를 지나가는 경우에서 서로 다른 t값의 개수와 같다.

곡선 $y=x^3-x$ 위의 점 (t, t^3-t)에서의 접선

$y=(3t^2-1)(x-t)+t^3-t$가 $(1, a)$를 지나므로

$a=(3t^2-1)(1-t)+t^3-t$

∴ $a=-2t^3+3t^2-1$

$f(t)=-2t^3+3t^2-1$이라 하면

$f'(t)=-6t(t-1)$

이때 함수 $f(t)$의 증감표와 그래프 개형은 다음과 같다.

t	$\cdots$	0	$\cdots$	1	$\cdots$
$f'(t)$	$-$	0	$+$	0	$-$
$f(t)$	↘	-1	↗	0	↘

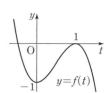

ㄱ. $a=0$일 때 $0=f(t)$의 근은 2개이므로 $(1, 0)$을 지나는 접선도 2개이다. (◯)

ㄴ. $-1<a<0$일 때 $f(t)=a$의 근은 3개이므로 $(1, 0)$을 지나는 접선도 3개이다. (◯)

ㄷ. $\alpha < \beta < \gamma$라 하면 그림처럼
$\alpha < 0, \beta > 0, \gamma > 0$
근과 계수의 관계에서
$\alpha + \beta + \gamma = \dfrac{3}{2}$이므로

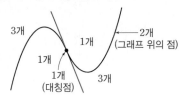

$|\alpha| + |\beta| + |\gamma|$
$= -\alpha + \beta + \gamma = \dfrac{3}{2} - 2\alpha$

이때 $-\dfrac{1}{2} < \alpha < 0$이므로 $\dfrac{3}{2} < \dfrac{3}{2} - 2\alpha < \dfrac{5}{2}$

따라서 $\dfrac{3}{2} < |\alpha| + |\beta| + |\gamma| < \dfrac{5}{2}$이다. (○)

참고

$-2t^3 + 3t^2 - 1 = -(t-1)^2(2t+1)$에서 $f(t) = 0$이 되는 t는 $-\dfrac{1}{2}, 1$

1등급 NOTE

삼차함수 그래프에 그을 수 있는 접선 개수

06 답 ③

GUIDE

$f_3(x)$는 삼차함수이므로 반드시 한 개 이상의 실근을 가진다.
$f_4(x)$는 사차함수이므로 극솟값(최솟값)을 조사한다.

ㄱ. $f_2(x) = 1 + x + \dfrac{x^2}{2!} = \dfrac{1}{2}(x+1)^2 + \dfrac{1}{2} > 0$

∴ $a_2 = 0$ (○)

ㄴ. $\dfrac{d}{dx}\left(\dfrac{x^k}{k!}\right) = \dfrac{x^{k-1}}{(k-1)!}$이므로 $f_{n+1}'(x) = f_n(x)$이다. (○)

ㄷ. (i) $f_3(x) = 1 + x + \dfrac{x^2}{2!} + \dfrac{x^3}{3!}$이고

$f_3'(x) = 1 + x + \dfrac{x^2}{2!} = \dfrac{1}{2}(x+1)^2 + \dfrac{1}{2} > 0$이므로

$f_3(x)$는 극값을 가지지 않는 증가함수이다.

∴ $a_3 = 1$

(ii) $f_4(x) = 1 + x + \dfrac{x^2}{2!} + \dfrac{x^3}{3!} + \dfrac{x^4}{4!}$

$f_4'(x) = 1 + x + \dfrac{x^2}{2!} + \dfrac{x^3}{3!} = f_3(x)$

$f_4(x)$가 $x = \alpha$에서 극값을 가진다고 하면
$f_4'(\alpha) = f_3(\alpha) = 0$은 (i)에서 한 개의 실근을 가지므로
$y = f_4(x)$는 $x = \alpha$에서 극솟값(최솟값)을 가진다.

그런데 최솟값 $f_4(\alpha) = f_3(\alpha) + \dfrac{\alpha^4}{4!} > 0$이므로

$f_4(x) = 0$은 근을 갖지 않는다. ∴ $a_4 = 0$

(i), (ii)에서 $a_3 + a_4 = 1$ (×)

07 답 9

GUIDE

n이 홀수일 때와 짝수일 때로 나누어 구간 $[-2, 2]$에서 함수 $y = f(x)$의 최댓값과 최솟값을 구한다.

$f(x) = x^n(x-1)^2 = x^{n+2} - 2x^{n+1} + x^n$
$f'(x) = (n+2)x^{n+1} - 2(n+1)x^n + nx^{n-1}$
$\qquad = x^{n-1}(x-1)\{(n+2)x - n\}$

에서 $f'(x) = 0$이 되는 x는 $0, \dfrac{n}{n+2}, 1$

x^{n-1}의 부호는 n이 홀수, 짝수인지에 따라 다르게 변하므로
구간 $[-2, 2]$에서 함수 $f(x)$의 증감은 다음과 같다.

(i) n이 홀수일 때

x	-2	$\cdots$	0	$\cdots$	$\dfrac{n}{n+2}$	$\cdots$	1	$\cdots$	2
$f'(x)$	$+$	$+$	0	$+$	0	$-$	0	$+$	$+$
$f(x)$		↗		↗	극대	↘	극소	↗	

$f\left(\dfrac{n}{n+2}\right) = \left(\dfrac{n}{n+2}\right)^n\left(\dfrac{-2}{n+2}\right)^2 < 1$이므로

$x = -2$일 때 최솟값 $(-2)^n(-2-1)^2 = -9 \times 2^n$이고
$x = 2$일 때 최댓값 2^n이므로 $-72 \le f(x) \le 144$이려면
(최솟값) $= -9 \times 2^n \ge -72$에서 $n \le 3$
(최댓값) $= 2^n \le 144$에서 $n \le 7$
$2 \le n \le 3$인 홀수 n은 3

(ii) n이 짝수일 때

x	-2	$\cdots$	0	$\cdots$	$\dfrac{n}{n+2}$	$\cdots$	1	$\cdots$	2
$f'(x)$	$-$	$-$	0	$+$	0	$-$	0	$+$	$+$
$f(x)$		↘	극소	↗	극대	↘	극소	↗	

$x = -2$일 때 최댓값 $(-2)^n(-2-1)^2 = 9 \times 2^n$이고
$x = 0$ 또는 1일 때 최솟값 0이므로 $-72 \le f(x) \le 144$이려면
(최댓값) $= 9 \times 2^n \le 144$에서 $n \le 4$인 짝수 n은 2, 4
따라서 모든 자연수 n의 합은 $2 + 3 + 4 = 9$

08 답 65

GUIDE

❶ $4f'(x) + 12x - 18 = (f' \circ g)(x)$을 풀어 $g(x)$를 구한다.
❷ 두 함수 f, g가 서로 역함수이므로 $f(g(x)) = x$이다.

$f(x) = x^3 - 3x^2 + 6x + k$에서 $f'(x) = 3x^2 - 6x + 6$이므로
$4(3x^2 - 6x + 6) + 12x - 18 = f'(g(x))$

를 정리한 $\{g(x)\}^2-4x^2-2g(x)+4x=0$에서
$\{g(x)-2x\}\{g(x)+2x-2\}=0$

(i) $g(x)=2x$일 때, $f(2x)=x$이므로 $8x^3-12x^2+12x+k=x$
$k=-8x^3+12x^2-11x$ ······ ㉠
이때 $h_1(x)=-8x^3+12x^2-11x$라 하면
$h_1{}'(x)=-24x^2+24x-11<0$이므로
닫힌구간 $[0, 1]$에서 $-7\le h_1(x)\le 0$, 즉 방정식 ㉠이 닫힌구간 $[0, 1]$에서 실근이 존재하려면 $-7\le k\le 0$

(ii) $g(x)=-2x+2$일 때 $f(-2x+2)=x$이므로
$(-2x+2)^3-3(-2x+2)^2+6(-2x+2)+k=x$
$-8x^3+12x^2-13x+8+k=0$
$k=8x^3-12x^2+13x-8$ ······ ㉡
이때 $h_2(x)=8x^3-12x^2+13x-8$이라 하면
$h_2{}'(x)=24x^2-24x+13>0$이므로
닫힌구간 $[0, 1]$에서 $-8\le h_2(x)\le 1$, 즉 방정식 ㉡이 닫힌구간 $[0, 1]$에서 실근이 존재하려면 $-8\le k\le 1$

(i), (ii)에서 실근이 존재하는 k값의 범위가 $-8\le k\le 1$이므로 $m=-8$, $M=1$
따라서 $m^2+M^2=(-8)^2+1^2=65$

09 답 30

GUIDE
❶ 임의의 실수 x_1에 대하여 항상 $f(x_1)\ge g(x_1)$이면 $f(x)\ge g(x)$이다.
❷ 임의의 실수 x_1, x_2에 대하여 항상 $f(x_1)\ge g(x_2)$이면 ($f(x)$의 최솟값)$\ge$($g(x)$의 최댓값)이다.

집합 A는 임의의 실수 x_1에 대하여 항상 $f(x_1)\ge g(x_1)$이므로
$x^4+x^2-6x+3\ge-2x^2-16x+a$이다.
즉 $x^4+3x^2+10x+3\ge a$에서 $h(x)=x^4+3x^2+10x+3$이라 하면 ($h(x)$의 최솟값)$\ge a$이면 된다.
$h'(x)=4x^3+6x+10$
$\qquad=2(x+1)(2x^2-2x+5)$에서
함수 $h(x)$의 증감표는 오른쪽과 같다.

x	$\cdots$	-1	$\cdots$
$h'(x)$	$-$	0	$+$
$h(x)$	$\searrow$	-3	$\nearrow$

즉 $x=-1$일 때 최솟값 -3을 갖는다.
$\therefore A=\{a|a\le-3\}$ ······ ㉠
집합 B는 임의의 실수 x_1, x_2에 대하여 항상 $f(x_1)\ge g(x_2)$
이므로 ($f(x)$의 최솟값)$\ge$($g(x)$의 최댓값)이어야 한다.
$f'(x)=4x^3+2x-6$
$\qquad=2(x-1)(2x^2+2x+3)$에서
$f(x)$의 증감표는 오른쪽과 같다.

x	$\cdots$	1	$\cdots$
$f'(x)$	$-$	0	$+$
$f(x)$	$\searrow$	-1	$\nearrow$

즉 $x=1$일 때 최솟값 -1을 갖는다.
$g(x)=-2x^2-16x+a$
$\qquad=-2(x+4)^2+a+32$
즉 $g(x)$의 최댓값은 $a+32$이므로 $-1\ge a+32$

$\therefore B=\{a|a\le-33\}$ ······ ㉡
㉠과 ㉡에서 $A\cap B^C=\{a|-33<a\le-3\}$이므로
원소 중 정수는 $-32,-31,-30,\cdots,-4,-3$으로 30개

10 답 ②

GUIDE
t초 후 두 점 A, B 사이의 거리는 $|f(t)-g(t)|$이고, $|f(t)-g(t)|$가 감소하는 구간에서 두 점 사이의 거리가 줄어든다.

t초 후의 두 점 A, B 사이의 거리는
$|f(t)-g(t)|=|t^3-9t^2+18t|$이고, $h(t)=t^3-9t^2+18t$로 놓으면 함수 $y=|h(t)|$가 감소하는 구간에서 두 점 A, B 사이의 거리가 줄어든다. $h(t)=t(t-3)(t-6)=0$이고,
$h'(t)=3t^2-18t+18=0$일 때 $t=3\pm\sqrt3$이므로 함수 $y=h(t)$의 그래프와 $y=|h(t)|$의 그래프는 다음과 같다.

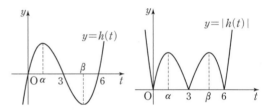

그래프에서 $\alpha=3-\sqrt3$, $\beta=3+\sqrt3$이므로
함수 $y=|h(t)|$가 감소하는 구간은
$3-\sqrt3<t<3$과 $3+\sqrt3<t<6$
따라서 구하려는 시간은 $3-(3-\sqrt3)+6-(3+\sqrt3)=3$(초)

11 답 ③

GUIDE
ㄱ. 벽이 있으므로 광원과 벽 사이의 거리, 물체와 벽 사이의 거리는 각각 광원과 물체의 위치와 같다.
ㄴ. 선분 AC가 케이블과 수직일 때 $\overline{AC}=3$이다. 이때 광원 A와 물체 B가 벽으로부터 떨어진 거리는 서로 같다.
ㄷ. 시각 t에서 그림자 C가 벽에서 떨어진 거리를 t에 대한 식으로 나타내어 가속도를 구한다.

ㄱ. 광원과 물체의 속도는 각각
$\dfrac{dx}{dt}=-\dfrac12$, $\dfrac{dy}{dt}=2t-\dfrac{11}{2}$이므로
$t=\dfrac52$일 때 속도는 모두 $-\dfrac12$로 같다. (○)

ㄴ. $\overline{AB}+\overline{BC}=3$인 순간은 $t^2-\dfrac{11}{2}t+10=4-\dfrac12 t$이므로
$t=2$ 또는 $t=3$ (○)

ㄷ. 시각 t에서 그림자 C가 벽에서 떨어진 거리를 $f(t)$, 점 A에서 케이블 m, n에 내린 수선의 발을 각각 H, H′이라 하자.
$2<t<3$에서 $x>y$이므로

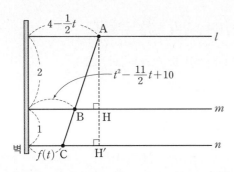

$\overline{BH}=\left(4-\dfrac{1}{2}t\right)-\left(t^2-\dfrac{11}{2}t+10\right)=-t^2+5t-6$

$\overline{CH'}=4-\dfrac{1}{2}t-f(t)$

$\overline{BH}:\overline{CH'}=2:3$이므로 $f(t)=\dfrac{3}{2}t^2-8t+13$

이때 그림자 C의 속도 $v=\dfrac{d}{dt}f(t)=3t-8$,

가속도 a는 $\dfrac{dv}{dt}=3$이다. (×)

06 부정적분

01 답 ㄱ, ㄴ, ㄹ

GUIDE

우변을 미분해 좌변 $\int$ 기호 안의 식이 나오는지 확인한다.

ㄱ. $(x^2+F(x)+C)'=2x+f(x)$ (○)

ㄴ. $(xF(x)+C)'=F(x)+xf(x)$ (○)

ㄷ. $(xF(x)+x+C)'=F(x)+xf(x)+1$ (×)

ㄹ. $(x^2F(x)+C)'=x^2f(x)+2xF(x)$ (○)

02 답 ④

GUIDE

$\int\left\{\dfrac{d}{dx}g(x)\right\}dx=g(x)+C$

$f(x)=\int\left\{\dfrac{d}{dx}(x^2-6x)\right\}dx=x^2-6x+C=(x-3)^2+C-9$

이고, 최솟값이 10이므로 $C-9=10$ ∴ $C=19$

따라서 $f(x)=(x-3)^2+10$에서 $f(1)=14$

03 답 4

GUIDE

분모가 같은 것끼리 묶어서 간단히 한다.

$\displaystyle\int\dfrac{x^2}{x-2}dx+\int\dfrac{x^3}{x+1}dx-\int\dfrac{4}{x-2}dx+\int\dfrac{1}{x+1}dx$

$=\displaystyle\int\left(\dfrac{x^2}{x-2}-\dfrac{4}{x-2}+\dfrac{x^3}{x+1}+\dfrac{1}{x+1}\right)dx$

$=\displaystyle\int(x+2+x^2-x+1)dx=\dfrac{1}{3}x^3+3x+C$

따라서 $a=\dfrac{1}{3}$, $b=3$이므로 $3a+b=4$

04 답 9

GUIDE

함수 $f(x)$가 미분가능하면 $f(x)$는 연속함수이다.

$\displaystyle\int(-2x-2)dx=-x^2-2x+C_1$,

$\displaystyle\int(2x-2)dx=x^2-2x+C_2$이므로

$f(x)=\begin{cases}-x^2-2x+C_1 & (x<0)\\ x^2-2x+C_2 & (x\geq0)\end{cases}$

이때 $f(-2)=1$에서 $C_1=1$이고, $f(x)$는 연속함수이므로

$\lim\limits_{x\to 0-} f(x)=f(0)$에서 $C_2=1$

따라서 $f(x)=\begin{cases} -x^2-2x+1 & (x<0) \\ x^2-2x+1 & (x\geq 0) \end{cases}$ 이므로 $f(4)=9$

$f(x)=\displaystyle\int(3x-2)dx=\frac{3}{2}x^2-2x+C$

이때 $f(1)=2$이므로 $f(x)=\dfrac{3}{2}x^2-2x+\dfrac{5}{2}$

따라서 $f(-1)=6$

05 ㉨ ㄱ, ㄴ

GUIDE

함수 $f(x)$의 부정적분은 상수항을 제외한 부분이 같다.

$F(x)-G(x)=k$ (k는 상수)이고,

$G(0)=F(0)-a$, 즉 $F(0)-G(0)=a$이므로 $k=a$

ㄱ. $F(x)-G(x)=a$에서 $G(x)=F(x)-a$ (○)

ㄴ. $F(x)-G(x)=a$의 양변을 x에 대해 미분하면

$F'(x)-G'(x)=0$ (○)

ㄷ. $F(4)+F(3)-\{G(4)+G(3)\}$

$=F(4)-G(4)+F(3)-G(3)=2a$

이때 $a\neq 0$이면 $2a\neq 0$ (×)

다른 풀이

ㄴ. $F'(x)=f(x), G'(x)=f(x)$이므로

$F'(x)-G'(x)=f(x)-f(x)=0$

06 ㉨ 2

GUIDE

$f(x)$와 그 부정적분 $F(x)$가 함께 있는 등식은 양변을 x에 대하여 미분해 본다.

$F(x)=xf(x)-2x^3-x^2$의 양변을 x에 대해 미분하면

$f(x)=f(x)+xf'(x)-6x^2-2x$에서

$f'(x)=6x+2$이므로

$f(x)=\displaystyle\int(6x+2)dx=3x^2+2x+C$

이때 $f(0)=1$에서 $f(x)=3x^2+2x+1$

즉 $f(x)=3\left(x+\dfrac{1}{3}\right)^2+\dfrac{2}{3}$이므로 최솟값은 $\dfrac{2}{3}$ $\therefore 3m=2$

07 ㉨ ②

GUIDE

$\dfrac{d}{dx}\left(\displaystyle\int f(x)dx\right)=f(x)$이므로 주어진 등식의 양변을 미분한다.

$\displaystyle\int f(x)dx=xf(x)-x^2(x-1)$의 양변을 x에 대해 미분하면

$f(x)=f(x)+xf'(x)-3x^2+2x$에서

$f'(x)=3x-2$이므로

08 ㉨ ①

GUIDE

$f'(x)=9x^2-2x+5$이므로 $f(x)=\displaystyle\int(9x^2-2x+5)dx$

$f(x)=\displaystyle\int(9x^2-2x+5)dx=3x^3-x^2+5x+C$

이때 $f(1)=5$에서 $3-1+5+C=5$ $\therefore C=-2$

따라서 $f(x)=3x^3-x^2+5x-2$이므로

$f(3)=81-9+15-2=85$

09 ㉨ -511

GUIDE

함수 $y=f'(x)$의 개형은 오른쪽 그림과 같으므로 함수 $f(x)$는 $x=-1$일 때 극댓값을 가지고, $x=2$일 때 극솟값을 가진다.

$f'(x)=a(x^2-x-2)$에서

$f(x)=\displaystyle\int a(x^2-x-2)dx=a\left(\dfrac{x^3}{3}-\dfrac{x^2}{2}-2x\right)+C$

이때 $f(0)=1$에서 $C=1$이므로

$f(x)=a\left(\dfrac{x^3}{3}-\dfrac{x^2}{2}-2x\right)+1$

함수 $f(x)$는 $x=-1$에서 극댓값 5를 가지므로

$f(-1)=\dfrac{7}{6}a+1=5$에서 $a=\dfrac{24}{7}$

따라서 $f(x)=\dfrac{24}{7}\left(\dfrac{x^3}{3}-\dfrac{x^2}{2}-2x\right)+1$이므로 극솟값은

$f(2)=-\dfrac{73}{7}$ $\therefore pq=-511$

10 ㉨ ④

GUIDE

$f(x)-g(x)=a(x-\alpha)(x-\beta)$ $(a>0)$

$H(x)=\displaystyle\int\{f(x)-g(x)\}dx$의 양변을 미분하면

$H'(x)=f(x)-g(x)=a(x-\alpha)(x-\beta)$ $(a>0)$이므로

함수 $H(x)$는 $x=\alpha$에서 극댓값, $x=\beta$에서 극솟값을 갖는다.

01 ①	**02** ②	**03** ⑤	**04** 3
05 8	**06** −1	**07** ③	**08** ③
09 343	**10** −1	**11** 7	**12** 26
13 ②	**14** 5개	**15** 6	**16** ①
17 24	**18** ④	**19** 28	

01 답 ①

GUIDE

$\dfrac{d}{dx}\displaystyle\int f(x)dx\} - \int\left\{\dfrac{d}{dx}g(x)\right\}dx = 1$에서

$f(x) - g(x) - C = 1$

$f(x) - g(x) - C = 1$, 즉 $f(x) = g(x) + C + 1$

① $f(0) = 0$이고, $g(0) = 0$이면

   $f(0) = g(0) + C + 1$에서 $C + 1 = 0$

   따라서 $f(x) = g(x) + C + 1$에서 $f(x) = g(x)$

② 알 수 없다.

③ $C \neq 0$일 때 옳지 않다.

④ $C \leq -1$일 때 옳지 않다.

⑤ [반례] $C = -1$이면 $f(x) = g(x)$

02 답 ②

GUIDE

❶ $f(x) + g(x) = \displaystyle\int\{f(x) - g(x)\}dx$의 양변을 미분한다.

❷ $g(x)$의 최고차항이 $3x^2$임을 찾는다.

$f(x) + g(x) = \displaystyle\int\{f(x) - g(x)\}dx$의 양변을 미분하면

$6x + 2 + g'(x) = 3x^2 + 2x + 1 - g(x)$

즉 $g(x) + g'(x) = 3x^2 - 4x - 1$

이때 $g(x) = 3x^2 + ax + b$라 하면 $g'(x) = 6x + a$

따라서 $a = -10$, $b = 9$이므로 $g(x) = 3x^2 - 10x + 9$

$\therefore g(1) = 3 - 10 + 9 = 2$

참고

$g(x) + g'(x) = 3x^2 - 4x - 1$에서 $g(x)$는 이차식임을 알 수 있다.

따라서 $g(x)$의 최고차항은 $3x^2$이다.

03 답 ⑤

GUIDE

$f'(x) = xg(x)$, $f'(x) - g'(x) = 4x^3 + 2x$에서 함수 $g(x)$의 최고차항을 구한다.

$f'(x) = xg(x)$, $f'(x) - g'(x) = 4x^3 + 2x$에서

$xg(x) - g'(x) = 4x^3 + 2x$

이때 함수 $g(x)$의 최고차항이 $4x^2$이어야 하므로

$g(x) = 4x^2 + ax + b$로 놓고 $g'(x) = 8x + a$를 대입하여 정리하면 $4x^3 + ax^2 + (b - 8)x - a = 4x^3 + 2x$

즉 $a = 0$, $b = 10$이므로 $g(x) = 4x^2 + 10$

따라서 $g(1) = 14$

04 답 3

GUIDE

$h'(x) = A'(x) - B'(x) = 0$이 되는 x값을 생각한다.

$A(x) = \displaystyle\int x^2 f(x)dx$의 양변을 미분하면

$A'(x) = x^2 f(x)$ ······ ㉠

$B(x) = \displaystyle\int\{(x+2)f(x)\}dx$의 양변을 미분하면

$B'(x) = (x+2)f(x)$ ······ ㉡

㉠ − ㉡에서

$A'(x) - B'(x) = (x^2 - x - 2)f(x) = (x+1)(x-2)f(x)$

$f(x) > 0$이므로 $h'(x) = 0$에서 $x = -1$ 또는 $x = 2$

따라서 함수 $h(x) = A(x) - B(x)$는 $x = -1$에서 극대이고

$x = 2$에서 극소이다.

$\therefore \beta - \alpha = 2 - (-1) = 3$

다른 풀이

$h(x) = A(x) - B(x)$

   $= \displaystyle\int\{x^2 f(x)\}dx - \int\{(x+2)f(x)\}dx$

   $= \displaystyle\int(x+1)(x-2)f(x)dx$

에서 $h'(x) = (x+1)(x-2)f(x)$로 구할 수도 있다.

05 답 8

GUIDE

❶ ⑺, ⑷에서 $f(x) + g(x)$를 구한다.

❷ ⑺, ⑷에서 $f(x)g(x)$를 구한다.

⑺, ⑷에서 $f(x) + g(x) = 3x + 1$

⑺, ⑷에 $f(x)g(x) = 2x^2 + 3x - 2 = (x+2)(2x-1)$

따라서 $f(x) = x + 2$, $g(x) = 2x - 1$이므로

$f(3) + g(2) = 5 + 3 = 8$

참고

$f'(x)g(x) + f(x)g'(x) = \{f(x)g(x)\}'$이므로

$\displaystyle\int\{f(x)g(x)\}'dx = \int(4x+3)dx$에서 $f(x)g(x) = 2x^2 + 3x + C$

06 답 -1

GUIDE

$\lim\limits_{h \to 0} \dfrac{f(a+mh)-f(a-nh)}{h}=(m+n)f'(a)$임을 이용하면

$\lim\limits_{h \to 0} \dfrac{f(x+4h)-f(x-2h)}{3h}=2f'(x)$

$2f'(x)=x^2+6x-7$에서 $f'(x)=\dfrac{1}{2}(x^2+6x-7)$

$\therefore f(x)=\dfrac{1}{6}x^3+\dfrac{3}{2}x^2-\dfrac{7}{2}x+C$

이때 $f(0)=-\dfrac{4}{3}$에서 $C=-\dfrac{4}{3}$이므로

$f(x)=\dfrac{1}{6}x^3+\dfrac{3}{2}x^2-\dfrac{7}{2}x-\dfrac{4}{3}$ $\qquad \therefore f(2)=-1$

07 답 ③

GUIDE

❶ $\lim\limits_{x \to 2} \dfrac{f(x)}{x-2}=-4$에서 $f(2)$, $f'(2)$값을 찾는다.

❷ 그래프에서 $f'(x)$의 식을 잡는다.

$\lim\limits_{x \to 2} \dfrac{f(x)}{x-2}=-4$에서 $f(2)=0$, $f'(2)=-4$이고,

그래프에서 $f'(x)=ax^2(x-3)=ax^3-3ax^2$이므로

$f'(2)=-4$에서 $a=1$

$f(x)=\dfrac{1}{4}x^4-x^3+C$에서 $f(2)=0$이므로 $C=4$

$x=3$에서 극소이고, 최소이므로 최솟값은 $f(3)=-\dfrac{11}{4}$

08 답 ③

GUIDE

$\displaystyle\int \sum\limits_{k=1}^{n} x^{k-1}dx=\sum\limits_{k=1}^{n} \dfrac{1}{k}x^k+C$

$f(x)=\sum\limits_{k=1}^{n} \dfrac{1}{k+1}x^{k-1}$

$\qquad =\dfrac{1}{2}+\dfrac{1}{3}x+\dfrac{1}{4}x^2+\cdots+\dfrac{1}{n+1}x^{n-1}$

에서

$F(x)=\dfrac{1}{2}x+\dfrac{1}{2\times 3}x^2+\dfrac{1}{3\times 4}x^3+\cdots+\dfrac{1}{n(n+1)}x^n+C$

이고 $F(0)=0$이므로 $C=0$

$\therefore F(x)=\dfrac{1}{2}x+\dfrac{1}{2\times 3}x^2+\dfrac{1}{3\times 4}x^3+\cdots+\dfrac{1}{n(n+1)}x^n$

이때 $a_n=\dfrac{1}{n(n+1)}=\left(\dfrac{1}{n}-\dfrac{1}{n+1}\right)$이므로

$\sum\limits_{k=1}^{20} a_k=\left(\dfrac{1}{1}-\dfrac{1}{2}\right)+\left(\dfrac{1}{2}-\dfrac{1}{3}\right)+\cdots+\left(\dfrac{1}{20}-\dfrac{1}{21}\right)=\dfrac{20}{21}$

09 답 343

GUIDE

$\lim\limits_{h \to 0} \dfrac{f(n+nh)-f(n)}{h}=\lim\limits_{h \to 0} \dfrac{f(n+nh)-f(n)}{nh}\times n=nf'(n)$

$f(x)=\displaystyle\int (x^2-2x+4)dx$에서 $f'(x)=x^2-2x+4$이므로

$a_n=\lim\limits_{h \to 0} \dfrac{f(n+nh)-f(n)}{h}=\lim\limits_{h \to 0} \dfrac{f(n+nh)-f(n)}{nh}\times n$

$\quad =nf'(n)=n(n^2-2n+4)$

$\therefore \sum\limits_{n=1}^{6} a_n=\sum\limits_{n=1}^{6}(n^3-2n^2+4n)$

$\qquad =\left(\dfrac{6\times 7}{2}\right)^2-2\times \dfrac{6\times 7\times 13}{6}+4\times \dfrac{6\times 7}{2}$

$\qquad =441-182+84=343$

10 답 -1

GUIDE

그래프에서 $x=0$을 기준으로 구한 $f'(x)$의 식에서 $f(x)$의 식을 구한다.

$f'(x)=\begin{cases} a(x+3)(x+1) & (x<0) \\ b(x-1) & (x>0) \end{cases}$에서

$f(x)=\begin{cases} a\left(\dfrac{1}{3}x^3+2x^2+3x\right)+C_1 & (x<0) \\ b\left(\dfrac{1}{2}x^2-x\right)+C_2 & (x\geq 0) \end{cases}$

함수 $f(x)$가 연속함수이므로 $\lim\limits_{x \to 0} f(x)=f(0)$에서 $C_1=C_2$

$\therefore f(0)=C_1=C_2$

(ⅰ) $x<0$일 때 방정식 $f(x)-f(0)=0$에서

$\quad a\left(\dfrac{1}{3}x^3+2x^2+3x\right)+C_1-C_1=0$

$\quad \dfrac{1}{3}ax(x+3)^2=0 \qquad \therefore x=-3\,(\because x<0)$

(ⅱ) $x\geq 0$일 때 방정식 $f(x)-f(0)=0$에서

$\quad b\left(\dfrac{1}{2}x^2-x\right)+C_2-C_2=0$

$\quad \dfrac{1}{2}bx(x-2)=0 \qquad \therefore x=0$ 또는 $x=2\,(\because x\geq 0)$

(ⅰ), (ⅱ)에서 방정식 $f(x)-f(0)=0$의 모든 근의 합은

$-3+0+2=-1$

11 답 7

GUIDE

$f_3(x)$, $f_2(x)$, $f_1(x)$, $f(x)$의 최고차항을 차례로 구한다.

$f_3(x)$의 최고차항은 $56x^6$이고

$f_2(x)=\displaystyle\int f_3(x)dx$에서 $f_2(x)$의 최고차항은 $8x^7$

또 $f_1(x)=\displaystyle\int f_2(x)dx$에서 $f_1(x)$의 최고차항은 x^8

마찬가지로 생각하면 $f(x)$의 최고차항은 $\dfrac{1}{9}x^9$이다.

$$\therefore \lim_{x \to \infty} \frac{f(x) \times f_3(x)}{f_1(x) \times f_2(x)} = \lim_{x \to \infty} \frac{\left(\dfrac{1}{9}x^9 + \cdots\right) \times (56x^6 + \cdots)}{(x^8 + \cdots) \times (8x^7 + \cdots)}$$

$$= \frac{56}{9} \times \frac{1}{8} = \frac{7}{9} = a$$

따라서 $9a = 7$

12 답 26

GUIDE
$H(x) = F(x) - G(x)$가 x축과 서로 다른 세 점에서 만날 조건을 구한다.

$$F(x) = \int f(x)dx = \int (4x^2 - 2x - 7)dx$$

$$= \frac{4}{3}x^3 - x^2 - 7x + C_1$$

$$G(x) = \int g(x)dx = \int (-2x^2 + 4x + 5)dx$$

$$= -\frac{2}{3}x^3 + 2x^2 + 5x + C_2$$

$H(x) = F(x) - G(x)$라 하면

$H(x) = 2x^3 - 3x^2 - 12x + (C_1 - C_2)$

$H'(x) = 6x^2 - 6x - 12 = 6(x+1)(x-2)$

$H'(x) = 0$에서 $x = -1$ 또는 $x = 2$

이때 두 함수 $y = F(x)$, $y = G(x)$의 그래프가 서로 다른 세 점에서 만나려면 방정식 $F(x) - G(x) = 0$이 서로 다른 세 실근을 가져야 하므로 $H(x)$에서 (극댓값)$\times$(극솟값)< 0이어야 한다.

$H(-1) \times H(2) = \{(C_1 - C_2) + 7\}\{(C_1 - C_2) - 20\} < 0$

$-7 < C_1 - C_2 < 20$ $\quad \therefore -7 < F(0) - G(0) < 20$

따라서 가능한 $F(0) - G(0)$의 값 중에서 정수는

$-6, -5, -4, \cdots, 19$로 모두 26개

13 답 ②

GUIDE
문제에서 주어진 식의 양변을 미분해 $f'(x)$의 식을 구한다.

주어진 식의 양변을 미분하면

$xf'(x) = f'(x) + x^4 - x^3 + x^2 - 1$

$(x-1)f'(x) = (x-1)(x^3 + x + 1)$

즉 $f'(x) = x^3 + x + 1$에서

$$f(x) = \int (x^3 + x + 1)dx = \frac{1}{4}x^4 + \frac{1}{2}x^2 + x + C$$

이때 $f(0) = -6 = C$이므로

$f(x) = \frac{1}{4}x^4 + \frac{1}{2}x^2 + x - 6$ $\quad \therefore f(2) = 2$

14 답 5개

GUIDE
증가함수 $y = f(x)$가 구간 (a, b)에서 x축과 교점을 가지면 $f(a)f(b) < 0$이다.

$f'(x) = 1 + x + x^2 > 0$이므로 함수 $f(x)$는 증가함수이다.

이때 함수 $y = f(x) = \dfrac{x^3}{3} + \dfrac{x^2}{2} + x + C$가 구간 $(1, 2)$에서

x축과 만나려면 $f(1)f(2) < 0$에서 $\left(\dfrac{11}{6} + C\right)\left(\dfrac{20}{3} + C\right) < 0$

$\therefore -\dfrac{20}{3} < C < -\dfrac{11}{6}$

따라서 $f(0)$, 즉 C의 정숫값은 $-6, -5, -4, -3, -2$로 모두 5개

15 답 6

GUIDE
$f'(x) = x - a$에서 $f(x)$를 구한다.

$$f(x) = \int (x - a)dx = \frac{1}{2}x^2 - ax + C$$

$y = f(x)$의 그래프가 x축에 접하므로

$\dfrac{1}{2}x^2 - ax + C = 0$에서 $D = a^2 - 2C = 0$

즉 $C = \dfrac{1}{2}a^2$이므로 $f(x) = \dfrac{1}{2}(x-a)^2$

이때 $xf(x) = \dfrac{1}{2}x(x-a)^2$이고, $g(x) = xf(x)$라 하면

$$g'(x) = \frac{1}{2}(x-a)(3x-a)$$

따라서 $a > 0$일 때 $g(x)$는 $x = \dfrac{a}{3}$에서 극댓값 16을 가지므로

$\dfrac{1}{2} \times \dfrac{a}{3} \times \dfrac{4}{9}a^2 = 16$ $\quad \therefore a = 6$

16 답 ①

GUIDE
$h'(x) = g'(x) - f'(x) = ax(x-1)$ $(a > 0)$

$h'(x) = ax(x-1) = ax^2 - ax$ $(a > 0)$에서

$h(x) = \dfrac{a}{3}x^3 - \dfrac{a}{2}x^2 + C$이고, $h(0) = 2$, $h(1) = 0$이므로

$h(x) = 4x^3 - 6x^2 + 2$ $\quad \therefore h(2) = 10$

17 답 24

GUIDE
삼차함수의 그래프가 x축과 서로 다른 두 점에서 만날 때 극댓값 또는 극솟값의 조건을 이용한다.

㈎에서 $f(x)=\displaystyle\int(3x^2+2x-5)dx=x^3+x^2-5x+C$

㈏에서 $y=f(x)$의 그래프는 x축과 서로 다른 두 점에서 만나므로 극댓값 또는 극솟값이 0이다.

$f'(x)=(3x+5)(x-1)=0$에서 $x=-\dfrac{5}{3}$ 또는 $x=1$이므로 $y=f(x)$의 그래프는 다음 그림 중 하나와 같다.

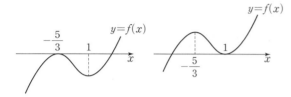

㈐에서 위 오른쪽이므로 $f(1)=-3+C=0$ $\therefore C=3$

$\therefore f(x)=x^3+x^2-5x+3$

따라서 $f(3)=3^3+3^2-5\times3+3=24$

18 답 ④

GUIDE

$f'(x)=\displaystyle\lim_{h\to0}\dfrac{f(x+h)-f(x)}{h}=\lim_{h\to0}\dfrac{f(h)+x^2h+xh^2}{h}$

$f(x+y)=f(x)+f(y)+x^2y+xy^2$에 $x=0,\ y=0$을 대입하면 $f(0)=0$

$f'(x)=\displaystyle\lim_{h\to0}\dfrac{f(x+h)-f(x)}{h}=\lim_{h\to0}\dfrac{f(h)+x^2h+xh^2}{h}$
$\qquad=f'(0)+x^2=x^2-1$

즉 $f'(x)=x^2-1$, $f(x)=\dfrac{1}{3}x^3-x$이고,

$f'(x)=x^2-1=0$에서 $x=-1,\ 1$이므로

극댓값은 $x=-1$일 때이고, 극솟값은 $x=1$일 때이다.

즉 $\mathrm{P}\left(-1,\ \dfrac{2}{3}\right)$, $\mathrm{Q}\left(1,\ -\dfrac{2}{3}\right)$ $\therefore \overline{\mathrm{PQ}}=\dfrac{2\sqrt{13}}{3}$

참고

$f(0)=0$이므로 $\displaystyle\lim_{h\to0}\dfrac{f(h)}{h}=\lim_{h\to0}\dfrac{f(0+h)-f(0)}{h}=f'(0)$

19 답 28

GUIDE

$f'(x)=\displaystyle\lim_{h\to0}\dfrac{f(x+h)-f(x)}{h}$와 $f(x+h)=f(x)+f(h)+2xh-1$을 이용해 $f'(x)$를 구한다.

$f(x+y)=f(x)+f(y)+2xy-1$ $\quad\cdots\cdots$ ㉠

㉠에 $x=0,\ y=0$을 대입하면

$f(0)=f(0)+f(0)-1$ $\quad\therefore f(0)=1$

㉠에서 $f(x+h)=f(x)+f(h)+2xh-1$이므로

$f'(x)=\displaystyle\lim_{h\to0}\dfrac{f(x+h)-f(x)}{h}=\lim_{h\to0}\dfrac{f(h)-1+2xh}{h}$
$\qquad=\displaystyle\lim_{h\to0}\left\{\dfrac{f(h)-f(0)}{h}+2x\right\}=f'(0)+2x$

따라서 $f(x)=\displaystyle\int\{2x+f'(0)\}dx=x^2+f'(0)x+C$이고

$f(0)=1$이므로 $C=1$

즉 $f(x)=x^2+f'(0)x+1$, $f'(x)=f'(0)+2x$이므로

$\displaystyle\lim_{x\to1}\dfrac{f(x)-f'(x)}{x^2-1}=\lim_{x\to1}\dfrac{\{x^2+f'(0)x+1\}-\{f'(0)+2x\}}{x^2-1}$
$\qquad=\displaystyle\lim_{x\to1}\dfrac{(x-1)^2+f'(0)(x-1)}{x^2-1}$
$\qquad=\displaystyle\lim_{x\to1}\dfrac{(x-1)\{x-1+f'(0)\}}{(x-1)(x+1)}$
$\qquad=\displaystyle\lim_{x\to1}\dfrac{x-1+f'(0)}{x+1}=\dfrac{f'(0)}{2}$

이때 $\displaystyle\lim_{x\to1}\dfrac{f(x)-f'(x)}{x^2-1}=14$이므로 $\dfrac{f'(0)}{2}=14$에서

$f'(0)=28$

STEP 3 | 1등급 뛰어넘기 $\qquad$ p. 80~81

01 1439	**02** 513	**03** ③	**04** ㄴ, ㄷ
05 ⑤	**06** 9	**07** (1) -2 (2) 12 (3) 10	

01 답 1439

GUIDE

a_{n+1}과 a_n의 관계를 찾는다.

$f_1(x)=x$이므로 $a_1=1$이고, $f_{n+1}(x)=\displaystyle\int f_n(x)dx$에서

$f_{n+1}(x)=a_{n+1}x^{n+1}+\cdots$, $f_n(x)=a_nx^n+\cdots$이라 하면

$a_{n+1}x^{n+1}+\cdots=\displaystyle\int(a_nx^n+\cdots)dx=\dfrac{1}{n+1}a_nx^{n+1}+\cdots$

$\therefore a_{n+1}=\dfrac{1}{n+1}a_n$

$a_n=\dfrac{1}{n}a_{n-1}=\dfrac{1}{n(n-1)}a_{n-2}=\cdots$
$\quad=\dfrac{1}{n(n-1)\times\cdots\times3\times2}a_1=\dfrac{1}{n!}$

$\displaystyle\sum_{n=1}^{6}(n-1)a_n=\sum_{n=1}^{6}\dfrac{n-1}{n!}=\sum_{n=1}^{6}\left\{\dfrac{1}{(n-1)!}-\dfrac{1}{n!}\right\}$
$\qquad=1-\dfrac{1}{6!}=\dfrac{719}{720}=\dfrac{q}{p}$

$\therefore p+q=1439$

참고

$$\sum_{n=1}^{6}\left\{\frac{1}{(n-1)!}-\frac{1}{n!}\right\}=\frac{1}{0!}-\frac{1}{1!}+\frac{1}{1!}-\frac{1}{2!}+\cdots+\frac{1}{5!}-\frac{1}{6!}$$
$$=\frac{1}{0!}-\frac{1}{6!}$$

02 답 513

GUIDE

$f_{n+1}(0)=0$, $f_{n+1}(x)=(n+1)\int f_n(x)dx$를 이용해 $f_2(x)$, $f_3(x)$, $\cdots$, $f_n(x)$를 차례로 찾는다.

$f_{n+1}(0)=0$이므로

$$f_2(x)=2\int 1\,dx=2x,\quad f_3(x)=3\int 2x\,dx=3x^2,$$

$$f_4(x)=4\int 3x^2\,dx=4x^3$$

$$\vdots$$

$$f_n(x)=n\int (n-1)x^{n-2}\,dx=nx^{n-1}$$에서

$$F_n(x)=\int\{f_1(x)+f_2(x)+\cdots+f_n(x)\}dx$$

$$=\int(1+2x+3x^2+4x^3+\cdots+nx^{n-1})dx$$

$$=x+x^2+x^3+x^4+\cdots+x^n+C$$

$F_n(0)=3$이므로 $F_n(x)=x+x^2+x^3+x^4+\cdots+x^n+3$이고,

이때 $F_8(2)=2+2^2+2^3+\cdots+2^8+3=\dfrac{2(2^8-1)}{2-1}+3=513$

03 답 ③

GUIDE

$$f_n(x)=\int x(x+1)^n dx=\int(x+1-1)(x+1)^n dx$$

$$f_n(x)=\int x(x+1)^n dx=\int(x+1-1)(x+1)^n dx$$

$$=\int(x+1)^{n+1}dx-\int(x+1)^n dx$$

$$=\frac{(x+1)^{n+2}}{n+2}-\frac{(x+1)^{n+1}}{n+1}+C$$

이때 $f_n(-1)=C=0$이므로 $f_n(0)=\dfrac{1}{n+2}-\dfrac{1}{n+1}$

$$\therefore \sum_{n=1}^{10}f_n(0)=\sum_{n=1}^{10}\left(\frac{1}{n+2}-\frac{1}{n+1}\right)$$

$$=-\frac{1}{2}+\frac{1}{12}=-\frac{5}{12}$$

04 답 ㄴ, ㄷ

GUIDE

함수 $f(x)$의 그래프를 그려서 확인한다. ㈐에서 $f(x-2)=f(x+2)$이므로 $f(x)$는 주기가 4인 함수이다.

연속함수 $f(x)$는 ㈎, ㈏에 따라

$$f(x)=\begin{cases}x+2 & (-2<x<-1)\\ x^2 & (-1\le x\le 1)\\ -x+2 & (1<x<2)\end{cases}$$

이고, 주기가 4이므로 그래프는 다음과 같다.

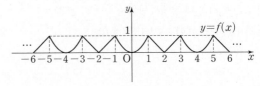

ㄱ. 함수 $f(x)$의 그래프는 y축에 대칭이다. (×)

ㄴ. 위 그래프에서 $f(5)=f(1)=1$ (○)

ㄷ. 위 그래프에서 $x=1$일 때 극댓값 1을 가진다. (○)

참고

$$f(x)=\begin{cases}x+C_1 & (-2<x<-1)\\ x^2+C_2 & (-1\le x\le 1)\\ -x+C_3 & (1<x<2)\end{cases}$$ 이라 할 때

$f(0)=0$에서 $C_2=0$이고, $x=-1$, $x=1$일 때 $f(x)$가 연속이므로

$-1+C_1=1$, $-1+C_3=1$ $\therefore C_1=2$, $C_3=2$

05 답 ⑤

GUIDE

$y=f(x)$의 그래프와 세 직선 $y=2x$, $y=4x$, $y=3x$가 만나는 점의 개수를 확인한다.

$$f'(x)=\begin{cases}2x+4 & (x<0)\\ -2x+4 & (0<x<2)\\ 2x-4 & (x>2)\end{cases}$$

이고 $f(0)=0$, $f(2)=4$이므로

$$f(x)=\begin{cases}x^2+4x & (x<0)\\ -x^2+4x & (0\le x<2)\\ x^2-4x+8 & (x\ge 2)\end{cases}$$

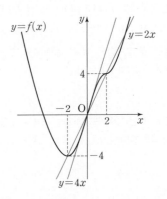

(ⅰ) $y=2x$는 $y=f(x)$ 위의 점 $(-2, -4)$, $(0, 0)$, $(2, 4)$를 지나는 직선이므로 $y=f(x)$와 $y=2x$는

세 점 $(-2, -4)$, $(0, 0)$, $(2, 4)$에서 만나고 $x>2$에서 한 점과 만난다. $\therefore g(2)=4$

(ⅱ) $y=4x$는 $y=f(x)$위의 점 $(0, 0)$을 지나고, $f'(0)=4$이므로, $(0, 0)$에서 $y=f(x)$의 접선이다. 따라서 $y=f(x)$와 $y=4x$는 한 점 $(0, 0)$에서 만나고 $x>2$에서 한 점과 만난다.

   $\therefore g(4)=2$

(ⅲ) $y=3x$는 원점을 지나며 $y=2x$, $y=4x$ 사이를 지나는 직선이므로 $f(x)$와 네 점에서 만난다. $\therefore g(3)=4$

$\therefore g(2)+g(3)+g(4)=4+4+2=10$

06 답 9

GUIDE

삼차함수 $y=f(x)$가 $x=\alpha$에서 x축에 접하면 $f(\alpha)=0$, $f'(\alpha)=0$임을 이용한다.

$f'(1)=f'(-1)=0, f(1)=-1,\ f(-1)=1$ ······ ㉠

$f'(x)=a(x-1)(x+1)=a(x^2-1), f(x)=a\left(\dfrac{1}{3}x^3-x\right)+C$

㉠에서 $-\dfrac{2}{3}a+C=-1$, $\dfrac{2}{3}a+C=1$ $\therefore a=\dfrac{3}{2}, C=0$

$f(x)=\dfrac{1}{2}x^3-\dfrac{3}{2}x$이므로 $f(3)=\dfrac{1}{2}\times 3^3-\dfrac{3}{2}\times 3=9$

07 답 (1) -2 (2) 12 (3) 10

GUIDE

㉠, ㉡에서 $f'(1)$의 값을 구한다.

$f'(x)+g'(x)=3x^2+1$ ······ ㉠
$g(x)+2xf'(1)=x^2$ ······ ㉡
$f'(1)+f(0)=-1$ ······ ㉢

(1) ㉠에 $x=1$을 대입하면 $f'(1)+g'(1)=4$

  ㉡의 양변을 미분하고 $x=1$을 대입하면
  $g'(1)+2f'(1)=2$ $\therefore f'(1)=-2$

(2) ㉡에 $f'(1)=-2$를 대입하면 $g(x)=x^2+4x$
  $\therefore g(2)=2^2+4\times 2=12$

(3) ㉠의 양변을 적분하면 $f(x)+g(x)=x^3+x+C$이고,
  $g(0)=0$, ㉢에서 $f(0)=1$이므로 $f(x)+g(x)=x^3+x+1$
  따라서 $f(x)=x^3+x+1-g(x)=x^3-x^2-3x+1$에서
  $f(3)=3^3-3^2-3\times 3+1=10$

참고

❶ $2xf'(1)$에서 $f'(1)$은 상수이므로 $\{2xf'(1)\}'=2f'(1)$

❷ $f'(1)=-2$이므로 ㉢에서 $f(0)=-1-f'(1)=-1+2=1$

---

07 정적분

STEP 1 | 1등급 준비하기   p. 84~86

01 ①	02 8	03 7	04 12
05 ⑤	06 6	07 5	08 ①
09 (1) 0 (2) 25		10 ①	11 6
12 ①	13 ⑤	14 2	

01 답 ①

GUIDE

$\displaystyle\int_a^b f'(x)dx=f(b)-f(a)$임을 이용한다.

$\displaystyle\int_0^2 f'(x)dx=\Big[f(x)\Big]_0^2$
$=f(2)-f(0)$
$=0-2=-2$

02 답 8

GUIDE

$\displaystyle\int_5^7 f(x)dx=\int_3^7 f(x)dx-\int_3^5 f(x)dx$임을 이용한다.

$\displaystyle\int_1^5 f(x)dx=\int_1^7 f(x)dx-\int_5^7 f(x)dx$
$\displaystyle=\int_1^7 f(x)dx-\left(\int_3^7 f(x)dx-\int_3^5 f(x)dx\right)$
$=14-12+6=8$

03 답 7

GUIDE

$\displaystyle\int \sum_{k=1}^{n} kx^{k-1}dx=\int (1+2x+3x^2+\cdots+nx^{n-1})dx$
$=x+x^2+x^3+\cdots+x^n+C$

$\displaystyle\int_0^{\frac{1}{2}} \sum_{k=1}^{n} kx^{k-1}dx=\int_0^{\frac{1}{2}} (1+2x+3x^2+\cdots+nx^{n-1})dx$
$\displaystyle=\Big[x+x^2+x^3+\cdots+x^n\Big]_0^{\frac{1}{2}}$
$=\dfrac{\dfrac{1}{2}\left(1-\dfrac{1}{2^n}\right)}{1-\dfrac{1}{2}}$
$=1-\dfrac{1}{2^n}\geq 0.99$

즉 $\dfrac{1}{2^n}\leq 0.01$에서 $2^n\geq 100$이므로

구하려는 가장 작은 자연수 $n=7$

04 12

GUIDE

$||x|-2|$에서 x가 -2, 0, 2일 때, 각 절댓값 기호 안의 식의 값이 0임을 이용한다. 이때

$$f(x)=\begin{cases} x+3 & (-2\leq x<0) \\ -x+3 & (0\leq x<2) \\ x-1 & (2\leq x\leq 4) \end{cases}$$

(i) $-2\leq x<0$일 때 $f(x)=|-x-2|+1=x+3$

(ii) $0\leq x<2$일 때 $f(x)=|x-2|+1=-x+3$

(iii) $2\leq x\leq 4$일 때 $f(x)=|x-2|+1=x-1$

(i), (ii), (iii)에서

$\displaystyle\int_{-2}^{4} f(x)dx$

$\displaystyle=\int_{-2}^{0}(x+3)dx+\int_{0}^{2}(-x+3)dx+\int_{2}^{4}(x-1)dx$

$\displaystyle=\left[\frac{1}{2}x^2+3x\right]_{-2}^{0}+\left[-\frac{1}{2}x^2+3x\right]_{0}^{2}+\left[\frac{1}{2}x^2-x\right]_{2}^{4}$

$=4+4+4=12$

다른 풀이

$f(x)=||x|-2|+1$일 때

$\displaystyle\int_{-2}^{4} f(x)dx$의 값은 오른쪽 그림에서 색칠한 부분의 넓이와 같다.

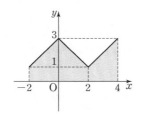

$\therefore 3\left\{\frac{1}{2}(1+3)\times 2\right\}=12$

05 ⑤

GUIDE

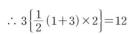 ➊ $f(x)=-f(-x)$이면 $\displaystyle\int_{-a}^{a} f(x)dx=0$

➋ $f(x)=f(-x)$이면 $\displaystyle\int_{-a}^{a} f(x)dx=2\int_{0}^{a} f(x)dx$

$\displaystyle\int_{-2}^{2}\frac{x^6}{x^2+1}dx+\int_{-2}^{2}\frac{x^3}{x^2+1}dx+\int_{-2}^{2}\frac{1}{x^2+1}dx$

$\displaystyle=\int_{-2}^{2}\frac{x^6+x^3+1}{x^2+1}dx=\int_{-2}^{2}\frac{x^6+1}{x^2+1}dx$

$\displaystyle=\int_{-2}^{2}(x^4-x^2+1)dx$

$\displaystyle=2\left[\frac{1}{5}x^5-\frac{1}{3}x^3+x\right]_{0}^{2}=\frac{172}{15}$

참고

$f(x)=\dfrac{x^3}{x^2+1}$이라 하면

$f(-x)=\dfrac{(-x)^3}{(-x)^2+1}=\dfrac{-x^3}{x^2+1}=-f(x)$이므로

$f(x)$는 원점에 대칭인 함수이다. 즉 $\displaystyle\int_{-2}^{2}\frac{x^3}{x^2+1}dx=0$이다.

06 6

GUIDE

$y=f(x)$와 $y=f(-x)$의 그래프는 y축에 대하여 서로 대칭이므로

$\displaystyle\int_{-1}^{1} f(x)dx=\int_{-1}^{1} f(-x)dx$

$\displaystyle\int_{-1}^{1}\{f(x)+f(-x)\}dx=\int_{-1}^{1} f(x)dx+\int_{-1}^{1} f(-x)dx$

$\displaystyle=2\int_{-1}^{1} f(x)dx=6$

07 5

GUIDE

➊ $f(x)=-f(-x)$이면 $\displaystyle\int_{-a}^{a} f(x)dx=0$

➋ $f(x)=f(-x)$이면 $\displaystyle\int_{-a}^{a} f(x)dx=2\int_{0}^{a} f(x)dx$

➌ $3x^2, 2x, x|x|$ 중 원점에 대칭, 즉 $f(x)=-f(-x)$인 것을 찾는다.

$\displaystyle\int_{-a}^{a}(3x^2+2x+x|x|)dx=2\int_{0}^{a} 3x^2 dx=2\left[x^3\right]_{0}^{a}=2a^3=\frac{1}{4}$

즉 $a^3=\dfrac{1}{8}$에서 $a=\dfrac{1}{2}$이므로 $10a=5$

참고

$f(x)=x|x|$라 하면 $f(-x)=-x|-x|=-x|x|=-f(x)$이므로

$f(x)=x|x|$는 원점에 대칭인 함수이다.

08 ①

GUIDE

함수 $f(x)$가 직선 $x=3$에 대하여 대칭이면

$\displaystyle\int_{3}^{3+a} f(x)dx=\int_{3-a}^{3} f(x)dx, \int_{3-a}^{3-b} f(x)dx=\int_{3+b}^{3+a} f(x)dx$

㈎에서 함수 $f(x)$가 직선 $x=3$에 대하여 대칭이므로

$\displaystyle\int_{3}^{5} f(x)dx=\int_{1}^{3} f(x)dx$이다.

또 $\displaystyle\int_{-1}^{1} f(x)dx=\int_{5}^{7} f(x)dx=4$이므로

$\displaystyle\int_{1}^{7} f(x)dx=2\int_{3}^{5} f(x)dx+\int_{5}^{7} f(x)dx$

$\displaystyle=2\int_{3}^{5} f(x)dx+4=0$

$\therefore \displaystyle\int_{3}^{5} f(x)dx=-2$

참고

오른쪽과 같이 $x=3$에 대하여 대칭인 간단한 그림을 그려놓고 생각한다.
이 경우에서

$\displaystyle\int_{3}^{5} f(x)dx=\int_{1}^{3} f(x)dx$

$\displaystyle\int_{-1}^{1} f(x)dx=\int_{5}^{7} f(x)dx$

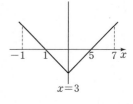

09 ⊜ (1) 0　(2) 25

GUIDE

(1) $\displaystyle\int_2^2 f(t)dt=0$임을 이용한다.

(2) 등식의 양변을 미분한다.

(1) $\displaystyle\int_2^2 f(t)dt=0$이므로 $x=3$을 주어진 등식에 대입하면

　$0=9+3a$　　∴ $a=-3$

　또 $\displaystyle\int_2^{x-1} f(t)dt=x^2-3x$의 양변을 x에 대하여 미분하면

　$f(x-1)=2x-3=2(x-1)-1$에서 $f(x)=2x-1$

　따라서 $a+f(2)=-3+3=0$

(2) $\displaystyle\int_1^x f(t)dt=xf(x)-3x^4+x^2+3$의 양변을 미분하면

　$f(x)=xf'(x)+f(x)-12x^3+2x$에서

　$f'(x)=12x^2-2$

　즉 $f(x)=4x^3-2x+C$

　$x=1$을 $\displaystyle\int_1^x f(t)dt=xf(x)-3x^4+x^2+3$에 대입하면

　$0=f(1)+1$에서 $f(1)=-1$이므로 $C=-3$

　따라서 $f(x)=4x^3-2x-3$이므로 $f(2)=25$

10 ⊜ ①

GUIDE

㈎의 양변을 미분하고 ㈏를 이용해 함수 $f(x)$를 구한다.

㈎의 양변을 미분하면 $f(x)+xf'(x)=f(x)-12x^3+18x^2$

즉 $f'(x)=-12x^2+18x$에서

$f(x)=-4x^3+9x^2+C$이고

㈏에서 $f(2)=-32+36+C=4$이므로 $C=0$

∴ $f(x)=-4x^3+9x^2$

$\displaystyle\lim_{x\to1}\frac{1}{x-1}\int_1^{x^2} f(t)dt=\lim_{x\to1}\frac{F(x^2)-F(1)}{x-1}$

$\qquad\qquad=\lim_{x\to1}\left\{\frac{F(x^2)-F(1)}{x^2-1}\times(x+1)\right\}$

$\qquad\qquad=F'(1)\times2$

$\qquad\qquad=2f(1)=2\times5=10$

11 ⊜ 6

GUIDE

$\displaystyle\int_0^1 f(t)dt$가 상수임을 이용한다.

$\displaystyle\int_0^1 f(t)dt=k$로 놓으면 $f(x)=3x^2+6kx$이므로

$\displaystyle\int_0^1 f(t)dt=\int_0^1(3x^2+6kx)=k$에서

$\left[x^3+3kx^2\right]_0^1=1+3k=k$　　∴ $k=-\dfrac{1}{2}$

따라서 $f(2)=3\times2^2-3\times2=6$

12 ⊜ ①

GUIDE

$\displaystyle\int_1^x(x-t)f(t)dt=x\int_1^x f(t)dt-\int_1^x tf(t)dt$에서 우변을 x에 대하여

미분하면 $\displaystyle\int_1^x f(t)dt+xf(x)-xf(x)=\int_1^x f(t)dt$임을 이용한다.

주어진 등식의 양변에 $x=1$을 대입하면

$a+b+2=0$　　$\cdots\cdots$ ㉠

주어진 등식은 $\displaystyle\int_1^x(x-t)f(t)dt=ax^2+2x+b$와 같으므로

양변을 x에 대하여 미분하면

$\displaystyle\int_1^x f(t)dt=2ax+2$　　$\cdots\cdots$ ㉡

㉡의 양변에 $x=1$을 대입하면 $a=-1$이므로 ㉠에서 $b=-1$

따라서 $a+b=-2$

13 ⊜ ⑤

GUIDE

$g(x)=\displaystyle\int_2^x f(t)dt$의 양변을 미분하면 $g'(x)=f(x)$이므로

주어진 그림을 $y=g'(x)$의 그래프라 생각한다.

$g'(x)=f(x)$이므로 함수 $g(x)$는 $x=-2$에서 극댓값을 갖는다.

즉 $\alpha=-2$

$g(-2)=\displaystyle\int_2^{-2} f(t)dt$

$\qquad=-\displaystyle\int_{-2}^2(t^3+6t^2+8t)dt$

$\qquad=-2\displaystyle\int_0^2 6t^2 dt$

$\qquad=-2\left[2t^3\right]_0^2=-32$

14 ⊜ 2

GUIDE

$f(x)=k(x-1)(x-4)\,(k>0)$으로 놓고 주어진 식의 양변을 x에 대하여 미분한다.

$y=f(x)$의 그래프에서 $f(x)=k(x-1)(x-4)\,(k>0)$

$g(x)=\displaystyle\int_x^{x+1} f(t)dt$의 양변을 x에 대하여 미분하면

$g'(x)=f(x+1)-f(x)$

$\qquad=kx(x-3)-k(x-1)(x-4)$

$\qquad=k(x^2-3x)-k(x^2-5x+4)$

$\qquad=k(2x-4)=2k(x-2)$

$k>0$이므로 $g'(x)=0$에서 $x=2$

이고, 함수 $g(x)$의 증감표를 만들
면 오른쪽과 같으므로 $g(x)$는

x	$\cdots$	2	$\cdots$
$g'(x)$	$-$	2	$+$
$g(x)$	$\searrow$	극소	$\nearrow$

$x=2$에서 극솟값을 가진다.
이때 $g(x)$는 이차함수이므로
직선 $x=2$에 대칭인 모양이다.
따라서 구간 $[0, 3]$에서 함수 $g(x)$
는 $x=0$에서 최대, $x=2$에서 최소
이므로 $a=0$, $b=2$　$\therefore a+b=2$

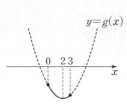

다른 풀이

오른쪽 그림에서

$g(0)=\displaystyle\int_0^1 f(t)dt$ 일 때 최대,

$g(2)=\displaystyle\int_2^3 f(t)dt$ 일 때 최소이다.

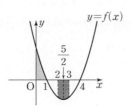

STEP 2　1등급 굳히기　p. 87~92

01 ②	02 ㄴ	03 9	04 36
05 43	06 0	07 44	08 ③
09 19	10 3	11 ②	12 2
13 ⑤	14 12	15 7	16 -1
17 3	18 306	19 ④	20 ㄱ, ㄴ
21 ⑤	22 ⑤	23 325	24 -42
25 ④	26 137	27 ⑤	

01 답 ②

GUIDE

$\displaystyle\int_0^1\{f(t)+g(t)\}dt=a$, $\displaystyle\int_0^1\{f(t)-g(t)\}dt=b$로 놓는다.

$\displaystyle\int_0^1\{f(t)+g(t)\}dt=a$, $\displaystyle\int_0^1\{f(t)-g(t)\}dt=b$라 하면

$f(x)=4x^2+a$, $g(x)=-x+b$이고

$a=\displaystyle\int_0^1\{(4t^2+a)+(-t+b)\}dt=\dfrac{4}{3}+a-\dfrac{1}{2}+b$

$\therefore b=-\dfrac{5}{6}$

$b=\displaystyle\int_0^1\{(4t^2+a)-(-t+b)\}dt=\dfrac{4}{3}+a+\dfrac{1}{2}-b$에서

$b=-\dfrac{5}{6}$를 대입하면 $a=-\dfrac{7}{2}$

따라서 $f(1)+g(1)=4-\dfrac{7}{2}-1-\dfrac{5}{6}=-\dfrac{4}{3}$

02 답 ㄴ

GUIDE

ㄱ. 간단한 경우에서 반례를 생각한다.

ㄷ. $\displaystyle\int_a^c f(x)dx=\displaystyle\int_a^b f(x)dx+\displaystyle\int_b^c f(x)dx$에서 생각한다.

ㄱ. [반례] 다음과 같은 경우 $\displaystyle\int_a^b f(x)dx<\displaystyle\int_a^b g(x)dx$이지만
구간 $[a, b]$에서 항상 $f(x)<g(x)$라 할 수 없다. (×)

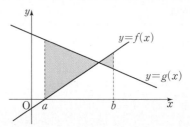

ㄴ. $\displaystyle\int_a^b f(x)dx=\Big[F(x)\Big]_a^b=F(b)-F(a)$

$\displaystyle\int_a^b f(t)dt=\Big[F(t)\Big]_a^b=F(b)-F(a)$

$\therefore \displaystyle\int_a^b f(x)dx=\displaystyle\int_a^b f(t)dt$ (○)

ㄷ. $\displaystyle\int_a^c f(x)dx=\displaystyle\int_a^b f(x)dx+\displaystyle\int_b^c f(x)dx$이므로

$\displaystyle\int_b^c f(x)dx<0$이면 $\displaystyle\int_a^b f(x)dx>\displaystyle\int_a^c f(x)dx$일 수 있다. (×)

03 답 9

GUIDE

$F(5)-F(4)$를 구하는 문제이므로 ㈏에서 얻은
$F(n+2)-F(n)=4n+3$에 n대신 적당한 수를 대입한다.

$F(x)$를 $f(x)$의 부정적분 중 하나라 하면

㈎에서 $\displaystyle\int_0^1 f(x)dx=F(1)-F(0)=1$　⋯⋯ ㉠

또 ㈏에서 $F(n+2)-F(n)=\Big[2x^2+x\Big]_n^{n+1}=4n+3$

$F(5)-F(3)=15$, $F(3)-F(1)=7$

$\therefore F(5)-F(1)=22$　⋯⋯ ㉡

$F(4)-F(2)=11$, $F(2)-F(0)=3$

$\therefore F(4)-F(0)=14$　⋯⋯ ㉢

㉡$-$㉢에서 $F(5)-F(4)-\{F(1)-F(0)\}=8$

㉠을 대입하면 $F(5)-F(4)=8+1=9$

다른 풀이

$\displaystyle\int_n^{n+2} f(x)dx=\displaystyle\int_n^{n+1}(4x+1)dx=4n+3$

$n=0, 1, 2, 3$을 대입하면

$\displaystyle\int_0^2 f(x)dx=3$, $\displaystyle\int_1^3 f(x)dx=7$

$\displaystyle\int_2^4 f(x)dx=11$, $\displaystyle\int_3^5 f(x)dx=15$

한편 $\displaystyle\int_0^1 f(x)dx=1$이므로 $\displaystyle\int_1^2 f(x)dx=2$

$\displaystyle\int_2^3 f(x)dx=5$, $\displaystyle\int_3^4 f(x)dx=6$, $\displaystyle\int_4^5 f(x)dx=9$

04 답 36

GUIDE

㈎에서 $g(x)=4-f(x)$이고, 이 식을 $f(x)g(x)=-x^2+4x$에 대입하여 $f(x)$를 구한다.

$g(x)=4-f(x)$를 ㈎의 두 번째 식에 대입하면

$\{f(x)\}^2-4f(x)-x(x-4)=0$

즉 $\{f(x)-x\}\{f(x)+(x-4)\}=0$에서

$f(x)=x$ 또는 $f(x)=4-x$

$f(x)=x$일 때 $g(x)=4-x$, $f(x)=4-x$일 때 $g(x)=x$이다.

두 직선 $y=x$, $y=4-x$가 $x=2$에서 만나므로

모든 실수 x에 대하여 연속이고, $f(x) \geq g(x)$이려면

$f(x)=\begin{cases} 4-x & (x<2) \\ x & (x \geq 2) \end{cases}$, $g(x)=\begin{cases} x & (x<2) \\ 4-x & (x \geq 2) \end{cases}$

$\therefore \int_0^8 f(x)dx = \int_0^2 (4-x)dx + \int_2^8 xdx = 36$

05 답 43

GUIDE

$a=0$, $0<a<4$, $a=4$의 세 경우로 나누어 $\int_a^{a+4} f(x)dx$를 구한다.

$0 \leq a \leq 4$에서 $g(a)=\int_a^{a+4} f(x)dx$라 하자.

(i) $a=0$일 때

$g(0)=\int_0^4 \{-x(x-4)\}dx=\left[-\dfrac{1}{3}x^3+2x^2\right]_0^4=\dfrac{32}{3}$

(ii) $0<a<4$일 때

$g(a)=\int_a^4 f(x)dx+\int_4^{a+4} f(x)dx$

$=\int_a^4 \{-x(x-4)\}dx+\int_4^{a+4}(x-4)dx$

$=\left[-\dfrac{1}{3}x^3+2x^2\right]_a^4+\left[\dfrac{1}{2}x^2-4x\right]_4^{a+4}$

$=\dfrac{1}{3}a^3-\dfrac{3}{2}a^2+\dfrac{32}{3}$

(iii) $a=4$일 때

$g(4)=\int_4^8(x-4)dx=\left[\dfrac{1}{2}x^2-4x\right]_4^8=8$

$0<a<4$일 때 $g(a)=\dfrac{1}{3}a^3-\dfrac{3}{2}a^2+\dfrac{32}{3}$에서

$g'(a)=a^2-3a=a(a-3)=0$

이때 함수 $g(a)$의 증감표는 다음과 같다.

a	(0)	$\cdots$	3	$\cdots$	(4)
$g'(a)$		$-$	0	$+$	
$g(a)$	$\dfrac{32}{3}$	$\searrow$	$\dfrac{37}{6}$	$\nearrow$	8

즉 $g(a)$는 $a=3$일 때 극솟값이면서 최솟값이 $\dfrac{37}{6}$이다.

따라서 $p+q=43$

06 답 0

GUIDE

❶ 그림에서 $f(x)=a(x-1)(x-3)$이고 $f(2)=-1$

❷ $g(x)=\int_2^{x+2} f(t)dt$의 양변에 $x=0$을 대입하면 $g(0)=0$

$g(x)=\int_2^{x+2} f(t)dt$에서 $g(0)=0$이고

주어진 그림에서 $f(x)=(x-1)(x-3)$이므로

$g'(x)=f(x+2)=(x+1)(x-1)$

이때 $g(x)=\int(x^2-1)dx=\dfrac{1}{3}x^3-x+C$에서 $g(0)=0$이므로

$C=0$, 즉 $g(x)=\dfrac{1}{3}x^3-x$에서 $g(x)$의 증감표는 다음과 같다.

x	$\cdots$	-1	$\cdots$	1	$\cdots$
$g'(x)$	$+$	0	$-$	0	$+$
$g(x)$	$\nearrow$	$\dfrac{2}{3}$	$\searrow$	$-\dfrac{2}{3}$	$\nearrow$

따라서 $x=-1$일 때 극댓값이 $\dfrac{2}{3}$이고 $x=1$일 때 극솟값이

$-\dfrac{2}{3}$이므로 그 합은 0

1등급 NOTE

$g(x)=\int_2^{x+2}(t^2-4t+3)dt=\dfrac{1}{3}x^3-x$임을 이용해도 되지만 계산이 복잡하므로 위 풀이처럼 구하면 실수를 줄일 수 있다.

07 답 44

GUIDE

$x \leq 1$일 때 $f(x)=2x$, $x \geq 1$일 때 $f(x)=2$이므로

$-1 \leq t \leq 1$, $1 \leq t \leq 3$으로 나누어 함수 $g(t)$를 구한다.

(i) $-1 \leq t \leq 1$일 때

$g(t)=\int_0^t (x+1)2xdx$

$=\left[\dfrac{2}{3}x^3+x^2\right]_0^t=\dfrac{2}{3}t^3+t^2$

(ii) $1 \leq t \leq 3$일 때

$g(t)=\int_0^1 (x+1)2xdx+\int_1^t (x+1)2dx$

$=t^2+2t-\dfrac{4}{3}$

(i), (ii)에서 $y=g(t)$의 그래프는 그림과 같으므로

최솟값은 $g(0)=0$,

최댓값은 $g(3)=9+6-\dfrac{4}{3}=\dfrac{41}{3}$

따라서 $a+b=3+41=44$

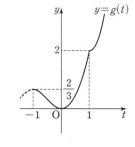

08 답 ③

$f(x)=x^3-3x-1$에서

$f'(x)=3x^2-3=0$이므로

$x=-1, 1$일 때 극값을 가지고,

$f(-1)=1, f(1)=-3$이다.

$y=|f(x)|$ 그래프 개형은 그림과 같다.

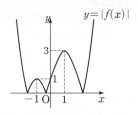

구간 $[-1, t]$에서 $y=|f(x)|$의 최댓값이 $g(t)$이므로

(ⅰ) $-1\le t\le 0$일 때

$\qquad g(t)=f(-1)=1$

(ⅱ) $0\le t\le 1$일 때

$\qquad g(t)=|f(t)|=-t^3+3t+1$

$\displaystyle\int_{-1}^{1}g(t)dt=\int_{-1}^{0}dt+\int_{0}^{1}(-t^3+3t+1)dt=1+\frac{9}{4}=\frac{13}{4}$

09 답 19

$t<\dfrac{1}{2}, \dfrac{1}{2}\le t<1, t\ge 1$일 때로 나누어 함수 $g(t)$를 구한다.

(ⅰ) $t<\dfrac{1}{2}$일 때

$\qquad g(t)=\displaystyle\int_{\frac{1}{2}}^{1}f(x)dx=\int_{\frac{1}{2}}^{1}(-x^2+3x)dx$

$\qquad\quad =\left[-\dfrac{x^3}{3}+\dfrac{3x^2}{2}\right]_{\frac{1}{2}}^{1}=\dfrac{5}{6}$

(ⅱ) $\dfrac{1}{2}\le t<1$일 때

$\qquad g(t)=\displaystyle\int_{\frac{1}{2}}^{1}f(x)dx=\int_{\frac{1}{2}}^{t}(x^2+1)dx+\int_{t}^{1}(-x^2+3x)dx$

$\qquad\quad =\left[\dfrac{x^3}{3}+x\right]_{\frac{1}{2}}^{t}+\left[-\dfrac{x^3}{3}+\dfrac{3x^2}{2}\right]_{t}^{1}$

$\qquad\quad =\dfrac{2}{3}t^3-\dfrac{3}{2}t^2+t+\dfrac{5}{8}$

(ⅲ) $t\ge 1$일 때

$\qquad g(t)=\displaystyle\int_{\frac{1}{2}}^{1}f(x)dx=\int_{\frac{1}{2}}^{1}(x^2+1)dx=\left[\dfrac{x^3}{3}+x\right]_{\frac{1}{2}}^{1}=\dfrac{19}{24}$

(ⅰ), (ⅱ), (ⅲ)에서 $y=g(t)$의 그래프는 다음과 같다.

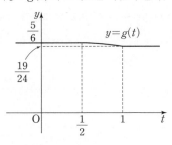

따라서 최솟값 $m=\dfrac{19}{24}$이므로 $24m=19$

10 답 ③

$a<2$일 때와 $a\ge 2$일 때로 나누어 생각한다.

(ⅰ) $0\le a<2$일 때

$\qquad \displaystyle\int_{0}^{2}x|x-a|dx=\int_{0}^{a}x(a-x)dx+\int_{a}^{2}x(x-a)dx$

$\qquad\qquad =\displaystyle\int_{0}^{a}(ax-x^2)dx+\int_{a}^{2}(x^2-ax)dx$

$\qquad\qquad =\left[\dfrac{a}{2}x^2-\dfrac{1}{3}x^3\right]_{0}^{a}+\left[\dfrac{1}{3}x^3-\dfrac{a}{2}x^2\right]_{a}^{2}$

$\qquad\qquad =\dfrac{1}{3}a^3-2a+\dfrac{8}{3}$

이때 함수 $f(a)=\dfrac{1}{3}a^3-2a+\dfrac{8}{3}$의 증감표는 다음과 같다.

a	0	$\cdots$	$\sqrt{2}$	$\cdots$	2
$g'(a)$	$-$	$-$	0	$+$	$+$
$g(a)$	$\dfrac{8}{3}$	$\searrow$	극소	$\nearrow$	$\dfrac{4}{3}$

이때 $f(0)=\dfrac{8}{3}, f(2)=\dfrac{4}{3}$이므로 최댓값은 $f(0)=\dfrac{8}{3}$

(ⅱ) $2\le a\le 3$일 때

$\qquad \displaystyle\int_{0}^{2}x|x-a|dx=\int_{0}^{2}x(a-x)dx=2a-\dfrac{8}{3}$이므로

$\qquad$ 최댓값은 $f(3)=\dfrac{10}{3}$

(ⅰ), (ⅱ)에서 $a=3$일 때 $\displaystyle\int_{0}^{2}x|x-a|dx$가 최대이다.

11 답 ②

$\displaystyle\int_{0}^{b}(|x-a|-a)dx=\int_{0}^{a}(|x-a|-a)dx+\int_{a}^{b}(|x-a|-a)dx$

$\displaystyle\int_{0}^{a}(|x-b|-b)dx$에서 $0\le x\le a$이므로

$\displaystyle\int_{0}^{a}(|x-b|-b)dx=\int_{0}^{a}(b-x-b)dx=-\int_{0}^{a}xdx=-\dfrac{a^2}{2}$

$\displaystyle\int_{0}^{b}(|x-a|-a)dx=\int_{0}^{a}(|x-a|-a)dx+\int_{a}^{b}(|x-a|-a)dx$

$\qquad\qquad =\displaystyle\int_{0}^{a}(a-x-a)dx+\int_{a}^{b}(x-a-a)dx$

$\qquad\qquad =\left[-\dfrac{x^2}{2}\right]_{0}^{a}+\left[\dfrac{x^2}{2}-2ax\right]_{a}^{b}$

$\qquad\qquad =a^2+\dfrac{b^2}{2}-2ab$

즉 $-\dfrac{a^2}{2}=a^2+\dfrac{b^2}{2}-2ab$에서 $(3a-b)(a-b)=0$

$a\ne b$이므로 $3a-b=0$ $\qquad\therefore \dfrac{b}{a}=3$

12 ⓐ 2

GUIDE

❶ $y=3x^{999}$는 그래프가 원점에 대칭인 함수이고, $y=x^{998}$은 그래프가 y축에 대칭인 함수이다.

❷ $y=\dfrac{f(x)-f(-x)}{2}$의 그래프는 항상 원점에 대하여 대칭이다.

$$\int_{-a}^{a}\left\{3x^{999}+x^{998}+\frac{f(x)-f(-x)}{2}\right\}dx$$
$$=2\int_{0}^{a}x^{998}dx=2\left[\frac{1}{999}x^{999}\right]_{0}^{a}$$
$$=\frac{2}{999}a^{999}=\frac{2^{1000}}{999}$$
$$\therefore a=2$$

1등급 NOTE

예를 들어 $f(x)=ax^2+bx+c$라 하면 $\dfrac{f(x)-f(-x)}{2}=bx$이다.

이 사실에서 $\dfrac{f(x)-f(-x)}{2}$는 $f(x)$에서 차수가 홀수인 항만 선택한 결과가 되는 함수임을 알 수 있다.

13 ⓐ ⑤

GUIDE

$h(x)=px+q(p\neq0)$로 놓고 미정계수법을 생각한다.

$h(x)=px+q(p\neq0)$라 하면
$$\int_{-1}^{1}g(x)h(x)dx$$
$$=\int_{-1}^{1}(ax^2+bx+c)(px+q)dx$$
$$=\int_{-1}^{1}\{apx^3+(aq+bp)x^2+(bq+cp)x+cq\}dx$$
$$=2\int_{0}^{1}\{(aq+bp)x^2+cq\}dx$$
$$=\frac{2}{3}(aq+bp)+2cq$$
$$=\left(\frac{2}{3}b\right)p+\left(\frac{2}{3}a+2c\right)q=0$$

이 식이 p, q에 대한 항등식이어야 하므로 $b=0$, $a=-3c$

ㄱ. $a\neq0$이고, $a=-3c$이므로 a와 c는 서로 부호가 다르다.
　　$\therefore ac<0$ (◯)

ㄴ. $b=0$이므로 $g(x)$는 y축에 대칭인 함수이고, 이때 $xg(x)$는 원점에 대칭인 함수이다.
　　$\therefore \displaystyle\int_{-3}^{3}xg(x)dx=0$ (◯)

ㄷ. $\displaystyle\int_{0}^{x}g(t)dt=\int_{0}^{x}(at^2+c)dt=\left[\frac{at^3}{3}+ct\right]_{0}^{x}$
　　　　$=\dfrac{1}{3}ax^3+cx=f(x)$ (◯)

14 ⓐ 12

GUIDE

㈎ $f(x)$가 원점에 대칭인 함수이므로 $f(0)=0$이고, $|f'(x)|$는 y축에 대칭인 함수이며, $x|f'(x)|$는 원점에 대칭인 함수이다.

㈏ $f'(1)=0$, $f(1)=-6$, $f(-1)=6$

$$\int_{-1}^{1}(x+1)|f'(x)|dx=\int_{-1}^{1}x|f'(x)|dx+\int_{-1}^{1}|f'(x)|dx$$
$$=\int_{-1}^{1}|f'(x)|dx$$
$$=2\int_{0}^{1}|f'(x)|dx$$
$$=-2\{f(1)-f(0)\}$$
$$=-2(-6-0)=12$$

1등급 NOTE

삼차함수 $f(x)$가 원점에 대칭이고 $x=1$에서 극소이므로 최고차항의 계수가 양수이다. 따라서 $-1<x<1$에서 $|f'(x)|=-f'(x)$이다.

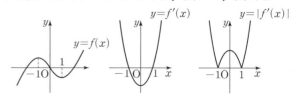

15 ⓐ 7

GUIDE

❶ $x^2-2x-3=(x-1)^2-4$, $x^3-3x^2+3x-4=(x-1)^3-3$

❷ $y=f(x-1)$의 그래프는 $y=f(x)$의 그래프를 x축 방향으로 1만큼 평행이동한 것이므로 $\displaystyle\int_{0}^{2}f(x-1)dx=\int_{-1}^{1}f(x)dx$

$$\int_{0}^{2}\{|x^2-2x-3|+x^3-3x^2+3x-4\}dx$$
$$=\int_{0}^{2}\{|(x-1)^2-4|+(x-1)^3-3\}dx$$
$$=\int_{-1}^{1}\{|x^2-4|+x^3-3\}dx$$
$$=2\int_{0}^{1}\{(-x^2+4)-3\}dx=\frac{4}{3}$$

따라서 $p+q=7$

참고

$x-1=t$라 하면 $x=0$일 때 $t=-1$이고, $x=2$일 때 $t=1$이다.
또 $dx=dt$이므로
$$\int_{0}^{2}f(x-1)dx=\int_{-1}^{1}f(t)dt=\int_{-1}^{1}f(x)dx$$

16 ⓐ −1

GUIDE

$f(2-x)=f(2+x)$이므로 $y=f(x)$의 그래프는 $x=2$에 대칭이다.

(가)에서 $y=f(x)$의 그래프가 $x=2$에 대해 대칭이고

$$\int_0^4 f(x)dx-\int_0^3 f(x)dx=\int_3^4 f(x)dx=6-2=4$$

이때 $\int_0^1 f(x)dx=\int_3^4 f(x)dx=4$이므로

$$\int_0^3 f(x)dx-\int_0^1 f(x)dx=\int_1^3 f(x)dx=2-4=-2$$

따라서 $\int_1^2 f(x)dx=\dfrac{1}{2}\int_1^3 f(x)dx=-1$

다른 풀이

$x=2$에 대하여 대칭인 다음과
같은 $y=f(x)$의 그래프를
그려 놓고 생각해 보자.
이때 (나)에서

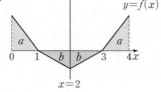

$$\int_0^3 f(x)dx=a+2b=2$$

이고 $\int_0^4 f(x)dx=2a+2b=6$이라 할 수 있으므로

$a=4$, $b=-1$이다.

따라서 $\int_1^2 f(x)dx=b=-1$

17 답 3

GUIDE

❶ $f(x)$가 y축에 대칭인 함수이므로

$$\int_{-a}^a f(x)dx=2\int_{-a}^0 f(x)dx=2\int_0^a f(x)dx$$

❷ $y=f(x-1)$의 그래프는 $y=f(x)$를 x축 방향으로 1만큼 평행이동한

것이므로 $\int_1^2 f(x-1)dx=\int_0^1 f(x)dx$

$$\begin{aligned}
\int_{-2}^{-1} f(x)dx&=\int_{-2}^1 f(x)dx-\int_{-1}^1 f(x)dx\\
&=\int_{-2}^1 f(x)dx-2\int_0^1 f(x)dx\\
&=\int_{-2}^1 f(x)dx-2\int_1^2 f(x-1)dx\\
&=5-2\times 1=3
\end{aligned}$$

다른 풀이

y축에 대하여 대칭인 다음과 같은
$y=f(x)$의 그래프를 그려 놓고

$\int_{-2}^1 f(x)dx=5$를 이용해

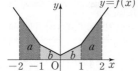

$\int_{-2}^{-1} f(x)dx$을 다음과 같이 구할 수 있다.

즉 $a+2b=5$, $b=1$에서 $a=3$이므로 $\int_{-2}^{-1} f(x)dx=a=3$

18 답 306

GUIDE

❶ $f(x)=f(4-x)$에서 $y=f(x)$의 그래프가 $x=2$에 대해 대칭이므
로 $f(1)=f(3)$임을 이용한다.

❷ $\int_{-1}^5 f(x)dx=\int_{-3}^3 f(x+2)dx$

$f'(1)=f'(3)=0$이고, $f(x)=f(4-x)$에서
$f(1)=f(3)$이므로 $f(x)=a(x-1)^2(x-3)^2+b$ 꼴이다.
$f(2)=a+b=0$에서 $b=-a$,
$f(3)=b=-1$에서 $a=1$, $b=-1$

한편 $y=f(x)$의 그래프를 $x=-2$만큼 평행이동하면

$$\int_{-1}^5 f(x)dx=\int_{-3}^3 f(x+2)dx$$이고

$f(x+2)=(x+1)^2(x-1)^2-1=(x^2-1)^2-1=x^4-2x^2$

이므로

$$\int_{-1}^5 f(x)dx=\int_{-3}^3 f(x+2)dx=\int_{-3}^3 (x^4-2x^2)dx=\dfrac{306}{5}$$

$\therefore 5k=306$

1등급 NOTE

❶ $f(a-x)=f(b+x)$, 즉 x 앞의 부호가 서로 반대이면 $f(x)$의 그래

프는 $x=\dfrac{(a-x)+(b+x)}{2}=\dfrac{a+b}{2}$에 대하여 대칭이다.

예를 들어 문제처럼 $f(x)=f(4-x)$로 주어진 경우

함수 $y=f(x)$의 그래프는 $x=\dfrac{x+(4-x)}{2}=2$에 대하여 대칭이다.

❷

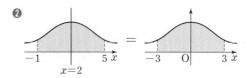

19 답 ④

GUIDE

$y=f(x+3)$의 그래프를 x축 방향으로 3만큼 평행이동한 것이 바로
$y=f(x)$의 그래프이다.

$$\int_0^a f(x+3)dx+\int_0^{-a} f(x+3)dx=0$$에서

$$\int_0^a f(x+3)dx=\int_{-a}^0 f(x+3)dx$$이므로

$y=f(x+3)$의 그래프는 $x=0$에 대하여 대칭이다.

이때 $y=f(x+3)$의 그래프를 x축 방향으로 3만큼 평행이동한
$y=f(x)$의 그래프는 $x=3$에 대하여 대칭이다.

$$\begin{aligned}
\therefore \int_0^9 f(x)dx&=\int_0^6 f(x)dx+\int_6^9 f(x)dx\\
&=2\int_0^3 f(x)dx+\int_{-3}^0 f(x)dx\\
&=2\times 2+\int_{-3}^3 f(x)dx-\int_0^3 f(x)dx\\
&=2\times 2+6-2=8
\end{aligned}$$

1등급 NOTE

❶ 다음과 같이 생각할 수 있다.

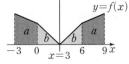

이때 $\displaystyle\int_0^6 f(x)dx = 2\int_0^3 f(x)dx$이고, $\displaystyle\int_6^9 f(x)dx = \int_{-3}^0 f(x)dx$

한편 $a+b=6$, $b=2$에서 $a=4$이므로 $\displaystyle\int_0^9 f(x)dx = a+2b=8$

❷ 주어진 조건에서 정적분의 값이 주어지면 위와 같이 그래프에서 생각하고, $f'(\alpha)=0$, $f(\alpha)=0$ 등의 도함수값, 함숫값이 주어지면 $f(x)$를 구한다.

20 ㉣ ㄱ, ㄴ

GUIDE

$x<1$일 때와 $x \geq 1$일 때로 나누어 함수 $f(x)$를 구한다.

(i) $x<1$일 때

$$f(x) = \int_{-2}^x (-t+1-1)dt$$
$$= \left[-\frac{t^2}{2}\right]_{-2}^x$$
$$= -\frac{1}{2}x^2+2$$

(ii) $x \geq 1$일 때

$$f(x) = \int_{-2}^x (|t-1|-1)dt$$
$$= \int_{-2}^1 (-t)dt + \int_1^x (t-2)dt$$
$$= \left[-\frac{t^2}{2}\right]_{-2}^1 + \left[\frac{t^2}{2}-2t\right]_1^x$$
$$= \frac{1}{2}x^2-2x+3$$

(i), (ii)에서 함수 $y=f(x)$의 그래프는 그림과 같다.

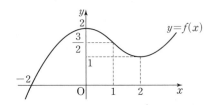

ㄱ. $f(0)=2$ (○)

ㄴ. $x=0$에서 극대, $x=2$에서 극소 (○)

ㄷ. $f(x)=0$의 실근은 음의 실근 하나뿐이다. (×)

주의

$x \geq 1$일 때 $f(x) \neq \displaystyle\int_{-2}^x (t-2)dt$임을 주의한다.

21 ㉣ 36

GUIDE

$$\lim_{x \to a} \frac{1}{x-a}\left\{\int_a^x f(t)dt\right\} = \lim_{x \to a} \frac{F(x)-F(a)}{x-a} = f(a)$$

(가)의 $\displaystyle\int_{-a}^a f(x)dx=0$에서 $f(x)=ax^3+cx$

(나)에서 $\displaystyle\lim_{x \to 1} \frac{1}{x-1}\left\{\int_1^x f(t)dt + f(x)-4\right\}=10$

즉 $\displaystyle\lim_{x \to 1} \frac{F(x)-F(1)}{x-1} + \lim_{x \to 1} \frac{f(x)-4}{x-1} = 10$이므로

$x \longrightarrow 1$일 때 분자 $\longrightarrow 0$에서

$f(1)=4$, $a+c=4$ ······ ㉠

$f(1)+f'(1)=10$에서

$f'(1)=6$, $3a+c=6$ ······ ㉡

㉠, ㉡에서 $f(x)=x^3+3x$ ∴ $f(3)=36$

22 ㉣ ⑤

GUIDE

함수 $f(t)g(t)$는 $t=5$를 경계로 다르게 표현되는 다항함수이므로 $t=5$일 때 미분계수가 존재하면 된다.

$$f(t) = \lim_{x \to t} \frac{1}{x-t}\int_t^x |y-5|dy = |t-5|, \quad g(t) = t^2-t+a$$

이때 $f(t)g(t) = \begin{cases} (t-5)(t^2-t+a) & (t \geq 5) \\ (5-t)(t^2-t+a) & (t<5) \end{cases}$에서

$t \geq 5$일 때, $f(t)g(t)=h_1(t)$,

$t<5$일 때 $f(t)g(t)=h_2(t)$라 하면

두 다항함수

$h_1(t)=t^3-6t^2+(a+5)t-5a$,

$h_2(t)=-t^3+6t^2-(a+5)t+5a$에서

$h_1'(5)=h_2'(5)$이면 $f(t)g(t)$는 모든 t에 대하여 미분가능하다.

즉 $a+20=-a-20$에서 $a=-20$

다른 풀이

$f(t)g(t)=|t-5|(t^2-t+a)$에서 $t=5$일 때 $f(t)g(t)$가 미분가능하려면 t^2-t+a의 인수가 $t-5$이면 된다.

즉 $g(5)=0$에서 $a=-20$

23 ㉣ 325

GUIDE

(나)의 양변을 미분하여 $f'(x)$를 구한다.

$3f(x)=\displaystyle\int_2^x \left\{\frac{f'(t)}{t-1}\right\}^2 dt + 6$의 양변을 x에 대하여 미분하면

$3f'(x)=\dfrac{\{f'(x)\}^2}{(x-1)^2}$, 즉 $\{f'(x)\}^2=3f'(x)(x-1)^2$에서

$f'(x)=0$ 또는 $f'(x)=3x^2-6x+3$

이때 $f(x)=C_1$ 또는 $f(x)=x^3-3x^2+3x+C_2$

$f(2)=2$이므로 $f(x)=2$ 또는 $f(x)=x^3-3x^2+3x$

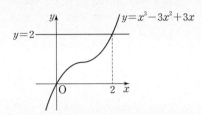

$\int_1^3 f(x)dx$가 최소가 되려면

$1\leq x\leq 2$에서 $f(x)=x^3-3x^2+3x$

$2\leq x\leq 3$에서 $f(x)=2$

$\therefore k=\int_1^3 f(x)dx=\int_1^2 (x^3-3x^2+3x)dx+\int_2^3 2dx=\dfrac{13}{4}$

따라서 $100k=100\times\dfrac{13}{4}=325$

24 답 -42

GUIDE

$\displaystyle\int_1^x xf(t)dt-\int_1^x tf(t)dt=2x^3+ax^2+1$

즉 $\displaystyle\int_1^x (x-t)f(t)dt=2x^3+ax^2+1$의 양변을 미분한다.

$\displaystyle\int_1^x xf(t)dt=2x^3+ax^2+1+\int_1^x tf(t)dt$ 에서

$\displaystyle\int_1^x tf(t)dt$ 를 이항하여 정리하면

$\displaystyle\int_1^x (x-t)f(t)dt=2x^3+ax^2+1$

양변을 미분하면 $\displaystyle\int_1^x f(t)dt=6x^2+2ax$

위 식에 $x=1$을 대입하면 $0=6+2a$ $\therefore a=-3$

즉 $\displaystyle\int_1^x f(t)dt=6x^2-6x$에서 양변을 미분하면 $f(x)=12x-6$

$\therefore f(-3)=-36-6=-42$

25 답 ④

GUIDE

$g(x)=\displaystyle\int_0^x (x-t)f(t)dt$에서 $g'(x)=\displaystyle\int_0^x f(t)dt$

$g(x)=\displaystyle\int_0^x (x-t)f(t)dt$의 양변을 미분하면

$g'(x)=\displaystyle\int_0^x f(t)dt=\left[\dfrac{t^3}{3}-t^2\right]_0^x=\dfrac{1}{3}x^2(x-3)$

즉 $g'(x)=\dfrac{1}{3}x^2(x-3)=0$의 실근은 0, 3으로 두 개이고,

$g(x)$는 $x=3$일 때 극솟값을 갖는다.

따라서 $a=2$, $b=3$이므로 $a+b=5$

26 답 137

GUIDE

$g(x)=\begin{cases} f(x+1)-1 & (-1\leq x<0) \\ f(x) & (0\leq x<1) \\ f(x-1)+1 & (1\leq x<2) \\ \quad\vdots & \\ f(x-4)+4 & (4\leq x<5) \end{cases}$

함수 $g(x)$가 구간 $(-1, 5)$에서 미분가능하므로 구간에 속한 모든 값에서 연속이다. 즉 $x=1$에서도 연속이므로

$g(1)=\displaystyle\lim_{x\to1-}g(x)$

이때 $g(1)=f(0)+1$, $\displaystyle\lim_{x\to1-}g(x)=\lim_{x\to1-}f(x)=f(1)=1$이므로

$f(0)+1=1$에서 $f(0)=0$ ······ ㉠

함수 $g(x)$가 $x=1$에서 미분가능하므로

$\displaystyle\lim_{x\to1+}\dfrac{g(x)-g(1)}{x-1}=\lim_{x\to1-}\dfrac{g(x)-g(1)}{x-1}$, 즉

$\displaystyle\lim_{x\to1+}\dfrac{g(x)-g(1)}{x-1}=\lim_{x\to1+}\dfrac{f(x-1)+1-g(1)}{x-1}$

$\qquad\qquad\qquad=\displaystyle\lim_{x\to1+}\dfrac{f(x-1)}{x-1}$

$\qquad\qquad\qquad=\displaystyle\lim_{x\to0+}\dfrac{f(x)}{x}=f'(0)$

$\displaystyle\lim_{x\to1-}\dfrac{g(x)-g(1)}{x-1}=\lim_{x\to1-}\dfrac{f(x)-f(1)}{x-1}=f'(1)=1$에서

$f'(0)=1$ ······ ㉡

㈎에서 $f(x)$는 최고차항의 계수가 1인 사차함수이므로

$f(x)=x^4+ax^3+bx^2+cx+d$로 놓으면

㉠, ㉡에서 $c=1$, $d=0$

조건 ㈏에 따라

$f(1)=1+a+b+1=1$ ······ ㉢

$f'(1)=4+3a+2b+1=1$ ······ ㉣

㉢, ㉣을 연립해서 풀면 $a=-2$, $b=1$

$f(x)=x^4-2x^3+x^2+x$이므로

$\displaystyle\int_0^4 g(x)dx$

$=\displaystyle\int_0^1 g(x)dx+\int_1^2 g(x)dx+\int_2^3 g(x)dx+\int_3^4 g(x)dx$

$=\dfrac{8}{15}+\left(\dfrac{8}{15}+1\right)+\left(\dfrac{8}{15}+2\right)+\left(\dfrac{8}{15}+3\right)=\dfrac{122}{15}$

$\therefore p+q=137$

1등급 NOTE

$\displaystyle\int_0^1 g(x)dx=\int_0^1 f(x)dx=\dfrac{8}{15}$

$\displaystyle\int_1^2 g(x)dx=\int_1^2 \{f(x-1)+1\}dx=\int_0^1 f(x)dx+\int_0^1 dx=\dfrac{8}{15}+1$

27 답 ⑤

GUIDE

❶ (가)에서 $f'(x)=0$의 해는 $x=0$, k이다.

❷ (나)의 등식 양변을 미분한다.

❸ $\int_0^t |f'(x)|dx$를 구한다.

ㄱ. $f'(x)$가 이차함수이므로 $f'(x)=ax(x-k)$ $(a>0)$라 하면 구간 $[0, k]$에서 $f'(x)\leq 0$이므로

$$\int_0^k f'(x)dx<0 \ (\bigcirc)$$

ㄴ. (나)에서 $\int_0^t |f'(x)|dx=f(t)+f(0)$의 양변을 t에 대해 미분 하면 $|f'(t)|=f'(t)$ ...... ㉠

㉠은 $t>1$인 모든 실수 t에서 성립하므로 $f'(t)\geq 0$ $(t>1)$ 이때 함수 $f(x)$는 (가)에서 $x=0$일 때 극댓값, $x=k$일 때 극 솟값을 가지므로 $0<k\leq 1$이다. $(\bigcirc)$

ㄷ. $f'(x)=ax(x-k)=ax^2-akx$에서

$$\int_0^t |f'(x)|dx$$

$$=-\int_0^k (ax^2-akx)dx+\int_k^t (ax^2-akx)dx$$

$$=-\left[\frac{a}{3}x^3-\frac{ak}{2}x^2\right]_0^k+\left[\frac{a}{3}x^3-\frac{ak}{2}x^2\right]_k^t$$

$$=\frac{a}{3}t^3-\frac{ak}{2}t^2+\frac{ak^3}{3} \quad ...... ㉡$$

$f(x)=\int (ax^2-akx)dx=\frac{a}{3}x^3-\frac{ak}{2}x^2+C$ (C는 적분상 수)라 하면

$$f(t)+f(0)=\left(\frac{a}{3}t^3-\frac{ak}{2}t^2+C\right)+C$$

$$=\frac{a}{3}t^3-\frac{ak}{2}t^2+2C \quad ...... ㉢$$

㉡, ㉢이 같아야 하므로 $C=\frac{ak^3}{6}$

즉 $f(x)=\frac{a}{3}x^3-\frac{ak}{2}x^2+\frac{ak^3}{6}$이므로 극솟값은

$$f(k)=\frac{ak^3}{3}-\frac{ak}{2}+\frac{ak^3}{6}=0 \ (\bigcirc)$$

1등급 NOTE

(나)에서 $0<k<t$이고 $\int_0^t |f'(x)|dx=f(t)+f(0)$에서
$f(t)+f(0)-2f(k)=f(t)+f(0)$ ∴ $f(k)=0$
따라서 $0<k\leq 1$이고 극솟값은 0이다.

STEP 3 | 1등급 뛰어넘기   p. 93~95

01 256	**02** 63	**03** ㄱ, ㄴ, ㄷ	**04** ⑤
05 6	**06** −47	**07** −15	**08** ⑤
09 ⑤	**10** ③		

01 답 256

GUIDE

❶ $\int_2^n (x-2)^2(x-n)dx=-\frac{1}{12}(n-2)^4$

❷ $\int_2^n (x-2)(x-n)dx=-\frac{1}{6}(n-2)^3$

$$\int_2^n x(x-2)(x-n)dx$$

$$=\int_2^n (x-2+2)(x-2)(x-n)dx$$

$$=\int_2^n \{(x-2)^2(x-n)+2(x-2)(x-n)\}dx$$

$$=\int_2^n (x-2)^2(x-n)dx+2\int_2^n (x-2)(x-n)dx$$

$$=-\frac{1}{12}(n-2)^4-\frac{1}{3}(n-2)^3$$

$$=-\frac{1}{12}(n-2)^3(n+2) \quad ∴ \ k=2$$

따라서 $g_n(x)=(x-2)^2(x-n)$, $h(n)=\frac{1}{3}(n-2)^3$, $k=2$

이므로 $3g_4(k+4)h(4)=3(6-2)^2(6-4)\times\frac{1}{3}(4-2)^3=256$

02 답 63

GUIDE

❶ 모든 x에 대하여 $(x-2)(x-5)(x-\alpha)(x-\beta)\geq 0$이 성립하려면 (제곱식)$\geq 0$ 꼴이어야 하므로 $\{\alpha, \beta\}=\{2, 5\}$

❷ 위 문제에서 구한
$\int_2^n x(n-2)(x-n)dx=-\frac{1}{12}(n-2)^3(n+2)$를 이용한다.

$f(x)=(x-2)(x-5)$이므로

$$\int_2^5 xf(x)dx=\int_2^5 x(x-2)(x-5)dx$$

$$=-\frac{1}{12}(5-2)^3(5+2)=-\frac{63}{4}$$

$$∴ \int_5^2 xf(x)dx=-\int_2^5 xf(x)dx=-\left(-\frac{63}{4}\right)=k$$

따라서 $4k=63$

03 답 ㄱ, ㄴ, ㄷ

GUIDE

$\int_a^b f(x)dx=g(b)-g(a)=0$과 $y=f(x)=g'(x)$을 이용해서 $y=g(x)$그래프의 개형을 그려본다.

ㄱ. $g(b)-g(c)=\int_c^b f(x)dx=-\int_b^c f(x)dx>0$ (◯)

ㄴ. $\int_a^b f(x)dx=0$에서 $g(b)-g(a)=0$, 즉 $g(a)=g(b)=0$

이므로 $y=g(x)$의 그래프 개형은 그림과 같은 꼴이 된다.

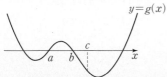

즉 방정식 $g(x)=0$의 실근은 네 개이다.

ㄷ. $g(d)=M$ $(a<d<c)$이라 하면

$$\int_a^c |f(x)|dx=\int_a^d f(x)dx-\int_d^c f(x)dx$$
$$=M-g(a)-\{g(c)-M\}$$
$$=2M-g(a)-g(c)\ (\ ◯\ )$$

04 답 ⑤

GUIDE

$\int_n^{n+1} f(x)dx=\int_{n-1}^n f(x+1)dx$이므로

$\int_1^2 f(x)dx=\int_0^1 f(x+1)dx$임을 이용할 수 있다.

(가)에서 $f(x+1)=f(x)+1$이므로

$\int_n^{n+1} f(x)dx=\int_{n-1}^n f(x+1)dx=\int_{n-1}^n f(x)dx+1$에서

$\int_0^3 f(x)dx$

$=\int_0^1 f(x)dx+\int_1^2 f(x)dx+\int_2^3 f(x)dx$

$=\int_0^1 f(x)dx+\left\{\int_0^1 f(x)dx+1\right\}+\left\{\int_1^2 f(x)dx+1\right\}$

$=\int_0^1 f(x)dx+\left\{\int_0^1 f(x)dx+1\right\}+\left\{\int_0^1 f(x)dx+2\right\}$

$=3\int_0^1 f(x)dx+3=3\int_0^1 (x^2+1)dx+3=7$

참고

❶ $\int_n^{n+1} f(x)dx$

$=\int_{n-1}^n f(x+1)dx$

$=\int_{n-1}^n \{f(x+1)-1+1\}dx$

$=\int_{n-1}^n \{f(x+1)-1\}dx+\int_{n-1}^n 1dx$

$=\int_{n-1}^n f(x)dx+1$

❷ $y=f(x)$의 그래프는 그림과 같다. 곡선 하나 하나는 이차함수 $y=x^2+1$ 모양이다.

05 답 6

GUIDE

(나) $\int_{-2}^3 f(-x)dx=\int_{-3}^2 f(x)dx$

(다) $\int_1^3 f(x-1)dx=\int_0^2 f(x)dx$, $\int_1^3 f(1-x)dx=\int_{-2}^0 f(x)dx$

$\int_0^2 f(x-2)dx=\int_{-2}^0 f(x)dx$, $\int_0^1 f(2-x)dx=\int_1^2 f(x)dx$

$\int_{-3}^{-2} f(x)dx=A$, $\int_{-2}^2 f(x)dx=B$, $\int_2^3 f(x)dx=C$라 하면

(가)에서 $\int_{-3}^2 f(x)dx=A+B=4$ ‥‥‥ ㉠

(나)에서

$\int_{-2}^3 \{f(x)+f(-x)\}dx=\int_{-2}^3 f(x)dx+\int_{-3}^2 f(x)dx$

$=(B+C)+(A+B)$

$=A+2B+C=10$ ‥‥‥ ㉡

(다)에서

$\int_1^3 \{f(x-1)+f(1-x)\}dx$

$=\int_0^2 f(x)dx+\int_{-2}^0 f(x)dx=B=2$

$B=2$이므로 ㉠에서 $A=2$이고, ㉡에서 $C=4$

$\therefore \int_2^3 \{f(x)+f(-x)\}dx=C+A=4+2=6$

참고

$\int_1^3 f(1-x)dx$에서 $1-x=t$ 라 하면 $-dx=dt$ 이고

$x=1$일 때 $t=0$, $x=3$일 때 $t=-2$이므로

$\int_1^3 f(1-x)dx=\int_0^{-2} f(t)(-dt)=-\int_0^{-2} f(t)dt=\int_{-2}^0 f(t)dt$

06 답 −47

GUIDE

이차함수 $g(t)=\int_t^{t+1} f(x)dx+k$의 그래프가

그림과 같은 꼴일 때, 함수 $y=|g(t)|$에서 뾰족점이 생기지 않아 항상 미분가능하다.

$\int_t^{t+1} f(x)dx=\int_t^{t+1} (3x^2-2x+4)dx=3t^2+t+4$

이때 $g(t)=|3t^2+t+4+k|$가 모든 실수 t에 대하여 미분가능하려면 뾰족점이 생기지 않아야 하므로 $3t^2+t+4+k\geq0$일 때와 같다. 즉 $D=1-12(4+k)\leq0$에서 $k\geq-\dfrac{47}{12}$이므로

$\alpha=-\dfrac{47}{12}$ $\therefore 12\alpha=-47$

07 ⓐ −15

GUIDE

❶ 원의 넓이가 최대가 될 때는 그림처럼 x축 아래에 원이 있을 때이다.

❷ 원의 중심이 y축 위에 있음을 이용해 $g(t)$를 구한다.

❸ $\int_0^3 g(t)dt$ 을 계산한다.

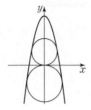

원의 중심을 $(0, k)$라 하면

원 $x^2+(y-k)^2=k^2$과 포물선 $y=9t^2-x^2$이 접하므로

y에 대한 이차방정식 $9t^2-y+(y-k)^2=k^2$의 판별식 $D=0$,

즉 $(2k+1)^2-36t^2=0$에서 $k=3t-\dfrac{1}{2},\ -3t-\dfrac{1}{2}$

이때 $g(t)=-3t-\dfrac{1}{2}$

$\therefore \int_0^3 g(t)dt=\int_0^3\left(-3t-\dfrac{1}{2}\right)dt=\left[-\dfrac{3}{2}t^2-\dfrac{1}{2}t\right]_0^3=-15$

08 ⓐ ⑤

GUIDE

$g(x)=\int_1^x f(t)dt$의 양변에 $x=1$을 대입해 얻은 $g(1)=0$과 이 식을 미분해서 얻은 $g'(1)=0$을 이용해 $g(x)$를 구한다.

$g(x)=\int_1^x f(t)dt$ 이므로 $g(x)$는 최고차항의 계수가 양수인

삼차함수이고 $g(x)=\int_1^x f(t)dt$ 에 $x=1$을 대입하면

$g(1)=\int_1^1 f(t)dt=0$　　$\cdots\cdots\,\ominus$

$g(x)=\int_1^x f(t)dt$를 x에 대하여 미분하면 $g'(x)=f(x)$

$f(1)=0$이므로 $g'(1)=0$　　$\cdots\cdots\,\bigcirc$

$\ominus$과 $\bigcirc$에서 $g(x)=k(x-1)^2(x-a)\ (k>0)$ 꼴이다.

$a=1$이면 ⑷에 어긋나므로 $a\neq1$

이때 ⑺에서 $g(2)=-6<0$이므로

함수 $g(x)=k(x-1)^2(x-a)$의 그래프는 [그림 1] 꼴이다.

⑷에서 $g(3)<0$이고 방정식 $|g(x)|=-g(3)$은 서로 다른 세 실근을 가지므로 함수 $y=|g(x)|$의 그래프와 직선 $y=-g(3)$의 그래프는 [그림 2]와 같다.

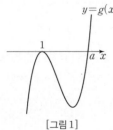

[그림 1]

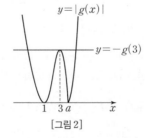

[그림 2]

즉 $g'(3)=0$이어야 한다.

$g'(x)=k(x-1)(3x-1-2a)$에서

$g'(3)=2k(8-2a)=0$이고 $k>0$이므로 $a=4$

$\therefore g(x)=k(x-1)^2(x-4)$

이때 ⑺에서 $g(2)=-2k=-6$　　$\therefore k=3$

따라서 $g(x)=3(x-1)^2(x-4)$이므로

$g(-1)=3\times(-2)^2\times(-5)=-60$

09 ⓐ ⑤

GUIDE

함수 $y=f(x)$의 그래프가 기울기가 2인 직선 위의 두 점 $(3, 6)$, $(4, 8)$을 지나므로 $f'(x)\geq2$에서 $f'(x)=2$만 가능함을 짐작할 수 있다.

$f(x)=\begin{cases} g(x) & (3\leq x<4) \\ ax^2+bx+c & (4\leq x\leq5) \\ h(x) & (5<x\leq6) \end{cases}$ 라 하면

$f(x)$가 두 점 $(3, 6)$, $(4, 8)$을 연결한 직선 밖의 점을 지난다면 평균값정리에 따라 조건 ⑺에 모순이므로 $g(x)=2x$

또 두 점 $(5, 11)$, $(6, 15)$에서도 같은 원리로 $h(x)=4x-9$

한편 $f(x)$는 구간 $(3, 6)$에서 미분가능하므로

$g(4)=16a+4b+c=8,\ g'(4)=8a+b=2$

$h(5)=25a+5b+c=11,\ h'(5)=10a+b=4$

연립하여 풀면 $a=1, b=-6, c=16$

$\therefore f(x)=\begin{cases} 2x & (3\leq x<4) \\ x^2-6x+16 & (4\leq x\leq5) \\ 4x-9 & (5<x\leq6) \end{cases}$

$\int_3^6 f(x)dx=\int_3^4 2xdx+\int_4^5(x^2-6x+16)dx+\int_5^6(4x-9)dx$

$=\dfrac{88}{3}=k$

$\therefore 3k=88$

참고

열린구간 $(3, 4)$에 속하는 임의의 k에 대해

(ⅰ) $f(k)<2k$이면

$f'(c)=\dfrac{f(k)-6}{k-3}<\dfrac{2k-6}{k-3}=2$

인 c가 구간 $(3, 4)$에 속한다.

즉 $f'(c)<2$인 c가 존재한다.

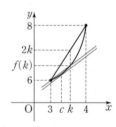

(ⅱ) $f(k)>2k$이면

$f'(d)=\dfrac{8-f(k)}{4-k}<\dfrac{8-2k}{4-k}=2$

인 d가 $(3, 4)$에 속한다.

즉 $f'(d)<2$인 d가 존재한다.

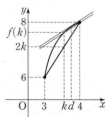

(ⅰ), (ⅱ)는 구간 $(3, 6)$에 속하는 모든 x에 대하여 $2\leq f'(x)\leq4$라는 조건 ⑺에 모순이므로 $f(x)$가 두 점 $(3, 6)$, $(4, 8)$을 연결한 직선 밖의 점을 지나는 경우는 없다.

10 답 ③

GUIDE

$\int_0^x f(t)dt$가 사차함수이므로 $\int_0^x f(t)dt=h(x)$라 하면,
주어진 그래프에서 $h(0)=h(1)=h(2)=h(4)=0$이다.

$h(x)=\int_0^x f(t)dt$라 하면 $g(x)=|h(x)|$이고

$y=h(x)=ax(x-1)(x-2)(x-4)$라 하면
[그림 1]처럼 $a>0$인 것은 $f(0)>0$인 조건에 어긋난다.
즉 [그림 2]와 같은 경우이므로 $a<0$이다.

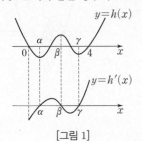
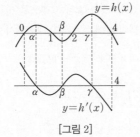

[그림 1]   [그림 2]

ㄱ. 방정식 $f(x)=0$은 서로 다른 3개의 실근을 갖는다. (◯)
ㄴ. $h'(x)=f(x)$는 $x<\alpha$일 때 감소하므로
　　$f'(0)<0$ (×)
ㄷ. $f(x)=h'(x)=a(4x^3-21x^2+28x-8)$에서
　　$f(1)\times f(3)=3a\times(-5a)<0$ (◯)
ㄹ. $\int_n^{n+2} f(x)dx=h(n+2)-h(n)>0$이면
　　$h(n+2)>h(n)$이어야 한다.
　　$n=1$일 때 $h(3)>h(1)$이 성립하지만
　　$n\geq2$인 자연수 n에 대하여
　　$h(n+2)>h(n)$이 성립하는 경우는 없다. (×)

참고

ㄹ에서 $n=2$일 때 $h(4)=h(2)=0$,
$n=3$일 때 $h(3)>0$, $h(5)<0$이므로 $h(5)<h(3)$이다.
또 $n\geq4$일 때 $h(x)$는 함숫값이 감소하므로 $h(n+2)<h(n)$이다.

---

08 정적분의 활용

STEP 1 | 1등급 준비하기
p. 98~99

01 ③	02 ⑤	03 ②	04 ④
05 $\dfrac{4}{3}$	06 2	07 5	08 ②
09 ⑤	10 ④		

01 답 ③

GUIDE

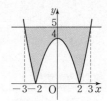

곡선 $y=x^2-4$와 직선 $y=5$로 둘러싸인
부분의 넓이에서 곡선 $y=x^2-4$와 x축
으로 둘러싸인 부분의 넓이의 2배를 빼면
된다. $y=x^2-4$와 $y=5$로 둘러싸인 부
분의 넓이는

$$\int_{-3}^{3}\{5-(x^2-4)\}dx=36$$

$y=x^2-4$와 $y=0$으로 둘러싸인 부분 넓이의 2배는

$$2\int_{-2}^{2}\{-(x^2-4)\}dx=\frac{64}{3}$$

따라서 $36-\dfrac{64}{3}=\dfrac{44}{3}$

02 답 ⑤

GUIDE

접점의 좌표를 $(t, 4t^3)$으로 놓고 접선의 방정식을 구한다.

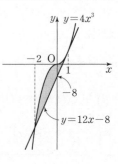

점 $(0, -8)$에서 곡선 $y=4x^3$에 그은
접선이 곡선과 만나는 접점을
$(t, 4t^3)$라 하면 접점을 지나는 직선
의 기울기는 $12t^2$이므로 접선은
$y=12t^2(x-t)+4t^3$이고,
점 $(0, -8)$을 지나므로
$-8-4t^3=12t^2(0-t)$, $t^3=1$
$\therefore t=1$
즉 접선의 방정식은 $y=12x-8$
이때 $4x^3=12x-8$, $(x-1)^2(x+2)=0$에서
접선과 곡선이 만나는 점의 x좌표는 $1, -2$
따라서 접선과 곡선으로 둘러싸인 도형의 넓이는

$$\int_{-2}^{1}(4x^3-12x+8)dx=27$$

03 달 ②

GUIDE

직선 $y=2x+8$과 포물선 $y=x^2$으로 둘러싸인 부분의 넓이에서 직선 $y=-x+2$와 포물선 $y=x^2$으로 둘러싸인 부분의 넓이를 뺀다.

$y=x^2$과 $y=2x+8$로
둘러싸인 부분의 넓이는
S_1+S_2
$=\int_{-2}^{4}(2x+8-x^2)dx$
$=36$

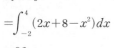

$y=x^2$과 $y=-x+2$로
둘러싸인 부분의 넓이는
$S_1=\int_{-2}^{1}(-x+2-x^2)dx=\dfrac{9}{2}$

$\therefore S_2=(S_1+S_2)-S_1=36-\dfrac{9}{2}=\dfrac{63}{2}$

1등급 NOTE

넓이 공식을 이용하면
$S_1+S_2=\dfrac{|-1|}{6}\{4-(-2)\}^3=36$
$S_1=\dfrac{|-1|}{6}\{1-(-2)\}^3=\dfrac{9}{2}$

04 달 ④

GUIDE

$\int_{\alpha}^{\beta}\{(-x^2+2x+3)-(x^2-1)\}dx$와 같다.
이때 $\alpha,\ \beta$는 두 곡선의 교점의 x좌표이다.

$x^2-1=-x^2+2x+3$에서
$(x-2)(x+1)=0$
즉 두 곡선의 교점의 x좌표는
$-1,\ 2$이므로
두 곡선으로 둘러싸인 부분의
넓이는

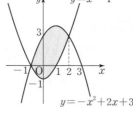

$\int_{-1}^{2}\{(-x^2+2x+3)-(x^2-1)\}dx$
$=\int_{-1}^{2}(-2x^2+2x+4)dx$
$=\left[-\dfrac{2}{3}x^3+x^2+4x\right]_{-1}^{2}=9$

1등급 NOTE

두 포물선 $y=ax^2+bx+c$와 $y=a'x^2+b'x+c'$으로 둘러싸인 부분의 넓이는 $\dfrac{|a-a'|}{6}(\beta-\alpha)^3$과 같다.

이때 $\alpha,\ \beta$는 두 곡선의 교점의 x좌표이다

위 문제의 경우 넓이는 $\dfrac{|-1-1|}{6}\{2-(-1)\}^3=\dfrac{1}{3}\times3^3=9$

05 달 $\dfrac{4}{3}$

GUIDE

$\int_0^1 f(t)dt=a$로 놓고 함수 $f(x)$를 구한다.

$f(x)=x^2+\dfrac{3}{2}\int_0^1 f(t)dt$에서 $\int_0^1 f(t)dt=a$라 하면

$\int_0^1\left(x^2+\dfrac{3}{2}a\right)dx=a$ $\quad\therefore a=-\dfrac{2}{3}$

따라서 $f(x)=x^2-1$이므로
두 함수 $f(x)=x^2-1$과
$xf(x)=x^3-x$의 그래프로 둘러싸인
부분의 넓이는 오른쪽 그림에서

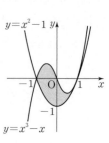

$\int_{-1}^{1}\{x^3-x-(x^2-1)\}dx$
$=2\int_0^1(-x^2+1)dx$
$=2\left[-\dfrac{1}{3}x^3+x\right]_0^1=\dfrac{4}{3}$

06 달 2

GUIDE

오른쪽 그림에서 $S_1=S_2$이면
$\int_a^\gamma\{f(x)-g(x)\}dx=0$

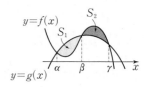

$x(a-x)=x^2(a-x)$
$x(x-1)(a-x)=0$에서
$x=0,\ 1,\ a$이고 $a>1$이므로
$\int_0^a\{x(a-x)-x^2(a-x)\}dx=0$

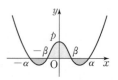

즉 $-\dfrac{1}{12}a^3(a-2)=0$에서 $a=2\ (\because a>1)$

07 달 5

GUIDE

❶ 문제 내용을 그림처럼 나타낼 수 있다.
이때 $y>0$인 부분과 $y<0$인 부분의
넓이가 같으므로 $\int_{-\alpha}^{\alpha}f(x)dx=0$
❷ $f(x)$는 y축에 대칭인 함수이다.

$f(x)$는 y축에 대칭인 함수이므로 사차방정식 $f(x)=0$의 네 근을 $-\alpha,\ -\beta,\ \beta,\ \alpha\ (\alpha>\beta>0)$라 하면
$f(\alpha)=0$에서 $\alpha^4-6\alpha^2+p=0$ ······ ㉠
또 $\int_{-\alpha}^{\alpha}f(x)\,dx=0$에서 $\dfrac{1}{5}\alpha^5-2\alpha^3+p\alpha=0$ ······ ㉡
㉠, ㉡을 풀면 $p=5\ (\because p>0)$

ⓒ에서 구한 $p=2a^2-\dfrac{1}{5}\alpha^4$을 ⓐ에 대입하면

$\dfrac{4}{5}\alpha^4-4\alpha^2=0$에서 $\alpha^2=5$ $(\because \alpha\neq0)$

따라서 $p=2\times5-\dfrac{1}{5}\times5^2=5$

08 답 ②

$g(0)=a$, $g(5)=b$에서 $\displaystyle\int_a^b f(x)dx$ 값을 이용한다.

$g(0)=a$, $g(5)=b$라 하면

$f(a)=0$, $f(b)=5$이므로

$a=1$, $b=2$이고 $\displaystyle\int_0^5 g(x)dx$의 값은

그림에서 색칠한 부분의 넓이와 같다.

따라서

$\displaystyle\int_0^5 g(x)dx$

$=2\times5-\displaystyle\int_1^2 f(x)dx$

$=10-\dfrac{23}{12}=\dfrac{97}{12}$

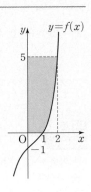

그림에서 색칠한 부분의 넓이는
$y=f(x)$의 역함수의 그래프로 둘러
싸인 부분과 같으므로 그 넓이는
$\displaystyle\int_{f(a)}^{f(b)} f^{-1}(x)dx$이다. 이 값은 다음과
같이 큰 직사각형에서 S_1, S_2를 뺀 것
과 같다. 즉

$\displaystyle\int_{f(a)}^{f(b)} f^{-1}(x)dx=bf(b)-af(a)-\int_a^b f(x)dx$

위 문제는 $f(a)=0$일 때이므로 $\displaystyle\int_0^{f(b)} f^{-1}(x)dx=bf(b)-\int_a^b f(x)dx$이다.

09 답 ⑤

(출발 후 3분 동안 움직인 거리)
=(3분 후부터 멈출 때까지 움직인 거리)

오른쪽 그림에서 $S_1=S_2$, 즉

$\displaystyle\int_0^3 (t^2+2t)dt$

$=\dfrac{1}{2}\times(a-3)\times15=18$

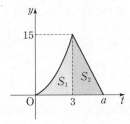

에서 $a-3=2.4$이므로

2.4분 동안 제동이 걸렸다.

10 답 ④

❶ (a에서 b까지 움직인 거리)$=\displaystyle\int_a^b |v(t)|dt$

❷ (a에서 b까지 위치의 변화량)$=\displaystyle\int_a^b v(t)dt$

$t=0$부터 $t=b$까지 점 P가 움직인
거리와 $t=0$부터 $t=2b$까지 점
P의 위치의 변화량이 같으므로

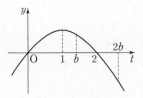

$\displaystyle\int_0^b (2at-at^2)dt$

$=\displaystyle\int_0^{2b} (2at-at^2)dt$ 에서

$\displaystyle\int_b^{2b} (2at-at^2)dt=0$

정리하면 $ab^2(9-7b)=0$ $\quad\therefore b=\dfrac{9}{7}$

$\displaystyle\int_b^{2b} (2at-at^2)dt=0$을 이용하지 않고

$\displaystyle\int_0^b (2at-at^2)dt=\int_0^{2b} (2at-at^2)dt$ 를 직접 풀어도 된다.

즉 $ab^2-\dfrac{1}{3}ab^3=4ab^2-\dfrac{8}{3}ab^3$에서 $7b=9$

STEP 2	1등급 굳히기		p. 100~105
01 2	02 4	03 64	04 ③
05 ③	06 4	07 ①	08 ③
09 1	10 ③	11 ①	12 1
13 2	14 ⑤	15 ㄱ, ㄴ	16 ④
17 9	18 6	19 ㄱ, ㄴ, ㄷ	
20 (1) 1 (2) 3 (3) 5		21 ㄱ, ㄷ	22 ㄱ, ㄴ

01 답 2

곡선 $y=ax^3-3ax^2+2ax$의 그래프를 그려 x축과 둘러싸인 부분을 확인한다.

$f(x)=ax^3-3ax^2+2ax=ax(x-1)(x-2)=0$이라 하면
$a>0$이므로 $y=f(x)$의 그래프는 다음과 같다.

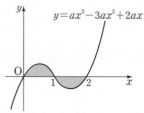

$y=ax^3-3ax^2+2ax$와 x축으로 둘러싸인 부분의 넓이 S는

$S=\int_0^2 (ax^3-3ax^2+2ax)dx$

$=\int_0^1 (ax^3-3ax^2+2ax)dx+\int_1^2 (-ax^3+3ax^2-2ax)dx$

$=a\left[\dfrac{x^4}{4}-x^3+x^2\right]_0^1+a\left[-\dfrac{x^4}{4}+x^3-x^2\right]_1^2=\dfrac{a}{2}$

따라서 $\dfrac{a}{2}=1$이므로 $a=2$

02 답 4

GUIDE

사각형 BOAP에서 그래프 아랫부분을 뺀 것을 생각한다.

$S_1=a^3-\int_0^a x^2 dx=\dfrac{2}{3}a^3$

$S_2=\int_a^2 x^2 dx=\dfrac{8}{3}-\dfrac{1}{3}a^3$

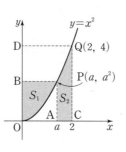

이때 $S_1+S_2=\dfrac{2}{3}a^3+\dfrac{8}{3}-\dfrac{1}{3}a^3=4$

즉 $\dfrac{1}{3}a^3=\dfrac{4}{3}$에서 $a^3=4$

03 답 64

GUIDE

직선 $y=a^2$과 곡선 $y=x^2$이 만나는 두 점의 x좌표는 $-a,\,a$이다.

$S(a)=2a^3-2\int_0^a x^2 dx=\dfrac{4}{3}a^3$

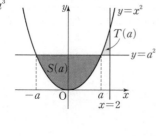

$T(a)=\int_a^2 (x^2-a^2)dx$

$=\dfrac{2}{3}a^3-2a^2+\dfrac{8}{3}$

$f(a)=S(a)+T(a)$

$=2a^3-2a^2+\dfrac{8}{3}$

이라 하면 $f'(a)=6a^2-4a=0$에서 $a=0,\,\dfrac{2}{3}$

따라서 $0<a<2$에서 $a=\dfrac{2}{3}$일 때 $f(a)$는 최솟값을 가지므로

$m=f\left(\dfrac{2}{3}\right)=\dfrac{64}{27}$ $\therefore\ 27m=64$

04 답 ③

GUIDE

$S_1:(S_1+S_2)=7:12$를 이용한다.

제1사분면에서 직선 $y=-x+a$와 포물선 $y=x^2$이 만나는 점의 x좌표를 k라 하면 k는 방정식 $x^2=-x+a$에서 양수인 근이므로 $k^2+k=a$ $\cdots\cdots$ ㉠

이때 $S_1=\int_0^k (-x+a-x^2)dx=-\dfrac{1}{3}k^3-\dfrac{1}{2}k^2+ak$이고

$S_1+S_2=\dfrac{1}{2}a^2$이므로 $S_1:(S_1+S_2)=7:12$에서

$-4k^3-6k^2+12ak=\dfrac{7}{2}a^2$에 ㉠을 대입하면

$7k^2-2k-5=0,\ k=1\ (\because\ k>0)$ $\therefore\ a=1^2+1=2$

05 답 ③

GUIDE

사차함수 $y=f(x)$의 그래프는 원점과 $(a,\,0)$을 지나고, $x=3$일 때 극솟값을 가진다.

$f(x)=x^3(x-a)=x^4-ax^3$

$f'(x)=4x^3-3ax^2$

$=x^2(4x-3a)$

$f'(3)=9(12-3a)=0$

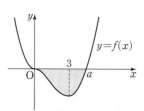

이므로 $a=4$

따라서 구하는 넓이는

$\int_0^4 (-x^4+4x^3)dx=\left[-\dfrac{1}{5}x^5+x^4\right]_0^4=\dfrac{256}{5}$

06 답 4

GUIDE

두 함수 $y=f(x),\ y=g(x)$의 그래프가 $x=k$에서 접하면 $f(k)=g(k)$이고, $f'(k)=g'(k)$

$f(x)=x^3+ax+b,\ g(x)=ax^2+bx+1$이라 하면

$f(-1)=g(-1),\ f'(-1)=g'(-1)$에서 $a=-1,\ b=0$

즉 $f(x)=x^3-x,\ g(x)=-x^2+1$이고,

두 함수의 그래프로 둘러싸인 부분의 넓이는 그림에서

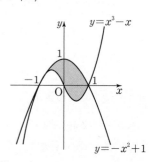

$\int_{-1}^1 \{-x^2+1-(x^3-x)\}dx$

$=2\int_0^1 (-x^2+1)dx=\dfrac{4}{3}$

따라서 $S=\dfrac{4}{3}$이므로 $3S=4$

07 답 ①

GUIDE

$S_1=2S_2$에서 $\frac{1}{2}S_1=S_2$임을 이용한다.

$y=x^2-2ax$의 그래프에서
대칭축이 $x=a$이므로

$\int_a^2(x^2-2ax)dx=0$

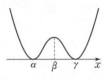

즉 $\left[\frac{1}{3}x^3-ax^2\right]_a^2=0$에서

$a^3-6a+4=(a-2)(a^2+2a-2)=0$

$\therefore a=-1+\sqrt{3}\ (\because 0<a<1)$

08 답 ③

GUIDE

$h(x)=\int_a^x\{f(t)-g(t)\}dt$ 라 하고,

$h(x)$가 $x=\alpha,\ x=\beta,\ x=\gamma$일 때 어떤 상태인지 생각한다.

$h(x)=\int_\alpha^x\{f(t)-g(t)\}dt$ 라 하면

$h(\alpha)=0,\ h(\gamma)=0$이고

$x=\beta$에서 극댓값을 가지므로

$y=h(x)$의 그래프 개형은 그림과 같다.

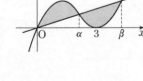

참고

$h(\beta)=\int_\alpha^\beta\{f(t)-g(t)\}dt>0$

$h(\gamma)=\int_\alpha^\gamma\{f(t)-g(t)\}dt=0$

09 답 1

GUIDE

두 부분의 넓이가 같으므로 $\int_0^\beta(x^3-6x^2+9x-mx)dx=0$이 되는
m값을 결정하는 방법을 생각해 보자.

방정식 $x^3-6x^2+9x=mx$,
즉 $x^3-6x^2+(9-m)x=0$
의 세 근을
$0,\ \alpha,\ \beta\ (0<\alpha<\beta)$라 하면
그림에서 색칠한 두 부분의
넓이가 서로 같으므로

$\int_0^\beta\{x^3-6x^2+(9-m)x\}dx=0$이고,

$\beta^4-8\beta^3+2(9-m)\beta^2=0$에서 $\beta\neq0$이므로

$\beta^2-8\beta+2(9-m)=0$ ...... ㉠

또 β가 방정식 $x^3-6x^2+(9-m)x=0$의 근이므로

$\beta^2-6\beta+9-m=0$ ...... ㉡

따라서 ㉠, ㉡에서 $m=1$

다른 풀이

삼차함수의 그래프와 직선으로 둘러싸인 두 부분의 넓이가 같으
려면 삼차함수 그래프의 대칭성에 따라 직선이 삼차함수 그래프
의 대칭점을 지나야 한다.

$f(x)=x^3-6x^2+9x$라 하면

$f'(x)=3x^2-12x+9=3(x-1)(x-3)=0$에서

두 극점은 $(1,4),\ (3,0)$이고, 대칭점은 두 극점의 중점이므로 대
칭점의 좌표는 $(2,2)$

따라서 직선 $y=mx$가 점 $(2,2)$를 지나므로 $m=1$

참고

㉡에서 $9-m=-\beta^2+6\beta$이므로 이것을 ㉠에 대입해서 정리하면

$\beta^2-4\beta=0$ $\therefore \beta=4\ (\because \beta\neq0)$

10 답 ③

GUIDE

$\int_0^b\{2f(x)-g(x)-x\}dx=\int_0^b\{f(x)-g(x)+f(x)-x\}dx$

$\int_0^b\{2f(x)-g(x)-x\}dx$

$=\int_0^b\{f(x)-g(x)+f(x)-x\}dx$

$=\int_0^b\{f(x)-g(x)\}dx+\int_0^b\{f(x)-x\}dx$

$=S_1+S_2-S_3-S_4+S_1-S_4$

$=2(S_1-S_4)+(S_2-S_3)=2\times4+1=9$

11 답 ①

GUIDE

❶ 색칠한 부분은 원의 내부이면서 포물선 아랫부분이다.

❷ 곡선 $y=x^2$이 원 $(x-1)^2+(y-2)^2=5$의 지름의 양끝점을 지난다.

색칠한 부분의 넓이는 원점과
점 $(2,4)$를 이은 직선과
$y=x^2$으로 둘러싸인 부분의
넓이를 반원에서 빼면 되므로

$\frac{5}{2}\pi-\int_0^2(2x-x^2)dx$

$=\frac{5}{2}\pi-\frac{4}{3}$

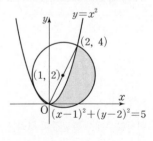

12 답 1

GUIDE

❶ 넓이 공식 $\frac{|a|}{6}(\beta-\alpha)^3$을 이용한다.

❷ $x^2=x+k$의 두 근이 $\alpha,\ \beta$이다.

❸ 사다리꼴의 넓이 $S_1=\frac{1}{2}(\alpha^2+\beta^2)(\beta-\alpha)$

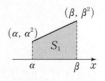

$x^2-x-k=0$에서 $\alpha+\beta=1$, $\alpha\beta=-k$이고

$S_1=\dfrac{1}{2}(\alpha^2+\beta^2)(\beta-\alpha)$, $S_2=\dfrac{1}{6}(\beta-\alpha)^3$이므로

$\dfrac{1}{2}(\alpha^2+\beta^2)(\beta-\alpha)=\dfrac{1}{3}(\beta-\alpha)^3$, $(\alpha+\beta)^2+2\alpha\beta=0$

$1-2k=0$, $k=\dfrac{1}{2}$ $\qquad\therefore 2k=1$

참고

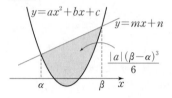

그림에 나타낸 넓이 $\dfrac{|a|(\beta-\alpha)^3}{6}$

---

13 답 2

GUIDE

α, β를 $x^2=m(x-1)+5$의 두 근이라 놓고 포물선과 직선 사이의 넓이가 $\dfrac{1}{6}(\beta-\alpha)^3$임을 이용한다.

이차방정식 $x^2=m(x-1)+5$, 즉 $x^2-mx+m-5=0$의 두 근을 α, β $(\alpha<\beta)$라 하면 곡선 $y=x^2$과 직선 $y=m(x-1)+5$로 둘러싸인 부분의 넓이는 $\dfrac{(\beta-\alpha)^3}{6}$

이때 $\alpha+\beta=m$, $\alpha\beta=m-5$에서 $\beta-\alpha=\sqrt{m^2-4m+20}$

$\dfrac{(\beta-\alpha)^3}{6}$가 최솟값을 가지려면 $m^2-4m+20$,

즉 $(m-2)^2+16$이 최솟값을 가져야 한다. 따라서 $m=2$

---

14 답 ⑤

GUIDE

이차방정식 $x^2-mx-n=0$의 두 근이 x_1, x_2이다.

$S_1=\dfrac{|-1|}{6}(x_2-x_1)^3$

$\quad=\dfrac{1}{6}(x_2-x_1)(m^2+4n)$

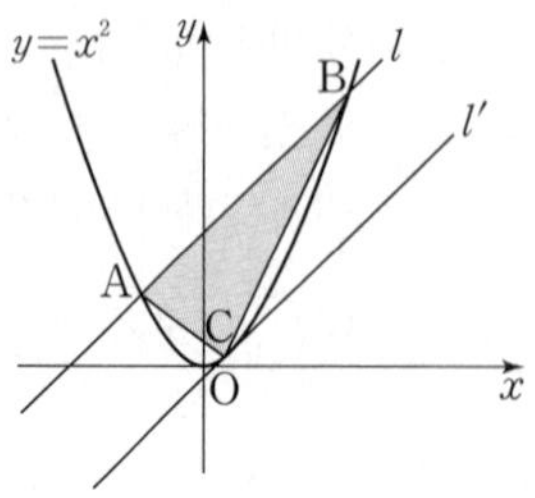

$\therefore$ (가) $\dfrac{1}{6}$

이차함수에서 평균값의 정리를 만족시키는 x좌표는 두 교점의

x좌표의 중점이므로 (나) $\dfrac{x_1+x_2}{2}=\dfrac{m}{2}$

$\sqrt{(x_2-x_1)^2+(y_2-y_1)^2}=\sqrt{(x_2-x_1)^2+(x_2^2-x_1^2)^2}$

$\qquad\qquad\qquad\qquad\quad=(x_2-x_1)\sqrt{1+(x_1+x_2)^2}$

$\qquad\qquad\qquad\qquad\quad=(x_2-x_1)\sqrt{1+m^2}$

$\therefore$ (다) $1+m^2$

따라서 $f\left(\dfrac{1}{6}\right)+g\left(\dfrac{1}{6}\right)=\dfrac{10}{9}$

참고

$d=\dfrac{m^2+4n}{4\sqrt{m^2+1}}$이고, $\overline{AB}=(x_2-x_1)\sqrt{1+m^2}$이므로

$S_2=\dfrac{1}{8}(x_2-x_1)(m^2+4n)$에서 $S_1:S_2=\dfrac{1}{6}:\dfrac{1}{8}=4:3$

1등급 NOTE

평균값 정리에 따라 $\dfrac{x_2^2-x_1^2}{x_2-x_1}=x_2+x_1=f'(c)$인 c가 존재한다.

이때 $f'(c)=2c$이므로 $2c=x_2+x_1$ $\qquad\therefore c=\dfrac{x_2+x_1}{2}$

즉 이차함수에서 평균값 정리를 만족시키는 접점의 x좌표는 양 끝점의 x좌표의 평균과 같다.

---

15 답 ㄱ, ㄴ

GUIDE

함수 $f(x)=x^3+3x^2$의 극댓값이 4, 극솟값이 0이므로 곡선 $y=x^3+3x^2+k$는 $k=-4$, $k=0$일 때 각각 x축에 접한다.

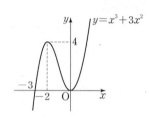

ㄱ. $\alpha=-4$, $\beta=0$이므로 $\alpha+\beta=-4$ (○)

ㄴ. $y=x^3+3x^2-4$가 x축과 만나는 두 점의 x좌표는 각각 -2, 1이므로

$S_1=\dfrac{(1+2)^4}{12}=\dfrac{27}{4}$ (○)

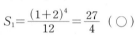

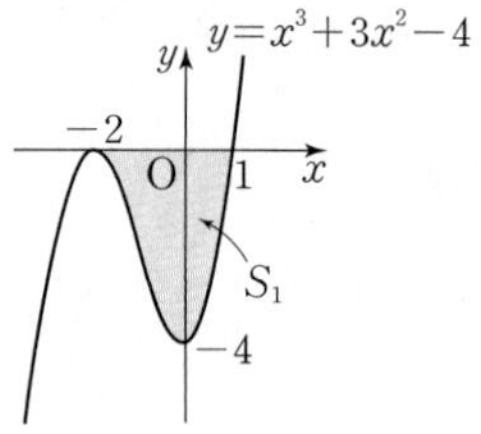

ㄷ. $y=x^3+3x^2$의 그래프가 x축과 만나는 두 점의 x좌표가 -3, 0이므로

$S_2=\dfrac{(0+3)^4}{12}=\dfrac{27}{4}$

즉 $S_1=S_2$ (×)

1등급 NOTE

❶ [그림 1]에서 $S_1=S_2$이다. (∵ 삼차함수 그래프의 대칭성)

❷ [그림 2]에서 색칠한 부분의 넓이는 $\dfrac{|a|}{12}(\beta-\alpha)^4$

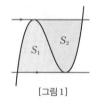

[그림 1]

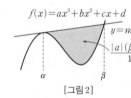

$f(x)=ax^3+bx^2+cx+d$

$y=mx+n$

$\dfrac{|a|(\beta-\alpha)^4}{12}$

[그림 2]

---

16 답 ④

GUIDE

$\{f(-2)\}^2+\{f(1)\}^2+\{f'(1)\}^2=0$에서 $f(-2)$, $f(1)$, $f'(1)$이 모두 실수이므로 (실수)$^2\geq0$에서 $f(-2)=f(1)=f'(1)=0$이다.

$f(-2)=f(1)=f'(1)=0$이므로

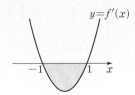

$$f(x)=a(x+2)(x-1)^2$$
$$=ax^3-3ax+2a$$

라 하면 $(a>0)$

$$f'(x)=3a(x+1)(x-1)$$

이때 $y=f'(x)$와 x축으로 둘러싸인 부분의 넓이가 6이므로

$$\frac{3a}{6}\{1-(-1)\}^3=6 \qquad \therefore a=\frac{3}{2}$$

따라서 $y=f(x)$의 극댓값은 $f(-1)=6$

---

17 답 9

GUIDE

❶ $y=\frac{3}{4}x^2-\frac{1}{8}x^3$에서 극솟값은

$x=0$일 때 0, 극댓값은 $x=4$일 때 4

이므로 $y=\frac{3}{4}x^2-\frac{1}{8}x^3$의 그래프는

오른쪽과 같고, $0\le x\le 4$에서 $y\ge 0$

이다.

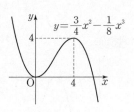

❷ $y=f(x)$의 그래프에서 직선 $y=x$를 그려 $h(x)$를 정한다.

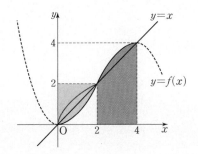

$y=f(x)$의 그래프에서 $0\le t<2$에서 $h(t)=B(t)$이고
$2\le t\le 4$에서 $h(t)=A(t)$이므로
구하려는 것은 색칠한 부분의 넓이와 같다.

$$\int_0^4 h(t)dt=2\times 2-\int_0^2 f(x)dx+\int_2^4 f(x)dx$$
$$=4-\frac{3}{2}+\frac{13}{2}=9$$

참고

$\int_0^2 f^{-1}(y)dy=2\times 2-\int_0^2 f(x)dx$임을 이용한다.

---

18 답 6

GUIDE

시각 t에서의 속도를 적분하면 위치를 알 수 있으므로 두 점 P, Q의 위치를 t에 대한 식으로 나타낸다.

시각 t에서 점 P의 위치는 $5+\int_0^t (6t^2-2)dt=2t^3-2t+5$,

점 Q의 위치는 $k+\int_0^t 4dt=4t+k$이므로 $2t^3-2t+5=4t+k$,

즉 삼차방정식 $2t^3-6t+5=k$가 서로 다른 양의 실근 2개를 가져야 한다.

$f(t)=2t^3-6t+5$라 하면

$f(0)=5$이고 $t=1$에서 극

솟값 1을 가지므로 $1<k<5$

일 때 $y=f(t)$의 그래프와

직선 $y=k$는 x좌표가 양수

인 두 점에서 만난다.

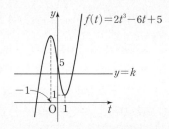

$\therefore m+n=1+5=6$

---

19 답 ㄱ, ㄴ, ㄷ

GUIDE

❶ 속도가 양수일 때 A에서 B를 향해 움직이고, 속도가 음수일 때 B에서 A를 향해 움직인다.

❷ A를 원점이라 생각하면 점 B의 좌표는 25이다.

ㄱ. 점 Q의 속도는 $0\le t\le 4$에서 음수이므로 출발 뒤 4초까지 점 A로 움직인다. (○)

ㄴ. 출발한 지 t초 뒤 점 Q의 위치는 $\frac{1}{4}t^3-\frac{3}{2}t^2+25$이므로

$\frac{1}{4}t^3-\frac{3}{2}t^2+25=25$에서 $t=0$ 또는 6 (○)

ㄷ. 출발한 지 t초 뒤 점 P의 위치는 ut이므로

$t\ge 0$에서 $\frac{1}{4}t^3-\frac{3}{2}t^2+25=ut$의 근이 있어야 한다.

$y=ut$는 원점을 지나는 직선이므로 원점에서 곡선

$y=\frac{1}{4}t^3-\frac{3}{2}t^2+25$에 그은 접선을 구해보면,

접점 좌표를 $\left(a, \frac{1}{4}a^3-\frac{3}{2}a^2+25\right)$라 할 때 접선의 방정식은

$$y=\left(\frac{3}{4}a^2-3a\right)(x-a)+\frac{1}{4}a^3-\frac{3}{2}a^2+25$$

이 직선이 원점을 지나므로

$(0, 0)$을 대입해 정리하면

$(a-5)(a^2+2a+10)=0$

$\therefore a=5$

따라서 접할 때의 기울기는

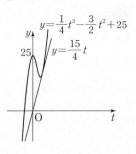

$\frac{3}{4}\times 5^2-3\times 5$, 즉 $\frac{15}{4}$이므로

$u\ge \frac{15}{4}$여야 한다. (○)

---

20 답 (1) 1 (2) 3 (3) 5

GUIDE

$h(t)=\int_0^t \{f(x)-g(x)\}dx$라 하면 두 물체의 거리 차는 $|h(t)|$이다.

---

(1) 물체 B가 방향을 바꿀 때는 함수 $g(t)$의 부호가 바뀌는 때이므로 $t=2$일 때 한 번이다.

(2) $h(t)=\displaystyle\int_0^t \{f(x)-g(x)\}dx$라 하면

두 물체의 거리 차는 $|h(t)|$이다.

이때 $|h(t)|$의 최댓값은 $h(t)$의 최댓값, 최솟값 중 절댓값이 가장 큰 값이고 $h(5)=0$이므로 함수 $h(t)$의 증감표는 다음과 같다.

t	0	$\cdots$	3	$\cdots$	5
$h'(t)$	0	$+$	0	$-$	$-$
$h(t)$	0	$\nearrow$	극대	$\searrow$	0

즉 $t=3$일 때 $h(t)$가 극대이면서 최대이다.

(3) 두 물체가 만날 때는 함수 $h(t)$의 함숫값이 0일 때이므로 $t=5$일 때이다.

참고

❶ $h'(t)=f(t)-g(t)=0$은 주어진 그래프에서 $t=0$, 3일 때이다.

❷ $\displaystyle\int_0^5 f(t)dt=\int_0^5 g(t)dt$이므로 출발 뒤 5초 후의 두 물체 A, B의 위치가 같다. 즉 $h(5)=\displaystyle\int_0^5 \{f(t)-g(t)\}dt=0$

21 ㈜ ㄱ, ㄷ

GUIDE

두 사람 사이 간격이 계속 줄어들었으므로 B가 달리는 속도가 A보다 더 빠르다.

ㄱ. $t>0$일 때 $f(t)<g(t)$에서 $f(9)<g(9)$ (○)

ㄴ. $\displaystyle\int_0^{10}|f(t)|dt+50=\int_0^{10}|g(t)|dt$ (×)

ㄷ. B가 먼저 결승선에 도착하였으므로 옳다. (○)

참고

출발 후 10초 동안 A가 움직인 거리는 $\displaystyle\int_0^{10}|f(t)|dt$ 이고, 이때 A, B의 위치가 같다.

$\therefore \displaystyle\int_0^{10}|f(t)|dt+50=\int_0^{10}|g(t)|dt$

22 ㈜ ㄱ, ㄴ

GUIDE

$v(4-t)=v(4+t)$에서 $v(t)$의 그래프는 직선 $t=4$에 대하여 대칭임을 이용한다.

ㄱ. $x(1)=-\dfrac{1}{3}<0$, $x(3)=\dfrac{16}{3}>0$이고,

$1<t<3$에서 $v(t)>0$이므로

점 P는 $1<t<3$일 때 원점을 한 번 지난다. (○)

ㄴ. $\displaystyle\int_0^1 v(t)dt=-\dfrac{1}{3}$, $\displaystyle\int_0^3 v(t)dt=\dfrac{16}{3}$이므로

$\displaystyle\int_1^3 v(t)dt=\int_0^3 v(t)dt-\int_0^1 v(t)dt$

$\qquad =\dfrac{16}{3}-\left(-\dfrac{1}{3}\right)=\dfrac{17}{3}$ (○)

ㄷ. $v(4-t)=v(4+t)$에서 $v(t)$의 그래프는 직선 $t=4$에 대해 대칭이므로

$\displaystyle\int_4^7 |v(t)|dt=\int_1^4 |v(t)|dt$

$\qquad =\displaystyle\int_1^3 |v(t)|dt+\int_3^4 |v(t)|dt$

$\qquad =x(3)-x(1)+x(3)-x(4)$

$\qquad =\dfrac{16}{3}-\left(-\dfrac{1}{3}\right)+\dfrac{16}{3}-\dfrac{10}{3}=\dfrac{23}{3}$ (×)

참고

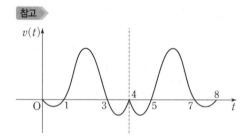

STEP 3 | 1등급 뛰어넘기 p. 106~108

01 90	02 ③	03 16	04 ⑤
05 ③	06 ㄴ, ㄷ		
07 ㈎ $(x-\alpha)^2(x-\beta)^2$ ㈏ $\dfrac{|a|}{30}(\beta-\alpha)^5$			08 5

01 ㈜ 90

GUIDE

❶ $f(-2)=g(-2)$, $f(0)=g(0)$, $f(2)=g(2)$

❷ $\displaystyle\int_{-2}^2 |f(x)-g(x)|dx=4$

$f(-2)=g(-2)$, $f(0)=g(0)$, $f(2)=g(2)$이고

$\displaystyle\int_{-2}^2 |f(x)-g(x)|dx=4$이므로

$\displaystyle\int_{-2}^2 \{f(x)-g(x)\}dx=-4=-\int_{-2}^2 |f(x)-g(x)|dx$

즉 구간 $[-2, 2]$에서 $f(x)-g(x)\leq 0$이므로 다음과 같이 $y=f(x)$의 그래프와 $y=g(x)$의 그래프는 $x=-2$, $x=2$에서 만나고, $x=0$에서 접하는 꼴이어야 한다.

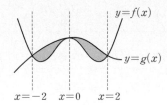

이때 $h(x)=f(x)-g(x)$라 하면

$h(-2)=h(0)=h(2)=0$이므로

$h(x)=ax^2(x-2)(x+2)=a(x^4-4x^2)$이라 놓으면

$\int_{-2}^{2}h(x)dx=2\int_{0}^{2}a(x^4-4x^2)dx=-\dfrac{128}{15}a=-4$

$\therefore a=\dfrac{15}{32}$

따라서 $f(4)-g(4)=h(4)=\dfrac{15}{32}\times16\times2\times6=90$

02 ⓐ ③

GUIDE

$y=x^4$의 그래프와 직선 $y=k$의 교점을 P라 하면 $k=x^4$에서 $x=k^{\frac{1}{4}}$, 즉 점 P의 좌표는 $(k^{\frac{1}{4}}, k)$이므로 네 영역의 넓이를 k로 나타낸다.

$S_3=\int_{k^{\frac{1}{4}}}^{1}(x^4-k)dx$

$\quad=\dfrac{1}{5}-k+\dfrac{4}{5}k^{\frac{5}{4}}$

$S_4=(1-k)-S_3$

$\quad=\dfrac{4}{5}-\dfrac{4}{5}k^{\frac{5}{4}}$

$S_2=\int_{0}^{1}x^4dx-S_3=k-\dfrac{4}{5}k^{\frac{5}{4}}$

$S_1=k-S_2=\dfrac{4}{5}k^{\frac{5}{4}}$

즉 $|S_1-S_3|+|S_2-S_4|=\left|k-\dfrac{1}{5}\right|+\left|k-\dfrac{4}{5}\right|$이므로

최솟값은 $\dfrac{1}{5}<k<\dfrac{4}{5}$일 때 $\dfrac{3}{5}$

03 ⓐ 16

GUIDE

(점 P가 움직인 거리)−(점 Q가 움직인 거리)$=6m$ (m은 정수)임을 이용해야 한다.

$t>0$일 때 $9t^2+36>0$, $6t^2+24t>0$이므로

두 점 P, Q가 움직인 거리를 각각 S_P, S_Q라 하면

$S_P=\int_{0}^{t}(9t^2+36)dt=3t^3+36t$

$S_Q=\int_{0}^{t}(6t^2+24t)dt=2t^3+12t^2$

이때 정수 m에 대하여

$S_P-S_Q=6m$,

즉 $t^3-12t^2+36t=6m$

$(0<t\le8)$이어야 하므로 그림에서 $m=0$일 때 한 번, $m=1$, 2, 3, 4, 5일 때 각각 세 번씩 만난다.

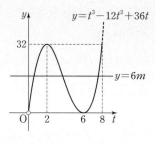

따라서 출발 후 8분 동안 두 점 P, Q가 만나는 횟수는

$1+3\times5=16$

04 ⓐ ⑤

GUIDE

❶ $x\ge0$일 때, $x<0$일 때로 나누어서 $y=f(x)$의 그래프를 그려 직선과 곡선의 교점을 구한다.
❷ 이차함수와 직선 사이의 넓이를 구하는 공식을 이용한다.

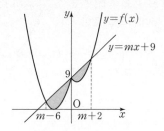

위 그림에서 $f(x)=\begin{cases}x^2-2x+9 & (x\ge0) \\ x^2+6x+9 & (x<0)\end{cases}$의 그래프와

직선 $y=mx+9$로 둘러싸인 부분의 넓이는

$\dfrac{1}{6}(m+2-0)^3+\dfrac{1}{6}(0-m+6)^3=4(m-2)^2+\dfrac{64}{3}$

따라서 $m=2$일 때, 최솟값 $S=\dfrac{64}{3}$이므로

$\alpha+S=2+\dfrac{64}{3}=\dfrac{70}{3}$

05 ⓐ ③

GUIDE

❶ 두 점 Q, R 각각에 접하는 접선의 방정식을 α, β로 나타낸다.
❷ 점 P의 좌표를 α, β로 나타낸다.

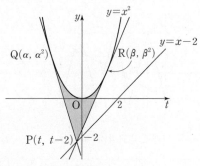

$Q(\alpha, \alpha^2)$을 지나는 접선의 방정식은 $y=2\alpha(x-\alpha)+\alpha^2$에서

$y=2\alpha x-\alpha^2$ ...... ㉠

$R(\beta, \beta^2)$을 지나는 직선의 방정식은

$y=2\beta x-\beta^2$ ...... ㉠

두 직선 ㉠, ㉡의 교점은 $\left(\dfrac{\alpha+\beta}{2}, \alpha\beta\right)$이고, 이 점이 $P(t, t-2)$

이므로 $t=\dfrac{\alpha+\beta}{2}$, $t-2=\alpha\beta$

$S=\displaystyle\int_{\alpha}^{\frac{\alpha+\beta}{2}}\{x^2-(2\alpha x-\alpha^2)\}dx+\int_{\frac{\alpha+\beta}{2}}^{\beta}\{x^2-(2\beta x-\beta^2)\}dx$

$\quad=\dfrac{1}{12}(\beta-\alpha)^3$

$\dfrac{36S}{\beta-\alpha}=3(\beta-\alpha)^2=3\{(\alpha+\beta)^2-4\alpha\beta\}$

$\qquad\quad=3(4t^2-4t+8)=12\left\{\left(t-\dfrac{1}{2}\right)^2+\dfrac{7}{4}\right\}$

따라서 $t=\dfrac{1}{2}$일 때 최솟값 21

1등급 NOTE

포물선 $y=ax^2+bx+c$와 두 접선으로
둘러싸인 부분의 넓이는 그림과 같이
구한다.

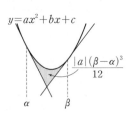

$y=ax^2+bx+c$

$\dfrac{|a|(\beta-\alpha)^3}{12}$

06 답 ㄴ, ㄷ
GUIDE

❶ 두 점 P, Q가 운동 방향을 바꾸는 경우는 $v=f(t)$, $v=g(t)$의 그래프
의 부호가 바뀔 때이다.
❷ 두 점 P, Q의 위치가 같을 때 만난다.

ㄱ. $0<t<7$일 때, $f(t)\geq 0$이므로 점 P는 방향을 바꾸지 않는
다. (×)

ㄴ. $0<t<7$일 때 $\displaystyle\int_0^t f(t)dt>\int_0^t g(t)dt$이고,

$t=7$일 때, $\displaystyle\int_0^t f(t)dt=\int_0^t g(t)dt$이므로

P, Q는 오직 한 번 만난다. (○)

ㄷ. ㄴ에서 $0<t<7$일 때, 점 P가 움직인 거리는 점 Q가 움직인
거리보다 항상 길다. 따라서 두 점 P, Q가 가장 멀리 떨어져
있을 때는 $\displaystyle\int_0^t\{f(t)-g(t)\}dt$의 값이 최대인 경우이다.

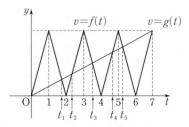

$v=f(t)$ $v=g(t)$

O 1 2 3 4 5 6 7 t
t_1 t_2 t_3 t_4 t_5

그림에서 두 그래프의 교점의 t좌표를 $t_1, t_2, \cdots, t_5$라 하면

$t=t_3$일 때 $\displaystyle\int_0^t\{f(t)-g(t)\}dt=\int_0^t f(t)dt-\int_0^t g(t)dt$의

값이 최대이므로 $3<\alpha<4$ (○)

07 답 ㈎ $(x-\alpha)^2(x-\beta)^2$ ㈏ $\dfrac{|a|(\beta-\alpha)^5}{30}$
GUIDE

함수 $h(x)$에 대하여 $h(p)=h'(p)=0$이면 $h(x)=(x-p)^2Q(x)$

$u(x)=f(x)-g(x)$로
놓으면

$h(\alpha)=h'(\alpha)$
$\quad=h(\beta)$
$\quad=h'(\beta)=0$

$y=f(x)$

$y=g(x)$

α β x

이고 $h(x)=f(x)-g(x)$
는 최고차항의 계수가 a인
사차함수이므로 $h(x)=a(x-\alpha)^2(x-\beta)^2$
따라서 ㈎에 들어갈 내용은 $(x-\alpha)^2(x-\beta)^2$

또 그림에서 두 그래프를 x축 방향으로 $-\alpha$만큼 평행이동한 것
을 생각하면

$\displaystyle\int_0^{\beta-\alpha}|ax^2(x-\beta+\alpha)^2|dx$

$=|a|\left[\dfrac{1}{5}x^5-\dfrac{1}{2}(\beta-\alpha)x^4+\dfrac{1}{3}(\beta-\alpha)^2x^3\right]_0^{\beta-\alpha}$

$=\dfrac{|a|(\beta-\alpha)^5}{30}$

따라서 ㈏에 들어갈 내용은 $\dfrac{|a|(\beta-\alpha)^5}{30}$

08 답 5
GUIDE

$f(2+x)=-f(2-x)$에 $x=0$을 대입하면
$f(2)=0$이므로 $y=f(x)$의 그래프는 그림처
럼 $(2, 0)$을 지나고, $(2, 0)$에 대하여 대칭이다.

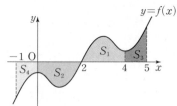

$y=f(x)$

O 2 x

$y=f(x)$의 그래프가 점 $(2, 0)$에 대하여 대칭이므로 그림처럼
생각할 수 있다.

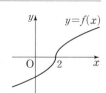

$y=f(x)$

S_1 S_3
-1 O S_2 2 4 5 x
S_4

즉 $-\displaystyle\int_0^2 f(x)dx=\int_2^4 f(x)dx=2$

$\displaystyle\int_4^5 f(x)dx=-\int_{-1}^0 f(x)dx=1$

이때 구하려는 넓이는 위 그림에서 $S_1+S_2+S_3$과 같으므로
$S_1=S_2=2$, $S_3=1$에서 $S_1+S_2+S_3=5$

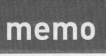

memo